Nova Luz
sobre a Antropologia

Coleção

ANTROPOLOGIA SOCIAL

diretor: Gilberto Velho

- O Riso e o Risível
  Verena Alberti
- Movimento Punk na Cidade
  Janice Caiafa
- O Espírito Militar
- Os Militares e a República
  Celso Castro
- Velhos Militantes
  Ângela Castro Gomes, Dora Flaksman, Eduardo Stotz
- Da Vida Nervosa
  Luiz Fernando Duarte
- Garotas de Programa
  Maria Dulce Gaspar
- Nova Luz sobre a Antropologia
  Clifford Geertz
- O Cotidiano da Política
  Karina Kuschnir
- Cultura: um Conceito Antropológico
  Roque de Barros Laraia
- Carisma
  Charles Lindholm
- Autoridade & Afeto
  Myriam Lins de Barros
- Ilhas de História
  Marshall Sahlins
- Os Mandarins Milagrosos
  Elizabeth Travassos
- Antropologia Urbana
- Desvio e Divergência
- Individualismo e Cultura
- Projeto e Metamorfose
- Subjetividade e Sociedade
- A Utopia Urbana
  Gilberto Velho
- O Mundo Funk Carioca
- O Mistério do Samba
  Hermano Vianna
- Bezerra da Silva: Produto do Morro
  Letícia Vianna
- O Mundo da Astrologia
  Luís Rodolfo Vilhena
- Araweté: os Deuses Canibais
  Eduardo Viveiros de Castro

Clifford Geertz

Nova Luz sobre a Antropologia

Tradução:
VERA RIBEIRO

Revisão técnica:
MARIA CLÁUDIA PEREIRA COELHO
Deptº de Ciências Sociais, UERJ

Jorge Zahar Editor
Rio de Janeiro

Para Joan Scott, Albert Hirschman
e Michael Walzer, colegas

Título original:
Available Light: Anthropological Reflections on Philosophical Topics

Tradução autorizada da primeira edição norte-americana publicada em 2000 por Princeton University Press, de New Jersey, Estados Unidos

rua México 31 sobreloja
20031-144 Rio de Janeiro, RJ
tel.: (21) 240-0226 / fax: (21) 262-5123
e-mail: jze@zahar.com.br
site: www.zahar.com.br

Capa: Carol Sá e Sérgio Campante

CIP-Brasil. Catalogação-na-Fonte
Sindicato Nacional dos Editores de Livros, RJ.

Geertz, Clifford
G26n Nova luz sobre a antropologia / Clifford Geertz; tradução, Vera Ribeiro; revisão técnica, Maria Cláudia Pereira Coelho. — Rio de Janeiro: Jorge Zahar Ed., 2001
(Antropologia social)

Tradução de: Available light: anthropological reflections on philosophical topics

ISBN 85-7110-588-X

1. Etnologia. 2. Filosofia. 3. Pluralismo (ciências sociais). I. Título. II. Série

CDD 306
01-0038 CDU 39

Sumário

Prefácio

Como convém a duas disciplinas não claramente definidas e voltadas ambas para tudo o que diz respeito à vida e ao pensamento humanos, a antropologia e a filosofia são mais do que suspeitas uma para a outra. A ansiedade decorrente da combinação de uma difusa e confusa identidade acadêmica com a ambição de relacionar tudo a praticamente tudo, para assim chegar ao fundo das coisas, deixa-as inseguras quanto ao que cada uma deve fazer. Não que suas fronteiras se confundam; antes, não têm fronteiras claramente demarcáveis. Não que seus interesses divirjam; ao contrário, parece que a elas nada escapa.

Além da competição geralmente indireta e implícita para dar a última e a primeira palavras, os dois campos partilham uma série de outras características que perturbam suas relações mútuas e tornam desnecessariamente difícil sua cooperação. Mais especificamente, ambos são permeáveis e vulneráveis, sofrem perigos e assédio. Freqüentemente são invadidos, hoje em dia, por intrusos que alegam fazer seu trabalho de maneira mais eficaz, presos que estão os dois campos numa rígida imobilidade.

Para a filosofia, trata-se de uma velha história. A história da filosofia é uma sucessão de rupturas, com seus protetorados e principados declarando independência como ciências específicas e autônomas — como foi o caso da matemática, da física, da biologia, da psicologia e, nos últimos tempos, até da lógica e da epistemologia. Para a antropologia, essa retração do império ante as pressões separatistas é mais recente e menos pacífica, mas não menos severa. Tendo lavrado para si, a partir do século XIX, um lugar especial como estudo da cultura, "esse todo complexo que inclui ... crenças, moralidades, leis, costumes ... adquiridos pelo homem como membro da sociedade", a antropologia descobre hoje que várias disciplinas recentemente improvisadas, semidisciplinas e sociedades militantes (de estudos de gênero, da ciência, dos homossexuais, da mídia, étnicos, pós-coloniais etc., livremente agrupados, como insulto final, sob o rótulo "estudos culturais") se amontoam no terreno que ela tão árdua e corajosamente desbravou, limpou e passou a cultivar. Quer como velha e honorável empresa *holding* cuja honra e subsidiárias lhe escapam lentamente das mãos, quer como ousada aventura intelectual espoliada por saqueadores, intrusos e parasitas, a sensação do "fim", de dispersão e dissolução, cresce dia a dia. Uma situação não particularmente propícia à interação generosa e à combinação de forças.

No entanto, ainda vale a pena tentar a interação e a combinação. Não apenas os medos são exagerados e as suspeitas infundadas (nenhum dos campos está a ponto de desistir e a oposição entre eles, em estilo ou índole, é menor do que gostariam de acreditar seus mais ardorosos defensores), como também os agitados mares pós-modernos nunca dantes navegados, e que agora ambos na verdade singram igualmente, os tornam cada vez mais necessitados um do outro. O fim não está próximo nem sequer à vista, tanto para uma como para outra empresa. Próxima está, porém, a falta de objetivo, essa frustrante deriva em busca de rumo e fundamento.

Meu interesse em estabelecer uma ligação, ou fortalecê-la — ou talvez, pensando em Montaigne e Montesquieu, revivê-la — não decorre do desejo de mudar minha identidade profissional, com a qual me sinto tão à vontade quanto seria de esperar depois de cinqüenta anos de luta para firmá-la, nem de ampliá-la para algum tipo de pensador de nível superior e sem história. Sou, da cabeça aos pés, um etnógrafo que escreve sobre etnografia — e não construo sistemas. Mas, provavelmente, isso está ligado de alguma forma ao fato de que, como explico no primeiro capítulo, comecei "na filosofia" mas a abandonei, após um período vergonhosamente curto, para alicerçar o meu pensamento mais objetivamente, assim eu supunha, na variedade do mundo. As questões que me preocupavam então, que eu queria investigar empiricamente e não apenas em termos conceituais — o papel das idéias no comportamento, o sentido do significado, o julgamento do julgamento — persistem, ampliadas, reformuladas e, creio, mais substanciadas, nos meus trabalhos sobre a religião javanesa, os Estados balineses e os bazares marroquinos, sobre a modernização, o islamismo, o parentesco, a lei, a arte e etnicidade. E são essas questões e preocupações que se refletem, de modo um pouco mais explícito, nas "reflexões" aqui reunidas.

Paradoxalmente, relacionar o trabalho que faço — revelar as singularidades dos modos de vida de outros povos — ao dos filósofos ou, pelo menos, dos filósofos que me interessam — examinar o alcance e estrutura da experiência humana e sua finalidade — é, sob muitos aspectos, mais fácil hoje em dia do que no final dos anos 40, quando me imaginava destinado a uma carreira de filósofo. Isso se deve, a meu ver, basicamente ao fato de que desde então houve uma grande mudança na maneira como os filósofos, ou pelo menos a maior parte deles, concebem a própria vocação. E essa mudança ocorreu numa direção particularmente compatível com aqueles que, como eu, acreditam que as respostas a nossas indagações mais gerais — por que, como, o que, onde — devem ser buscadas, se é que existem, nos pequenos detalhes da vida vivida.

A principal figura a possibilitar essa mudança, se não sua causadora, foi, de novo na minha opinião, esse rebelde póstumo e esclarecedor que foi "o último Wittgenstein". O aparecimento em 1953, dois anos após a sua morte, das *Investigações filosóficas*, com a transformação do que não passava de conversas de Oxbridge num texto com poder gerador aparentemente infinito, teve um enorme impacto no que eu pretendia e sentia esperança de realizar, da mesma forma que o fluxo de "Observações", "Momentos", "Apontamentos" e "Lembretes" que se seguiram ao *Nachlass* [Alívio] nas décadas subseqüentes. Nisso eu não estava sozinho entre os que trabalhavam em ciências humanas e tentavam encontrar a saída de suas garrafas fechadas. Mas, certamente, era um dos mais predispostos a receber a mensagem. Se é verdade, como já se disse, que os escritores que gostamos de chamar de mestres são aqueles que nos parecem estar dizendo afinal o que há muito tempo tínhamos na ponta da língua mas não conseguíamos expressar, aqueles que conseguem verbalizar o que para nós não passa de movimentos, tendências e impulsos mentais incipientes, fico então mais do que feliz em reconhecer Wittgenstein como meu mestre. Ou um deles, pelo menos. Que ele retribuísse o favor e me reconhecesse como discípulo seria, naturalmente, mais do que improvável, dado que não gostava muito de que concordassem com ele ou o compreendessem.

Seja como for, a oposição de Wittgenstein à idéia de uma língua privada, crítica que tirou o pensamento de sua gruta mental e levou-o para a praça pública onde podia ser examinado; sua noção de jogo de linguagem, que forneceu uma nova maneira de encará-la — como um conjunto de práticas; e a sua proposta das "formas de vida" como (para citar um comentador) o "conjunto de condições naturais e culturais pressupostas em... qualquer compreensão específica do mundo", tudo isso parece quase feito sob medida para possibilitar o tipo de estudo antropológico que eu e outros da mesma cepa fazemos. Essas idéias, é claro, juntamente com seus acompanhamentos e corolários — "seguir uma regra", "não buscar o sentido, mas o uso", "toda uma nuvem de filosofia condensada numa gota de gramática", "dizer e mostrar", "semelhança familiar", "um quadro cativante", "visto como", "não é bem aí", "de volta à terra firme", "cegueira momentânea", "abrir o jogo" — não tinham este objetivo, mas eram parte de uma crítica impiedosa e revolucionária da filosofia. Mas tratava-se de uma crítica da filosofia que reduzia a defasagem entre ela e o ato de sair pelo mundo tentando descobrir como, em meio à fala, as pessoas — grupos de pessoas, pessoas individuais, as pessoas como um todo — produzem uma voz mítica e matizada.

A forma como essa defasagem foi reduzida, ou talvez apenas localizada e descrita, é indicada pela citação que um antropólogo de campo acharia a mais convidativa entre as que acabo de listar: "De volta à terra firme!" Wittgenstein escreveu: "Chegamos ao gelo escorregadio em que não há atrito e onde, portanto, em certo sentido, as condições são ideais, mas onde também, justamente por isso, não conseguimos andar. Queremos andar, portanto precisamos de *atrito*. De volta à terra firme!" (*Investigações filosóficas*, 107). A idéia de que a antropologia (embora, é claro, não só a antropologia) explora a terra firme, onde é possível ao pensamento — o de Wittgenstein ou o de qualquer um — ganhar tração, é para mim não apenas instigante por si mesma; foi essa idéia, desfocada e informe, que antes de mais nada me levou a migrar para o trabalho de campo, nos dois sentidos de "campo". Cansado de escorregar no gelo flutuante cartesiano, kantiano ou hegeliano, eu queria andar.

Ou perambular. Ao passar por lugares e povos, buscando incessantemente contrastes constantes para qualquer pista que pudessem fornecer sobre qualquer enigma eventual, produz-se menos uma posição, uma visão permanente e cumulativa sobre uma série fixa de questões, do que uma série de posicionamentos — argumentos variados para fins variados. Isso deixa intocada muita nebulosidade e incerteza, talvez a maior parte da nebulosidade e incerteza existentes. Mas nisso também seguimos Wiitgenstein: poderíamos indagar, diz ele, se "'um conceito nebuloso é de fato um *conceito*'. Uma foto pouco nítida é mesmo o retrato de alguém? Será que é sempre vantajoso trocar um retrato pouco claro por outro bem nítido? Não será o retrato pouco nítido exatamente aquilo de que precisamos?" (*Investigações filosóficas*, 71).

Se é ou não — e seja quem for esse "nós" — o que virá a seguir é um conjunto variado e apenas parcialmente organizado de comentários, exemplos, críticas, ruminações, avaliações e indagações que têm a ver com assuntos e pessoas — "relativismo", "mente", "conhecimento", o "eu", Taylor, Rorty, Kuhn, James — pelo menos supostamente "filosóficos". Depois de um capítulo de abertura mais ou menos introdutório, que revê o caminho vacilante de minha carreira profissional, texto preparado para a série "Uma Vida de Aprendizagem", do American Council of Learned Societies, os três capítulos seguintes abordam angústias morais surgidas no meu trabalho de campo, alguns argumentos ditos anti-relativistas, recentemente popularizados na antropologia, e uma crítica a algumas apologias do provincianismo cultural na filosofia moral. O capítulo V, "A situação atual", reúne cinco trabalhos extemporâneos sobre controvérsias morais e epistemológicas do momento, dentro e fora da antropologia. Vêm em seguida considerações mais sistemáticas sobre a obra de

Charles Taylor, Thomas Kuhn, Jerome Bruner e William James, preparadas para seminários em sua homenagem. O capítulo X, "Cultura, mente, cérebro ...", é mais uma análise das relações (possíveis) entre o que (supostamente) se passa nas nossas cabeças e o que (aparentemente) acontece no mundo. E, por fim, "O mundo em pedaços" trata das questões levantadas para a teoria política pela recente onda de "conflitos étnicos".

Quanto aos agradecimentos que geralmente aparecem mais ou menos neste ponto, tenho a esta altura tantas pessoas a quem agradecer que não quero me arriscar a deixar ninguém de fora de uma lista; de todo modo, a maioria já recebeu meu reconhecimento anteriormente. Assim, limitei-me a dedicar o livro a meus colegas de conspiração na Escola de Ciências Sociais do Instituto de Estudos Avançados de Princeton, onde quase tudo foi inicialmente escrito e discutido, depois reescrito e rediscutido, e onde criamos juntos um lugar e uma atitude que merecem ser defendidos. Para evitar interpretações de sentidos encobertos por parte deles ou de quem quer que seja, relacionei-os por ordem de distância, no corredor, em relação ao meu gabinete.

Princeton, Nova Jersey
agosto de 1999

Agradecimentos

Capítulo 1: Conferência Charles Homer Haskin, proferida no American Council of Learned Societies, Filadélfia, 1999.

Capítulo 2: Copyright © 1968 Antioch Review, Inc. Publicado originalmente em *The Antioch Review*, vol.28, nº 2. Reproduzido com permissão da editora.

Capítulo 3: Conferência magna no encontro anual da American Anthropological Association, Chicago, 1983; originalmente publicada em *The American Anthropologist*, 86(2), p.263-78, 1984. Reproduzida com permissão da American Anthropological Association.

Capítulo 4: Conferência Tanner sobre Valores Humanos, Universidade de Michigan, Ann Arbor, 1985; originalmente publicado em *Tanner Lectures on Human Values*, vol.7, Salt Lake City, University of Utah Press, 1986, p.253-75.

Capítulo 5: Seções originalmente publicadas, respectivamente, em *Times Literary Supplement*, 5 de junho de 1985; *The New York Review of Books*, 30 de novembro de 1995; *The New York Review of Books*, 22 de outubro de 1998; *New Literary History*, 21, 1990, p.321-35; *The Yale Journal of Criticism*, 5 (1993)p.129-35. Reproduzido com permissão de The New York Review of Books. Copyright © 1995-8 NYREV, Inc.

Capítulo 6: Publicado originalmente em James Tully e Daniel M. Weinstock (orgs.), *Philosophy in an Age of Pluralism*, Cambridge, Cambridge University Press, 1995, p.83-95. Reproduzido com permissão da Cambridge University Press.

Capítulo 7: Publicado originalmente em *Common Knowledge*, 6, 1, 1997, p.1-5.

Capítulo 8: Conferência William James, proferida na Faculdade de Teologia de Harvard, 1998; publicada originalmente em *Raritan: A Quaterly Review*, vol.18, nº 3, inverno de 1999, p.1-19. Reproduzido com permissão.

Capítulo 9: A ser publicado em D. Bakhurst e S. Shanker (orgs.), *Language, Culture, Self: The Philosophical Psychology of Jerome Bruner*, Londres, Sage. Parte do texto foi originalmente publicada em *The New York Review of Books*, 10 de abril de 1997.

Capítulo 10: Inédito. Apresentado no seminário inaugural da Fundação Ferdinand de Saussure, Archamps/Genebra, 1999.

Capítulo 11: Conferência Anual de Filosofia Moderna do Institut für die Wissenschaften vom Menschen [Instituto das Ciências do Homem], Viena, 1995; originalmente publicado (em inglês) em *FOCAAL*, 23, 1998, p.91-117.

1 *Paisagem e acidente: Uma vida de aprendizagem*

Abertura

É complicado vir a público no final de uma vida improvisada e chamá-la sábia. Não percebi, ao começar a ver, após uma infância de isolamento, o que poderia estar acontecendo no resto do mundo, que haveria um exame final. Suponho que o que fiz em todos esses anos foi acumular aprendizados. Mas, naquela época, pareceu-me que eu estava tentando descobrir o que fazer em seguida e adiar um balanço: analisar a situação, avaliar as possibilidades, escapar às conseqüências, repensar tudo. Não se chega a muitas conclusões dessa maneira, ou, pelo menos, a nenhuma duradoura, de forma que resumir tudo perante Deus e o Mundo é de certo modo uma farsa. Um bocado de gente não sabe exatamente para onde vai, suponho; mas eu nem sei com certeza onde estive. Mas tudo bem. Tentei virtualmente todos os gêneros literários numa ou em outra época. Posso perfeitamente experimentar também o *Bildungsroman* [romance de formação].

A bolha

De qualquer forma, pelo menos aprendi uma coisa ao ir juntando os retalhos de minha carreira acadêmica: tudo depende do momento. Entrei para o mundo acadêmico numa época que deve ter sido a melhor para isso em todo o curso da história, se não provavelmente em toda parte, pelo menos nos Estados Unidos. Quando dei baixa da marinha americana em 1946, salvo por pouco — pela Bomba — de ser obrigado a invadir o Japão, mal começara o grande *boom* do ensino universitário nos EUA — e cavalguei toda a onda, uma crista após outra, até hoje, quando ela parece, enfim, como eu, estar arrefecendo. Eu tinha 20 anos e queria sair da Califórnia, onde tinha parentes demais mas não uma família. Queria ser romancista, de preferência famoso. E, o que foi decisivo, tive o benefício da lei sobre os ex-combatentes.

Ou melhor, *tivemos* o benefício dessa lei, milhões de ex-combatentes. Como já foi contado à exaustão — houve até um especial de televisão sobre o assunto um ou dois anos atrás, e escreveram um livro a seu respeito, oportunamente intitulado *Quando os sonhos se tornam realidade* —, a enxurrada de veteranos de guerra, quase dois milhões e meio de ex-combatentes decididos que invadiram os *campi* universitários na segunda metade da década de 40, mudou por completo, repentina e definitivamente, a face do ensino superior no país. Estávamos mais velhos, tínhamos passado por uma experiência que a maioria dos colegas e professores desconhecia, tínhamos pressa e não estávamos absolutamente interessados nos rituais e mascaradas da vida universitária. Muitos já eram casados e os demais, inclusive eu, logo se casariam. O mais importante, talvez, foi que transformamos a composição de classes, étnica, religiosa, e mesmo racial até certo ponto, do corpo discente americano. E por fim, à medida que a onda avançava pelos cursos de pós-graduação, transformamos também o corpo docente. De 1950 a 1970, o número de doutorados concedidos anualmente quintuplicou, passando de 6 mil para aproximadamente 30 mil. (Em 1940 foram 3 mil. Não admira que os anos 60 tenham acontecido!) Talvez não fosse bem isso o que pretendiam o magnata da imprensa William Randolph Hearst e a Legião Americana ao mobilizar o apoio popular para a lei em benefício dos ex-combatentes. Mas, já naquela época, sabíamos que éramos a vanguarda de algo vasto e repleto de conseqüências: a formatura da América.

Cresci no meio rural durante a Grande Depressão e não supunha que pudesse um dia freqüentar uma faculdade, de modo que, ao surgir de repente essa chance, não soube o que fazer. Depois de perambular por São Francisco quase o verão inteiro, "readaptando-me" à vida civil, também à custa do governo, perguntei o que deveria fazer a um professor de inglês de segundo grau, esquerdista à moda antiga e agitador portuário, que fora a primeira pessoa a sugerir que eu me tornasse escritor — como Steinbeck, digamos, ou Jack London. Ele disse (mais ou menos) o seguinte: "Você deve entrar para o Antioch College. O sistema, lá, é trabalhar metade do tempo e estudar a outra metade." Pareceu interessante e enviei uma proposta de admissão — ele por acaso tinha um formulário, que me cedeu. A proposta foi aceita em uma ou duas semanas e eu parti, confiante, para ver o que acontecia no sul de Ohio. (Como disse, os tempos eram outros. Não estou certo de que eu sequer soubesse que as propostas de admissão eram por vezes rejeitadas — e não tinha um plano alternativo. Se fosse rejeitado, provavelmente teria ido trabalhar na companhia telefônica, tentando escrever à noite, esqueceria a coisa toda e seríamos todos poupados do presente exercício.)

O Antioch College, entre 1946 e 1950, era à primeira vista o próprio modelo da mais americana e, a meu ver, mais admirável das instituições educacionais — a pequena escola interiorana de humanidades, vagamente cristã e ainda mais vagamente populista. Com menos de mil alunos e apenas metade deles no campus ao mesmo tempo (a outra metade trabalhava em Chicago, Nova York, Detroit etc.), 75 ou 80 professores residentes e instalada entre os bosques e a ferrovia de Yellow Springs, Ohio (população: 2.500 habitantes), ela parecia, cheia de caramanchões em treliça e chaminés de tijolo aparente, um cenário da Metro Goldwyn-Meyer para que Judy Garland e Mickey Rooney, ou quem sabe Harold Lloyd, interpretassem a passagem juvenil do lar para o mundo, aventurando-se desajeitadamente no sexo, experimentando o álcool, dirigindo conversíveis, enganando professores aturdidos e exercitando egos insolentes. Havia um pouco disso por lá, mas o lugar era bem mais sério, para não dizer bem mais grave, do que sugeriam a aparência e a localização. Utópico, experimentalista, anticonformista, esforçadamente zeloso, desesperadamente intenso e cheio de radicais políticos e de espíritos esteticamente livres (ou seriam radicais estéticos e espíritos politicamente livres?), era um santuário precoce da contracultura — um ambiente mental e físico que o afluxo de ex-combatentes, dispostos a nunca mais aceitar que nada lhes fosse imposto por ninguém, sob nenhum pretexto, reforçava vigorosamente.

Largado nesse confuso campus de automodelagem moralizante (reinavam um espírito quacre, a mais fechada das gaiolas de ferro, e uma atitude judaica feita de impaciência, ironia e autocrítica, mistura que gerava uma espécie de ruidosa introspecção, sumamente curiosa), simplesmente me inscrevi em todos os cursos que de alguma forma pareciam interessantes, estavam à mão ou podiam fazer bem a minha índole — o que, suponho (e a escola sem dúvida supunha), é a definição de uma educação liberal. Como queria ser escritor, pensei (absurdamente, é claro) que deveria me especializar em letras/inglês. Mas achei que até isso seria restritivo, daí ter mudado para a filosofia, cujos requisitos admitiriam praticamente qualquer curso que eu viesse a fazer — musicologia, por exemplo, ou política fiscal. Quanto à parte de "trabalho" do programa de "trabalho-estudo" e à questão alarmante que ele levantava — que tipo de empresa aproveitaria um aprendiz de *littérateur*? — pensei (mais absurdamente ainda) que deveria ingressar no jornalismo como profissão preliminar, uma ocupação preparatória que me sustentasse até adquirir voz própria; a idéia foi logo abandonada quando passei pela experiência de *copy-boy* no (então e ainda) enlouquecido e indigente *New York Post*. O resultado de toda essa busca, experimentação e liberdade (embora, como já disse, tenha conseguido me casar no meio disso tudo) foi que, quando afinal me formei, não tinha uma idéia melhor do que fazer para continuar no mundo do que quando iniciei os estudos. Ainda estava me readaptando.

Mas, como o Antioch College, apesar de toda sua inclinação para o empenho moral e a vida prática, não era um seminário nem uma escola de comércio, isso não vinha muito ao caso. O que se esperava que alguém adquirisse lá, e o que de fato adquiri, foi uma sensibilidade para aquilo que Hopkins chamou de um "balcão para toda sorte de mercadorias originais, raras e estranhas" — uma sensibilidade para a irregularidade de tudo o que se passa no mundo e para a raridade daquilo que dura. Estávamos, afinal, nos "infames anos 50", quando, reza a história, a praça pública estava vazia, todos estavam envolvidos na caça às bruxas e na busca de objetivos egoístas, e tudo era cinza sobre cinza, quando não suburbanamente *technicolor.* Mas não é assim que a coisa me vem à lembrança. Para mim, foi uma época de intensidade jamesiana, quando a sensação de que tudo poderia desaparecer de um momento para o outro numa catástrofe termonuclear tornava mais urgente ser alguém que não desperdiçasse nada do que traçar planos e projetos ambiciosos. Talvez ficássemos perdidos ou desamparados, ou torturados por uma angústia ontológica, mas podíamos ao menos tentar não ser estúpidos e obtusos.

Fosse como fosse, e como eu estava, aliás, me formando, tinha que partir em busca de outro lugar. A questão era: qual, onde? Sem nada de substancial em vista em matéria de emprego (ninguém para quem eu havia trabalhado queria me ver de novo), achei conveniente abrigar-me no curso de doutorado, e minha mulher, Hildred, outra especialista em inglês deslocada e despreparada para o "mundo real", resolveu fazer o mesmo. Mais uma vez, porém, eu não sabia como fazê-lo e, como havia esgotado meus benefícios de ex-combatente, estava — estávamos — de novo sem recursos. Assim, reproduzi o que acontecera em 1946 e perguntei a outro acadêmico incomum, um carismático e desiludido professor de filosofia chamado George Geiger, que fora reserva de Lou Gehrig no time de beisebol da Universidade de Columbia e o último aluno diplomado pela John Dewey, o que deveria fazer. Ele respondeu (também mais ou menos) o seguinte: "Não faça filosofia; ela está nas mãos de tomistas e técnicos. Você deve tentar a antropologia."

Como o Antioch não tinha cursos nessa área, não havia me interessado por ela, e, como nem eu nem ele sabíamos exatamente o que vinha a ser antropologia, era uma proposta um tanto estranha. Fiquei sabendo que Geiger estivera em contato com Clyde Kluckhohn, um professor de antropologia que estava empenhado, com alguns de seus colegas de Harvard, na criação de um departamento interdisciplinar experimental de "Relações Sociais", no qual a antropologia cultural estava acoplada não com a arqueologia e a antropologia física, como costumava e infelizmente costuma acontecer, mas com a psicologia e a sociologia. Esse, segundo ele, seria o lugar ideal para mim.

Talvez. Eu não tinha nenhuma objeção em especial. Mas o que decidiu a questão foi que (e isso é o que vocês podem achar difícil de acreditar) o American Council of Learned Societies acabara de criar um programa de bolsas também experimental para pós-graduação. As bolsas deveriam ser concedidas ao aluno mais promissor por um docente escolhido de uma das escolas de humanidades, à razão de uma por instituição. Geiger (ou "Mister Geiger", como devo ainda chamá-lo, embora ele tenha morrido no ano passado, aos 94 anos, depois de lecionar praticamente até o fim da vida, admiravelmente divorciado dos modismos e do tempo) era o representante do American Council no Antioch. Ele disse que não me achava menos promissor que qualquer outro estudante à sua volta, de modo que, se quisesse, poderia ganhar a bolsa. Como os bolsistas recebiam uma verba incomumente generosa para a época — na verdade, para qualquer época —, daria para manter a mim e a Hildred não apenas por um ano, mas dois. Assim, pleiteamos matrícula em Relações Sociais (e, de novo, em mais nenhum curso), fomos admitidos e, após outro verão estranho em São Francisco, tentando juntar pedaços que mais teria valido descartar, partimos para Cambridge (Massachusetts) a fim de nos prepararmos para uma profissão.

Escrevi alhures, em outro destes exercícios de astuciosa franqueza e ocultação pública de mim mesmo, sobre o enorme júbilo, quase milenarista e difuso, que dominava o Departamento de Relações Sociais na década de 50, e que a nós que o freqüentávamos na época aprazia chamar de seu Projeto — a construção de "Uma linguagem comum às ciências sociais". Era tudo alegria naquela alvorada; mas os anos dourados foram breves demais, como sempre ocorre com os decididos e os inconformistas, e também com os empolgados, no meio acadêmico. Criado em 1946 como um agrupamento de fugitivos dos departamentos tradicionais, insatisfeitos com a volta à rotina depois dos transtornos da guerra, o Departamento de Relações Sociais começou a perder fôlego nos anos 60, quando a rebeldia tomou rumos menos internos, e foi dissolvido em 1970, aparentemente apenas com um lamento residual e sem muita cerimônia. Mas, enquanto funcionava a pleno vapor, foi uma corrida louca e selvagem, para quem gostava desse tipo de coisa e conseguia não ser cuspido fora nas curvas mais fechadas.

Minha passagem pelo departamento foi, em certo sentido, bastante breve — dois anos febris como residente, aprendendo a postura adequada; outro, não menos febril, como membro da equipe acadêmica, transmitindo aos outros a postura adequada ("afastem-se, a ciência está começando!"). Mas, em outro sentido, como estive entrando e saindo do departamento ao longo de uma década, escrevendo uma tese, desenvolvendo projetos de pesquisa e estudando para provas orais ("Como os algonquinos domam cavalos?"), foi um período bem extenso. Após um ano de acelerada instrução não apenas em antropologia, mas também em sociologia, psicologia social, psicologia clínica e estatística, sob a orientação de figuras de proa nesses campos (Kluckhohn, Talcott Parsons, Gordon Allport, Henry Murray, Frederick Mosteller e Samuel Stouffer), e mais um ano checando o que tramavam outros insurretos do lugar (Jerome Bruner, Alex Inkeles, David Schneider, George Homans, Barrington Moore, Eron Vogt, Pitrim Sorokin...), eu e minha mulher nos vimos diante do fato brutal e inevitável — pelo menos àquela época; desde então as coisas mudaram um pouco — da vida do antropólogo: o trabalho de campo.

E, mais uma vez, peguei a onda. Uma equipe de pesquisa interdisciplinar, generosamente financiada pela Fundação Ford — com a mão aberta que essa fundação exibia ao financiar empreendimentos ambiciosos e excêntricos em seus tempos heróicos, antes que o homônimo do título descobrisse o que se passava —, estava sendo organizada sob o auspício conjunto mas incerto do Departamento de Relações Sociais, do ainda mais recente Centro de Estudos Internacionais do Instituto de Tecnologia de Massachusetts (MIT) — de financiamento mais obscuro e propósitos ainda mais misteriosos — e da Gadjah Mada, universidade revolucionária que se instalara no palácio de um sultão na Indonésia recém-independente; em suma, um grande consórcio de visionários, pressagiadores e novatos. A equipe era composta de dois psicólogos, um historiador, um sociólogo e cinco antropólogos, todos eles doutorandos de Harvard. Eles deveriam ir a uma região central de Java para desenvolver, em cooperação com um grupo correspondente de Gadjah Mada, uma pesquisa intensiva e de longo prazo sobre uma cidadezinha do interior. Hildred e eu, que mal havíamos começado a pensar seriamente, em meio à correria para nos atualizarmos com as coisas, sobre onde fazer nosso trabalho de campo, fomos convidados certa tarde pelo chefe da equipe da faculdade (que aliás abandonou o projeto sob uma misteriosa alegação de doença) a nos juntarmos ao grupo — ela para estudar a vida familiar, eu para estudar a religião. De um modo tão improvável e casual quanto o que nos levara a ser antropólogos, e quase com a mesma inocência, nos tornamos indonesianistas.

E assim foi: o resto é pós-escrito, fruto do destino, do acaso. Dois anos e meio morando com a família de um operário de estrada de ferro em Java, na planície rizícola do rio Brantas, cercada de vulcões, enquanto o país disparava, via eleições livres, para as convulsões da guerra fria e seus insensíveis morticínios. Regresso a Cambridge para escrever uma tese sobre a vida religiosa javanesa sob a orientação de Cora DuBois, eminente especialista no Sudeste Asiático que, na minha ausência, tornara-se a primeira mulher com uma cátedra no departamento (e a segunda, acho, em toda Harvard). Volta à Indonésia, dessa vez para Bali e Sumatra e mais melodrama político, culminando em revolta e guerra civil. Um ano recuperando as forças no recém-criado Centro de Estudos Avançados em Ciências Comportamentais, com gente como Thomas Kuhn, Meyer Fortes, Roman Jakobson, W.V.O. Quine, Edward Shils, George Miller, Ronald Coase, Melford Spiro, David Apter, Fred Eggan e Joseph Greenberg. Um ano em Berkeley, enquanto os anos 60 se inflamavam. Dez em Chicago, quando eles pegaram fogo — parte do tempo ensinando, parte dirigindo a Comissão de Estudos Comparativos de Novas Nações, um projeto de pesquisa multidisciplinar sobre os Estados pós-coloniais da Ásia e da África, e parte do tempo no Marrocos, em uma velha cidade murada dos montes Atlas, estudando bazares, mesquitas, cultivo de oliveiras e poesia oral e orientando pesquisas de doutorado. E por fim (como tenho 73 anos e não me aposentei, com certeza deve ser por fim), quase trinta anos no Instituto de Estudos Avançados em Princeton, lutando para manter em funcionamento uma Escola de Ciências Sociais pouco convencional diante — como direi? — de uma certa timidez e presunção institucionais. E tudo isso da mesma forma e no mesmo ritmo com que, a esta altura, tenho certeza, já os cansei a ponto de levá-los ao ceticismo: um momento de confusão e indecisão sobre o rumo a tomar, uma oportunidade inesperada que me cai nas mãos, uma mudança de lugar, tarefa, identidade e cenário intelectual. Uma vida sedutora numa época sedutora. Uma carreira errante, volátil, livre, instrutiva e com uma remuneração nada má.

A questão é saber se uma vida e uma carreira dessas são possíveis hoje em dia, na Era dos Assistentes, quando os estudantes de pós-graduação se definem como "pré-desempregados" e poucos desejam ir para o exterior, passar anos no mato e viver de raiz de taro (ou algo semelhante no Bronx ou na Baviera), e quando os poucos que se dispõem a isso não encontram financiamento suficiente para uma tolice dessas. A ilusão acabou, a onda passou?

É difícil saber ao certo. A questão está *sub judice*. Os velhos acadêmicos, como os pais idosos e os atletas aposentados, tendem a ver o presente como um passado desvitalizado, feito de perda, descrença e desistência. Mas parece haver de fato uma boa dose de mal-estar por aí, uma sensação de que as coisas estão difíceis e ficando cada vez mais duras, de que se vem formando uma subclasse acadêmica e de que, provavelmente, não é muito sábio, justamente agora, correr riscos desnecessários, tomar novas direções ou desafiar os poderes instituídos. É difícil conquistar estabilidade (acho que agora são necessários *dois* livros e sabe Deus quantas cartas, muitas das quais, aliás, sou eu que tenho de escrever) e o processo se tornou tão longo que exaure as energias e abate as ambições dos que nele se deixam apanhar. As cargas letivas são mais pesadas, os estudantes têm menos preparo e os administradores, imaginando-se altos executivos, são obcecados com a eficiência, os custos e o lucro. As bolsas estão escassas e mercantilizadas, e foram lançadas no hiperespaço. Não sei até que ponto isso é exato, ou, até onde o seja, em que medida representa apenas uma situação passageira que logo se corrigirá; até que ponto não constitui um inevitável recuo de uma altura anormal e insustentável, a suavização de um pico no gráfico; ou uma mudança de maré, uma rica e estranha alteração na estrutura das chances e possibilidades. Tudo o que sei é que, até alguns anos atrás, alegremente e talvez com uma pitada de insensatez, eu costumava dizer aos estudantes e colegas mais jovens que me perguntavam como progredir nessa nossa estranha profissão que eles deviam ser livres, arriscar-se, evitar os caminhos já trilhados e o carreirismo, seguir seus próprios rumos e que, se o fizessem, mantendo-se firmes e alertas, otimistas e fiéis à verdade, minha experiência era que poderiam escapar ilesos, agir como quisessem, ter uma vida útil e, ainda assim, prosperar. Não digo mais isso.

Mudando de assunto

Todo mundo sabe de que trata a antropologia cultural: da cultura. O problema é que ninguém sabe muito bem o que é cultura. Não apenas é um conceito fundamentalmente contestado, como os de democracia, religião, simplicidade e justiça social, como é também definido de várias maneiras, empregado de formas múltiplas e irremediavelmente impreciso. É fugidio, instável, enciclopédico e normativamente carregado. E há aqueles, especialmente aqueles para quem só o realmente real é realmente real, que o consideram inteiramente vazio ou até perigoso, e que gostariam de eliminá-lo do discurso sério das pessoas sérias. Em suma, um conceito improvável sobre o qual tentar construir uma ciência. Quase tão ruim quanto a matéria.

Chegando à antropologia com uma formação em humanidades, especialmente literária e filosófica, o conceito de cultura me pareceu imediatamente mais amplo como forma tanto de penetrar nos mistérios desse campo quanto de levar o indivíduo a se perder inteiramente neles. Quando cheguei a Harvard, Kluckhohn e o então decano da disciplina, Alfred Kroeber, que acabara de se aposentar em Berkeley estavam empenhados em preparar o que esperavam ser uma compilação definitiva e autorizada das várias definições de "cultura" surgidas na literatura desde Arnold e Taylor, das quais haviam encontrado 171, classificáveis em 13 categorias. E eu, supostamente à vontade com conceitos elevados, fui recrutado para ler o que eles haviam feito e sugerir mudanças, esclarecimentos, reconsiderações etc. Não posso dizer que esse exercício tenha levado, a mim ou à disciplina, a uma diminuição significativa da angústia semântica ou a um declínio na taxa de natalidade de novas definições; bem ao contrário, na verdade. Mas me fez mergulhar brutalmente, sem orientação ou aviso, no coração do que mais tarde eu aprenderia a chamar de problemática da minha área.

As vicissitudes da "cultura" (a *palavra*, não a *coisa*, pois não há *coisa*), as discussões sobre o seu significado, seu uso e seu valor explicativo, estavam de fato apenas começando. Em seus altos e baixos, no seu vaivém de aproximação e afastamento da clareza e da popularidade nas cinco décadas seguintes, pode ser vista a marcha hesitante e arrítmica tanto da antropologia quanto minha. Nos anos 50, a eloqüência, o vigor, a amplitude de interesses e o brilho intenso de escritores como Kroeber e Kluckhohn, Ruth Benedict, Robert Redfield, Ralph Linton, Geoffrey Gorer, Franz Boas, Bronislaw Malinowski, Edward Sapir e, da forma mais espetacular, Margaret Mead — que estava em toda parte, na imprensa, nas conferências, nas comissões do Congresso, dirigindo projetos, criando grupos, lançando campanhas, assessorando filantropos, orientando os confusos e perplexos e, por fim mas não menos importante, indicando aos colegas onde é que erravam — tornaram a idéia antropológica da cultura imediatamente acessível a... bem, à cultura, tão difundida e abrangente que parecia uma explicação para tudo o que o ser humano fizesse, imaginasse, dissesse, fosse ou acreditasse. Todo mundo sabia que os Kwakiutl eram megalomaníacos, os Dobu, paranóicos, os Zuni, equilibrados, os alemães, autoritários, os russos, violentos, os americanos, práticos e otimistas, os samoanos, descansados, os Navajo prudentes, os Tepotzlano inabalavelmente unidos ou irremediavelmente divididos (havia dois antropólogos que os estudavam, um sendo aluno do outro) e os japoneses, envergonhados — e todo mundo sabia que eram assim por causa de sua cultura (todos tinham uma cultura e nenhum tinha mais de uma). Parecia que estávamos condenados a trabalhar com uma lógica e uma linguagem nas quais conceito, causa, forma e resultado tinham todos o mesmo nome.

Assumi então como tarefa — embora ninguém me tenha atribuído isso e eu não saiba até que ponto foi uma decisão consciente — reduzir a idéia de cultura a um tamanho adequado, dar-lhe uma dimensão menos vasta. (Devo admitir que não estava de forma alguma sozinho nessa ambição. O descontentamento com a confusão e a nebulosidade era endêmico na minha geração.) Parecia urgente, e ainda parece, dar à "cultura" uma noção delimitada, com aplicação precisa, sentido claro e uso específico — como objeto ao menos um tanto definido de uma ciência pelo menos um pouco definida.

Isso se revelou difícil. Deixando de lado a questão do que é preciso para ser uma ciência e de a antropologia ter chance de ser considerada ciência algum dia, questão que sempre me pareceu artificial — chamem-na de estudo, se preferirem, de busca ou investigação —, os instrumentos intelectuais necessários a esse esforço simplesmente não estavam disponíveis ou, se estavam, não eram reconhecidos como tais. Que esse esforço tenha sido empreendido, e, de novo, não apenas por mim mas por uma ampla e diversificada gama de pessoas, isto é, com insatisfações diferentes, e que tenha obtido um certo grau de sucesso, é sinal não apenas de que algumas idéias aceitas de "cultura" — de que ela é um comportamento adquirido, é superorgânica e molda nossas vidas como uma fôrma molda um bolo ou a gravidade molda nossos movimentos, de que evolui como o absoluto de Hegel, orientada por leis inatas, para uma perfeita integridade — haviam começado a perder força e poder de persuasão. É sinal também de que estava surgindo uma abundância de variedades novas e mais eficazes daquilo que Coleridge chamou de instrumentos especulativos. Viu-se que quase todos eram instrumentos de outras disciplinas, da filosofia, da lingüística, da semiótica, da história, da psicologia, da sociologia, das ciências cognitivas e também, até certo ponto, da biologia e da literatura; tais instrumentos capacitaram os antropólogos, com o tempo, a produzir descrições menos panópticas, menos inertes, da cultura e do seu processo. Precisávamos, parece, de algo mais que uma idéia ou 171 versões da mesma idéia.

Foi, de qualquer forma, com esse acúmulo de preocupações prolépticas e meias noções, e com menos de um ano de preparação, no essencial lingüística, que parti para Java em 1952, a fim de situar e descrever, e quem sabe até explicar, uma coisa chamada "religião" num distrito rural e distante, 800 quilômetros a sudeste de Jacarta. Contei alhures em minúcia as dificuldades práticas dessa aventura, que foram imensas (por exemplo, quase morri) mas amplamente superadas. O importante, no que concerne ao desenvolvimento de minha apreensão das questões no meu modo de ver, é que a pesquisa de campo, longe de separar as coisas, misturou-as ainda mais. O que numa sala de aula em Harvard era um dilema metodológico, um enigma a decifrar, passava a ser, numa cidadezinha javanesa de curva de estrada abalada pelo impacto de mudanças convulsivas, uma condição imediata, um mundo no qual se engajar. Por mais espantosa que fosse, a "Vida entre os javaneses" era mais do que um quebra-cabeça, e era preciso mais do que categorias e definições, e bem mais do que a sagacidade de sala de aula e a facilidade com as palavras, para nos situarmos ali.

O que tornou o "Projeto Modjokuto" — como decidimos chamá-lo no costumeiro e infrutífero esforço de disfarçar identidades ("Modjokuto" significa "Cidade do Meio", conceito que me despertava suspeita na época e da qual não vim a gostar desde então) — particularmente questionador das formulações aceitas e dos procedimentos-padrão é que ele foi, se não o primeiro, certamente um dos primeiros e mais conscientes esforços dos antropólogos no sentido de compreenderem não um grupo tribal, um povoado insular, uma sociedade desaparecida ou uma relíquia, nem tampouco uma pequena comunidade afastada e fechada de pastores e camponeses, mas toda uma sociedade antiga e heterogênea, urbanizada, letrada e politicamente ativa — em suma, nada menos que uma civilização — e fazê-lo não num "presente etnográfico" reconstruído e suavizado no qual tudo se poderia encaixar numa atemporalidade simples (nem mais nem menos), mas em toda a sua presença e historicidade esgarçadas. Loucura, talvez, mas seguida de uma série de outras que tornaram fútil e obsoleta uma visão da cultura voltada para os (supostamente) reservados Hopi, os primitivos aborígenes ou os desgarrados Pigmeu. O que quer que fosse a Indonésia, Java, Modjokuto ou, mais tarde, o Marrocos, quando lá estive, não se tratava de "totalidade[s] de padrões de comportamento ... alojada[s] em [um] grupo", para citar uma das definições lapidares do livro de Kroeber e Kluckhohn.

Os anos passados em Modjokuto, antes e depois, nos sucessivos retornos em que lutei para me manter inteirado das coisas, acabaram não consistindo numa identificação de fragmentos da cultura javanesa considerados "religiosos", em sua separação de outros fragmentos tidos como "seculares" (o que não tinha maior serventia) e na submissão do conjunto a uma análise funcional: a "religião" une a sociedade, sustenta valores, mantém a moral, impõe ordem ao comportamento público, mistifica o poder, racionaliza as desigualdades, justifica injustiças e assim por diante — o paradigma dominante, naquela época e desde então. Esses anos consistiram em adquirir uma certa familiaridade (nunca se consegue mais do que isso) com os recursos simbólicos por meio dos quais os indivíduos se viam como pessoas, atores, sofredores, conhecedores e juízes — em suma, para introduzir a expressão expositiva de praxe, como participantes de uma forma de vida. Eram esses recursos, portadores de significado e doadores de sentido (festas comunitárias, teatro de sombras, orações das sextas-feiras, acordos de casamentos, comícios políticos, disciplinas místicas, dramas populares, danças de cortejo amoroso, exorcismos, o Ramadã, o plantio do arroz, enterros, lendas folclóricas, leis de herança), que possibilitavam a imaginação e a materializavam, tornando-a pública e discutível e, mais importante, suscetível de crítica, disputa e eventual revisão. O que havia começado como uma investigação do "papel do ritual e da crença na sociedade" (isso tem que ser escrito entre aspas), como uma espécie de mecânica comparada, transformou-se, ao se adensar a trama e me enredar, no estudo de um exemplo particular da produção do sentido e suas complexidades.

Desnecessário dizer mais, aqui, sobre o conteúdo do estudo ou da experiência. Escrevi uma tese de setecentas páginas (a professora DuBois ficou espantada), que foi espremida num livro de quatrocentas, voltando a contar o resultado. O importante são as lições, e as lições foram as seguintes:

> 1. A antropologia, pelo menos a que eu professo e pratico, impõe uma vida seriamente dividida. As habilidades necessárias na sala de aula e as exigidas em campo são bem diferentes. O sucesso num ambiente não garante sucesso no outro e vice-versa.
> 2. O estudo das culturas de outros povos (e também da nossa, mas isso levanta outras questões) implica descrever quem eles pensam que são, o que pensam que estão fazendo, e com que finalidade pensam que o estão fazendo — algo bem menos direto do que sugerem os cânones usuais da etnografia feita de notas e indagações ou, a rigor, o impressionismo exuberante dos "estudos culturais" da *pop art.*
> 3. Para descobrir quem as pessoas pensam que são, o que pensam que estão fazendo e com que finalidade pensam que o estão fazendo, é necessário adquirir uma familiaridade operacional com os conjuntos de significado em meio aos quais elas levam suas vidas. Isso não requer sentir como os outros ou pensar como eles, o que é simplesmente impossível. Nem virar nativo, o que é uma idéia impraticável e inevitavelmente falsa. Requer aprender como viver com eles, sendo de outro lugar e tendo um mundo próprio diferente.

De novo, o resto é pós-escrito. Nos quarenta anos seguintes ou quase, passei mais de dez em trabalho de campo, desenvolvendo e aprimorando essa abordagem do estudo da cultura, e passei os outros trinta (não lecionei muito, pelo menos depois que entrei para o instituto) tentando comunicar os seus encantos por escrito.

De qualquer forma, parece haver alguma coisa na idéia de *Zeitgeist* [espírito de época] ou, pelo menos, na de contágio mental. Pensamos que estamos enveredando bravamente por um caminho sem precedentes, e de repente, olhamos em volta e descobrimos que estão no mesmo rumo toda sorte de pessoas de quem nunca sequer ouvíramos falar. A reviravolta lingüística, a reviravolta hermenêutica, a revolução cognitiva, os abalos secundários dos terremotos Wittgenstein e Heidegger, o construtivismo de Thomas Kuhn e Nelson Goodman, Benjamin, Foucault, Goffman, Lévi-Strauss, Suzanne Langer, Kenneth Burke, os desenvolvimentos na gramática, na semântica e na teoria da narrativa e, recentemente, no mapeamento neural e na somatização da emoção, de repente tudo isso tornou aceitável para um acadêmico a preocupação com a produção do sentido. Esses vários desvios e novidades não se harmonizaram inteiramente, é claro, para dizer o mínimo, nem revelaram igual utilidade. Mas criaram o ambiente e, de novo, forneceram os instrumentos especulativos para tornar bem mais fácil a existência de alguém que via os seres humanos (citando a mim mesmo parafraseando Max Weber) "amarrados a teias de significado que eles mesmos teceram". Apesar de toda minha determinação de seguir um caminho próprio e da convicção de que o havia feito, subitamente vi-me como um estranho.

Depois de Java veio Bali, onde tentei mostrar que o parentesco, o formato da aldeia, o Estado tradicional, os calendários, a lei e, da forma mais vil, a briga de galos podiam ser lidos como textos ou, para acalmar os adeptos da literalidade, como "análogos de textos" — eram afirmações materializadas de (para usar outra expressão expositiva) maneiras específicas de estar no mundo. Depois vieram o Marrocos e uma abordagem semelhante dos Marabu, do desenho urbano, da identidade social, da monarquia e das trocas complexas no mercado cíclico. Em Chicago, àquela altura eu começara a lecionar e agitar, teve início e começou a se difundir um movimento mais geral, vacilante e nada unificado, nessas direções. Alguns, lá e em outros centros, batizaram esse desenvolvimento, ao mesmo tempo teórico e metodológico, de "antropologia simbólica". Mas eu, encarando tudo isso como um empreendimento essencialmente hermenêutico, um esclarecimento e definição, e não como uma metáfrase ou decodificação, e pouco à vontade com as misteriosas e cabalísticas implicações de "símbolo", preferi "antropologia interpretativa". De qualquer forma, fosse ela "simbólica" ou "interpretativa" (alguns até preferiam "semiótica"), começou a surgir um estoque de termos, alguns meus, alguns de outras pessoas, outros reutilizados com alteração do sentido anterior, em torno dos quais se poderia construir uma concepção revista do que pelo menos eu ainda chamava de "cultura": "descrição densa", "modelo de/para", "sistema de sinais", "*episteme*", "ethos", "paradigma", "critérios", "horizonte", "quadro", "mundo", "jogos de linguagem", "interpretante", "*Sinnzusamenhang*" [nexo], "tropo", "*sjuzet*", "experiência próxima", "ilocucionário", "formação discursiva", "desfamiliarização", "competência/desempenho", "*fictiō* ", "semelhança familiar", "heteroglossia" e, é claro, "estrutura", nos seus variados e inúmeros sentidos intercambiáveis. A virada para o sentido, como quer que tenha sido denominada e expressa, alterou tanto o assunto investigado quanto o sujeito da investigação.

Não que tudo isso ocorresse sem a habitual quota de medo e aversão. Depois das reviravoltas vieram as guerras: as guerras culturais, as guerras da ciência, as guerras do valor, as guerras da história, as guerras do gênero, as guerras dos antiquados e dos pós. Salvo quando excepcionalmente provocado ou cumulado de pecados que não tenho astúcia para cometer, sou pessoalmente avesso à polêmica; deixo o trabalho pesado para os que Lewis Namier descartou tão elegantemente como pessoas mais interessadas em si mesmas que no próprio trabalho. Mas, quando a temperatura subiu e com ela a retórica, vi-me em meio a debates estrídulos, muitas vezes até como confuso objeto deles ("*eu* disse *isso*?"), sobre questões tão empolgantes como saber se o real é verdadeiramente real e se a verdade é realmente verdadeira. Será possível o conhecimento? O bem é uma questão de opinião? A objetividade é uma farsa? O desinteresse é má-fé? Descrição é dominação? Tudo se resume a poder, pilhagem e projetos políticos? Entre os velhos possuidores de debêntures, gritar que o céu está vindo abaixo porque os relativistas baniram a factualidade e as personalidades avançadas a poluir a paisagem com seus slogans, seu salvacionismo e sua parafernália, além de uma grande quantidade de escritos sem ressonância, estes últimos anos nas ciências humanas foram, para dizer o mínimo, extremamente produtivos. O que quer que esteja acontecendo com a mente americana, decerto ela não está se fechando.

Estará, então, se estilhaçando? Em seus círculos antropológicos parece haver, no momento, um estranho punhado de gente que pensa assim. Por toda parte se ouvem lamentos e lamúrias sobre a unidade perdida, o pouco respeito pelos mais velhos da tribo, a falta de uma agenda consensual, de uma identidade própria e um objetivo comum, e sobre o que a moda e a controvérsia estão fazendo com o discurso bem-educado. Quanto a mim, reconhecendo que por vezes sou considerado responsável — a palavra da moda é "cúmplice" — pelo fato de as coisas terem ido longe demais ou não terem ido longe o bastante, só posso dizer que continuo calmo e imperturbável, não propriamente acima dos conflitos, mas à margem deles, cético acerca de suas próprias premissas. Para começo de conversa, unidade, identidade e consenso nunca existiram e a idéia de que existiam é o tipo de crença folclórica a que sobretudo os antropólogos deveriam opor resistência. Quanto a não ir longe demais, a rebeldia é uma virtude superestimada; é importante dizer algo e não apenas ameaçar dizê-lo, e há sempre coisa melhor a fazer com uma herança, mesmo problemática, do que jogá-la no lixo.

Assim, onde estou hoje, quando o milênio de aproxima de foice na mão? Bem, não faço mais trabalho de campo, pelo menos não por períodos longos. Passei meu 60° aniversário de cócoras numa latrina de campanha em "Modjokuto" (bem, não o dia *todo*, mas vocês entendem o que quero dizer), me perguntando que diabo estava fazendo ali, na minha idade, com os meus intestinos. Eu gostava imensamente do trabalho de campo (certo, não o tempo todo) e essa experiência contribui mais para me alimentar a alma, e até para criá-la, do que a academia jamais conseguiu. Mas, se acabou, acabou. Continuo a escrever. Já estou nisso há tanto tempo que não é mais possível parar e, além disso, há coisas que eu ainda não disse. Quanto à antropologia, quando vejo o que pelo menos alguns dos melhores das novas gerações estão fazendo ou querendo fazer, e todas as dificuldades que enfrentam com o ruído ideológico que hoje cerca praticamente toda aventura intelectual nas ciências sociais e humanas, sou — escolhendo cuidadosamente as palavras — bastante otimista. Enquanto em alguma parte houver alguém lutando, como dizia o grito de guerra dos meus tempos inseguros de juventude, nenhuma voz estará perdida. Uma anedota sobre Samuel Beckett expressa bem o meu estado de espírito ao se encerrar esta improvável carreira. Contam que Beckett caminhava com um amigo pelo gramado do Trinity College, em Dublin, numa ensolarada e quente manhã de abril. O amigo disse: "Que belo dia, esplêndido, hem?" Beckett prontamente concordou: "De fato, esplêndido, magnífico." "Num dia como este", prosseguiu o amigo, "a gente se sente feliz por ter nascido." Ao que Beckett retrucou: "Bem, eu não iria tão longe."

Tempo de espera

Alguns anos atrás, na contribuição franca e direta que deu a esta série de fabulações e auto-obituários, tão diversa da minha no tom e na aspiração, o historiador econômico cliamétrico Robert Fogel concluiu dizendo que trabalha com "a possibilidade de criar conjuntos de dados intergeracionais de ciclos de vida" que permitiam a ele e a sua equipe de pesquisa "estudar o impacto do estresse socioeconômico e biomédico no início da vida sobre a taxa de ocorrência de doenças crônicas, sobre a capacidade de trabalho na meia-idade e na idade avançada e sobre o 'tempo de espera' até a morte". (Sei por outras fontes que atualmente ele vem estudando placentas de rato com esse objetivo.) Não sei ao certo — atipicamente, o professor Fogel não explicita as fontes entre esses estágios — se ainda posso ou não me classificar na categoria "idade avançada". Mas, de qualquer forma, a categoria "tempo de espera" ("Gogo: 'Não posso continuar assim'. Didi: 'É o que você pensa'.") e o surgimento de doenças incapacitantes — os "quatro distúrbios fatais" do veterinário Felix Randall — não podem estar muito longe; e, como disse White a Thurber ou Thurber disse a White, as garras da velha contracorrente sempre acabam nos pegando.

Não sou muito bom de espera, como vocês já devem ter adivinhado pelo que digo e pela rapidez com que o faço, e provavelmente vou acabar estragando a coisa. À medida que meus amigos e companheiros de conspiração vão envelhecendo e deixando "esta vasta deselegância", como Stevens a chamou, e que eu mesmo vou enferrujando e sendo esquecido, com certeza serei tentado a intervir para endireitar de novo as coisas. Mas isso, sem dúvida, há de se revelar inútil e possivelmente ridículo. Nada é mais inadequado a uma vida acadêmica do que a luta para não abandoná-la, e — cito agora Frost, não Hopkins — "não há memória da fama/ que evite a amargura do fim". No momento, porém, estou contente por ter a oportunidade de montar minha própria lenda e argüir o meu próprio caso antes que os necrologistas me apanhem. Ninguém deve encarar o que fiz aqui como mais do que isso.

2 O pensamento como ato moral: Dimensões éticas do trabalho de campo antropológico nos países novos

Quando tento resumir o que de mais importante aprendi ao enfrentar a difusa prolixidade da obra de John Dewey, chego à doutrina sucinta e fria de que pensamento é conduta e deve ser moralmente julgado como tal. Não é a idéia de que pensar é uma coisa séria que parece distinguir esse último dos filósofos da Nova Inglaterra — todos os intelectuais encaram as produções mentais com certa estima —, mas sim a tese de que o pensar é sério por ser um ato social, e de que, portanto, somos tão responsáveis por ele quanto por qualquer outro ato social. Talvez mais ainda, pois o pensamento é o ato social de maiores conseqüências a longo prazo.

Em suma, Dewey traz o pensamento para o âmbito público, onde pode ser avaliado pelo juízo ético. Para alguns, isso o deprecia terrivelmente, transformando-o em coisa, arma, propriedade ou algo igualmente comum. Moralistas revolucionários — pois era isso, afinal, o que vinha a ser Dewey, com toda a sua dificuldade de expressão — nunca são muito apreciados, especialmente por aqueles, neste caso praticantes das trocas intelectuais, a quem tão severamente pedem satisfações. São quase sempre atacados, como ele foi, por minarem as práticas estabelecidas e corromperem os jovens. Para o melhor ou para o pior, no entanto, eles sempre produzem efeito: as práticas, quando não solapadas, são pelo menos abaladas; os jovens, se não corrompidos, são pelo menos intranqüilizados. Depois de Dewey, ficou muito mais difícil encarar o pensamento como uma abstenção do agir, a teorização como uma alternativa ao compromisso e a vida intelectual como um monacato secular, isento de responsabilidade por ser sensível ao Bem.

Em nenhum outro terreno isso foi mais verdadeiro que nas ciências sociais. À medida que essas ciências se desenvolveram tecnicamente, sua situação moral tornou-se uma questão cada vez mais premente. Mas, do ponto de vista deweyano, falta propósito à maioria das discussões estimuladas por essa preocupação, porque elas raramente se baseiam num exame circunstanciado do que é essa pesquisa como forma de conduta. Os humanistas protestam que os cientistas sociais barbarizam o mundo e se apossam de todas as verbas, enquanto estes dizem que o estão salvando, ou que o farão em breve, se as verbas forem aumentadas. Mas a qualidade moral da experiência dos cientistas sociais atuantes, a vida ética que levam enquanto fazem suas pesquisas, praticamente nunca é discutida, exceto nos termos mais genéricos. Esta deveria ser uma investigação rigorosa de um aspecto central da consciência moderna. Infelizmente, transformou-se em uma troca de opiniões entre guardiães do jogo cultural, como Jacques Barzun, e cientistas fundamentalistas, como B.F. Skinner, sobre os terríveis ou maravilhosos efeitos do estudo sistemático da vida humana, ontem, hoje ou num futuro mais próximo do que supomos.

O impacto das ciências sociais sobre o caráter de nossa vida acabará sendo determinado, no entanto, mais pelo tipo de experiência moral que elas vierem a encarnar do que meramente por seus efeitos técnicos ou por quanto dinheiro possam gastar. Como o pensamento é conduta, as conseqüências do pensamento refletem, inevitavelmente, a qualidade do tipo de situação humana em que foram produzidas. Os métodos e teorias da ciência social não estão sendo produzidos por computadores, mas por homens e mulheres, e sobretudo por homens e mulheres que trabalham não em laboratórios, mas no mesmo meio social a que se aplicam os métodos e se transformam as teorias. É isso que confere à empreitada como um todo o seu caráter especial. A maior parte das pesquisas em ciências sociais envolve contatos diretos, íntimos e mais ou menos perturbadores com os detalhes imediatos da vida contemporânea, contatos de um tipo que dificilmente pode deixar de afetar a sensibilidade das pessoas que os realizam. E, como toda disciplina é o que fazem dela as pessoas que a praticam, tal sensibilidade está inserida em sua constituição do mesmo modo como as sensibilidades de uma época se inserem na cultura dessa época. Uma avaliação das implicações morais do estudo científico da vida humana que não se limite a elegantes zombarias ou celebrações inconseqüentes deve começar por uma análise da pesquisa social científica como uma modalidade de experiência moral.

Propor, depois desse preâmbulo, minha própria experiência como tema adequado para análise pode sugerir uma certa presunção. Com certeza, o risco de fazer pose não deve ser descartado levianamente. Discutir a própria visão moral em público é sempre um convite à hipocrisia e, o que é pior, à concepção de que há algo de particularmente nobre em se ter sido refinado o bastante por simplesmente tê-la tido. Até quem comprovadamente odeia a si mesmo orgulha-se, como observou Nietzsche, de sua sensibilidade moral em discernir com suma agudeza a própria degradação.

Se ainda assim me proponho discutir aqui algumas das dimensões éticas da minha experiência como pesquisador, não é porque as considere únicas ou especiais. Antes, suspeito que sejam comuns e até universais entre os que se dedicam a trabalho semelhante, sendo portanto representativas de algo mais do que elas mesmas ou eu. Mais importante ainda, como meu trabalho lidou com os novos países da Ásia e da África (ou, mais precisamente, com dois deles, Indonésia e Marrocos) e com o problema geral da modernização das sociedades tradicionais, talvez ele seja particularmente adequado a uma avaliação da pesquisa social como forma de conduta e das implicações que dele podem ser extraídas para as ciências sociais como força moral. O que quer que se diga desta investigação, dificilmente se pode alegar que enfoca questões triviais ou afastadas das preocupações humanas.

Não é esse, evidentemente, o único tipo de trabalho que fazem os cientistas sociais, nem mesmo o único que fazem os antropólogos. Outros *insights* viriam e outras lições seriam extraídas da análise de outros tipos de trabalho, e uma avaliação geral do impacto das ciências sociais em nossa cultura teria que levar em conta todos eles. É visando a contribuir para que o debate sobre a situação moral das ciências sociais se faça em solo mais firme, e não para propor minhas próprias experiências ou linha de trabalho como modelo, que se fazem as seguintes e esparsas reflexões necessariamente um tanto pessoais.

Uma das conclusões mais inquietantes a que me levou o ato de pensar sobre os novos países e seus problemas é que tal pensamento é muito mais eficaz para expor os problemas do que para encontrar soluções para eles. Há um aspecto de diagnóstico e um lado terapêutico em nossa preocupação científica com essas sociedades, e o diagnóstico parece, pela própria natureza do caso, ser infinitamente mais rápido que o remédio. Portanto, um dos resultados de períodos muito longos e intensos de pesquisa cuidadosa é, em geral, uma compreensão muito mais aguçada de que os novos países estão numa espécie de beco sem saída. O sentimento trazido por esse tipo de recompensa pelo trabalho árduo é o que imagino em Charlie Brown quando, numa tira de *Peanuts*, Lucy lhe diz: "Sabe qual é o problema com você, Charlie Brown? O problema é que você é você." Após um quadrinho de reflexão muda sobre a irrefutabilidade dessa observação, Charlie pergunta: "Bem, e o que é que eu posso fazer?" E Lucy responde: "Não dou conselhos, apenas aponto a raiz do problema."

A raiz do problema nos novos países é bem profunda e, não raro, a pesquisa social de pouco serve senão para demonstrar sua exata profundidade. Quando se trata de dar conselhos, o que se descobre geralmente parece mais útil para mostrar maneiras pelas quais a atual situação insustentável poderia (e provavelmente irá) piorar do que maneiras de melhorá-la. O aforismo de Francis Bacon parece-me nitidamente menos axiomático a cada dia: o conhecimento — pelo menos o tipo de conhecimento que fui capaz de desencavar — nem sempre resulta em grande coisa em matéria de poder.

Tudo isso não é um mero acesso de pessimismo sentimental da minha parte; é um aspecto teimosamente objetivo da pesquisa social nos novos países. Como prova dessa afirmação, permitam-me discutir por um momento um problema que é fundamental não apenas na Indonésia e no Marrocos, onde o encontrei, mas em praticamente todos os novos países: a reforma agrária.

Este problema aparece de formas muito diferentes, até contrastantes, na Indonésia e no Marrocos, por razões tanto ecológicas quanto econômicas, históricas e culturais. Porém, em ambos os lugares, analisá-lo de modo sistemático é não apenas perceber pela primeira vez sua dimensão realmente enorme, mas descobrir os fatores que o tornam tão recalcitrante — e esses fatores se revelam bem semelhantes nos dois países. Em particular, há em ambas as situações uma incompatibilidade radical a curto prazo entre as duas metas econômicas que juntas abrangem aquilo em que consiste a reforma agrária a longo prazo: progresso tecnológico e aumento do bem-estar social. Em termos menos abstratos, um aumento radical da produção agrícola e uma significativa redução do desemprego (ou subemprego) rural parecem, por ora, ser ambições diretamente contraditórias.

Na Indonésia, e particularmente no coração da ilha central do país, Java, onde (por volta de 1960) as densidades populacionais chegavam a mais de 1.500 habitantes por quilômetro quadrado, essa contradição se expressa num modo de exploração agrária com uso intensivo de mão-de-obra mas, no geral, altamente produtivo. Os inúmeros arrozais em terraços de mais ou menos mil metros quadrados que cobrem Java, Bali e certas regiões de Sumatra e das Celebes são cultivados quase como se fossem jardins, ou, mais exatamente, como estufas. Praticamente todo o trabalho é braçal. Usam-se instrumentos muito simples (e muito engenhosos). Multidões de trabalhadores da enorme população rural labutam com extremo cuidado e esmero.

Chamar ou não esses trabalhadores de "subempregados" depende das definições. Com certeza, a maioria dá alguma contribuição à alta produção por hectare; e, também com certeza, eles estariam mais bem empregados em outro lugar, se houvesse outro lugar para empregá-los e se houvesse meios mecanizados para realizar suas tarefas agrícolas. Mas não há nem uma coisa nem outra. E é aí que surge o problema: qualquer progresso tecnológico sério (isto é, afora as mudanças secundárias, como o aumento da fertilização e uma seleção aprimorada de sementes) implica um maciço deslocamento da mão-de-obra rural, o que é impensável nas condições atuais. Como notou certa vez um economista holandês, com uma tecnologia moderna o trabalho agrícola em Java poderia ser realizado por dez por cento da atual força de trabalho, mas isso reduziria à fome os outros 90 por cento.

Nesse ponto, sempre aparece alguém para lembrar o resultado da calamitosa previsão de Malthus sobre a Europa e dizer: "Industrialização!" Mas como financiar a industrialização num país em que o próprio campesinato, imenso, consome o grosso do que produz, e o pouco que existe de exportação destina-se basicamente a garantir a subsistência das massas urbanas? E como, mesmo financiada, pode ela ter uma dimensão tal (e, nos nossos dias de automação, um modelo) que absorva mais do que uma fração diminuta da força de trabalho que uma verdadeira revolução agrícola liberaria em Java?

No essencial, confrontado com a opção de preservar o nível de emprego ou aumentar a produção por trabalhador, o camponês de Java "prefere" (palavra absurdamente voluntarista para usar nesse contexto) preservar o emprego, seja qual for o nível de bem-estar. Na verdade, ele fez essa "escolha" em praticamente todos os momentos críticos dos últimos cem anos pelo menos. É difícil saber o que mais ele poderia ter feito nessas circunstâncias ou o que mais pode fazer agora.

A situação, sabidamente, não é tão preta como sugere esse quadro. Simplifico a bem da argumentação e da ênfase. Há algumas coisas (a melhoria do nível educacional, o despertar das aspirações populares, as novas sementes) a colocar no outro prato da balança, mas não se trata de uma situação alentadora. Há uma íntima ligação entre a tecnologia absorvente de mão-de-obra e o intricado sistema social das aldeias. Entrelaçam-se perfeitamente os processos de parcelização da terra, de colheitas múltiplas e de arrendamento de meeiros, o que torna muito mais difícil reverter qualquer um deles. Há uma ênfase crescente nas culturas de subsistência, com o conseqüente declínio da criação animal e da lavoura mista. Para onde quer que nos viremos, as artérias estão obstruídas.

A situação marroquina mostra, à primeira vista, um quadro bem diferente, mas não muito mais brilhante, se examinado de perto. Embora a população cresça com rapidez alarmante, a simples massa humana ainda não é o problema esmagador que é na Indonésia. Em vez do modelo de exploração com uso intensivo de mão-de-obra, mas altamente produtivo, há uma divisão entre fazendeiros com propriedades modernas de larga escala (muitas vezes, de *larguíssima* escala, com 10 mil km^2 ou mais) e lavradores de pequeninas propriedades tradicionais com menos de $20km^2$. Aquelas são altamente mecanizadas e, na maioria, bastante produtivas. As outras não apenas não são mecanizadas, como o nível de sua tecnologia tradicional é muito baixo, ao contrário do que ocorre em Java. Como se trata de terras marginais num cenário ecológico que é no mínimo extremamente difícil (novamente em contraste com Java), elas são particularmente improdutivas. Um resumo estatístico, mesmo aproximativo, expressa a situação com suficiente brutalidade: cerca de 0,5% da população rural — em torno de 5 mil grandes fazendeiros — cultivava (em 1965) cerca de 7% das terras do país, contribuindo com aproximadamente 15% do total da produção agrícola e sendo responsável por mais ou menos 60% da receita de exportação agrícola (30% do total das exportações).

A imagem, portanto, é clara e clássica. E também o é o dilema que apresenta. Por um lado, a manutenção de fazendeiros ricos com cultivos de larga escala ao lado de pequenos agricultores empobrecidos não tem probabilidade, sem falar em sua injustiça social, de durar muito no mundo pós-colonial, e de fato já começou a se alterar. Por outro lado, o desaparecimento desses fazendeiros e sua substituição por pequenos camponeses ameaça, pelo menos inicialmente e talvez por muito tempo, uma queda da produção agrícola e da receita de divisas, o que um país à beira de uma grave crise demográfica e assolado pelos costumeiros problemas da balança de pagamentos não pode encarar com tranqüilidade.

Se, numa situação como a Indonésia, a primeira reação é pensar em industrialização, em uma situação desse tipo pensa-se em reforma agrária. Contudo, se a reforma agrária pode eliminar os latifúndios, não pode por si só transformar camponeses pobres tradicionais em competentes fazendeiros modernos. Na verdade, uma vez que ela tende, dadas as pressões populares, a gerar um loteamento extensivo e a conseqüente descapitalização das grandes fazendas, trata-se de um passo rumo à opção indonésia por níveis mais altos de emprego rural em detrimento da racionalização econômica. Esse tipo de "opção" é, apesar de todos os seus atrativos de bem-estar, extremamente dúbio, considerando-se um meio físico em que são necessárias técnicas avançadas não apenas para evitar a queda da produção, mas também para evitar uma progressiva deterioração do meio ambiente a um nível irreversível, para todos os efeitos.

Mas o seu inverso também é dúbio: a preservação de um enclave de fazendeiros prósperos (ou, como hoje acontece cada vez mais, de fazendas estatais altamente mecanizadas, administradas por uma elite) no meio de uma massa crescente de proletários rurais empobrecidos. Na Indonésia, os marxistas tiveram grande dificuldade de identificar seus famosos inimigos de classe para lançar sobre eles a culpa pela pobreza do campesinato — os kulaks são muito escassos. Mas no Marrocos seus argumentos são mais do que superficialmente plausíveis. A situação marroquina é revolucionária o bastante. O único problema é que é difícil ver como a revolução poderia levar a outra coisa senão a níveis de vida decrescentes e um comprometimento geral das possibilidades futuras em nome de alguns ganhos de curtíssimo prazo, bastante marginais para uma pequena parcela da população rural atual. A previsão, reconhecemos, é extremamente difícil, mas se 60% da população rural, como se calculou, não possuem terras, e se os grandes fazendeiros detêm cerca de 8 mil km^2, então a redistribuição de suas propriedades em lotes, digamos, de 40km^2 reduziria a camada dos despossuídos em cerca de 3% — índice que corresponde à taxa anual de crescimento demográfico.

Também aí a situação não é, com efeito, nem tão desoladora nem tão simples. Uma discussão mais equilibrada teria que mencionar os sérios esforços que vêm sendo feitos para elevar o nível tecnológico da agricultura camponesa, o grau relativamente alto de realismo das políticas governamentais marroquinas e assim por diante. Mas o que pretendo ressaltar é meramente que, tanto no Marrocos quanto na Indonésia, a tarefa de alinhar a necessidade de manter e aumentar a produção agrícola com a necessidade de manter e aumentar o emprego agrícola é extraordinariamente difícil. Os objetivos gêmeos da verdadeira reforma agrária — progresso tecnológico e maior bem-estar social — conspiram fortemente um contra o outro, e quanto mais fundo mergulhamos no problema, mais evidente se torna esse fato desagradável.

Mas meu intuito aqui não é pregar a desesperança, uma desesperança que na verdade não sinto, mas sugerir algo da situação moral incorporada no tipo de trabalho que eu faço. O desequilíbrio entre a capacidade de descobrir qual é o problema, ou pelo menos uma pista dele, e a capacidade de descobrir o que deve ser feito para aliviá-lo não se limita, na pesquisa sobre os países novos, à questão da reforma agrária: ele é geral. Deparamo-nos com o choque na educação entre a necessidade de manter "padrões" e a de ampliar oportunidades; na política, entre a necessidade de uma liderança racional com organização eficiente e a de envolver as massas no processo governamental e proteger a liberdade individual; na religião, entre a necessidade de evitar a exaustão espiritual e a de evitar a cristalização de atitudes obsoletas. E assim por diante. Como o problema de combinar produção e emprego, esses dilemas não afetam unicamente os novos países, mas, em geral, são mais urgentes, mais graves e menos tratáveis neles. Para manter a metáfora médica, o tipo de atmosfera moral em que se acha alguém profissionalmente comprometido com a reflexão sobre os novos países não me parece, em muitos casos, inteiramente diversa da do oncologista que despende a maior parte de seus esforços em expor delicadamente patologias graves que não está preparado para combater.

Tudo isso, no entanto, encontra-se num nível impessoal, meramente profissional; e o enfrentamos, de modo mais ou menos adequado, invocando o costumeiro estoicismo vocacional. Por mais ineficiente que seja uma abordagem científica dos problemas sociais, ela é mais eficaz do que as alternativas disponíveis, como cuidar do jardim, debater-se no escuro ou acender velas para Nossa Senhora. Mas há outra peculiaridade moral da experiência do trabalho de campo nos novos países que é bem mais difícil de neutralizar porque, sendo muito mais pessoal, toca-nos bem mais de perto. É difícil formulá-la com clareza para quem não a experimentou ou até, aliás, para si mesmo. Tentarei transmiti-la em termos da noção de um tipo especial de ironia, a "ironia antropológica".

A ironia repousa, é claro, numa percepção de como a realidade zomba das visões meramente humanas do real, reduzindo atitudes grandiosas e grandes esperanças ao ridículo. Suas formas corriqueiras são bem conhecidas. Na ironia dramática, o esvaziamento resulta do contraste entre o que o personagem percebe como sendo a situação e o que o público sabe que ela é; na ironia histórica, da inconsistência entre as intenções de personagens soberanas e os resultados naturais das ações que decorrem dessas intenções. A ironia literária repousa numa conspiração momentânea do autor com o leitor contra a estupidez e a auto-ilusão do mundo cotidiano; a ironia socrática ou pedagógica repousa na dissimulação intelectual para parodiar a pretensão intelectual.

Mas o tipo de ironia que surge no trabalho de campo antropológico, embora não menos eficaz para romper a ilusão, não se parece muito com nenhum desses. Não é dramático, porque tem dois gumes: o ator vê o público com a mesma transparência com que este vê o ator. Não é histórico, porque não tem uma causa: não que o produto das ações do indivíduo, por uma lógica interna dos acontecimentos, resulte no inverso do que elas pretendiam (embora isso também ocorra algumas vezes), mas é que as expectativas sociais do sujeito e suas previsões do que os outros farão são constantemente contrariadas, independentemente de seu comportamento, pelo que eles fizeram de fato. Não é literário não apenas porque as partes não estão unidas, mas porque pertencem a universos morais diferentes. E não é socrático porque o que se parodia não é a pretensão intelectual, mas a mera comunicação do pensamento — e não pela dissimulação intelectual, mas por um esforço extremamente sério, quase severo, de entendimento.

No trabalho de campo, a manifestação de equívocos sérios sobre o que é a situação quase sempre começa do lado do informante, embora — infelizmente para a auto-estima do pesquisador — não termine aí. Os primeiros indícios — pedidos claros de ajuda material e serviços pessoais — são bem fáceis de se lidar, embora sempre constituam uma armadilha. Nunca desaparecem e nunca deixam de tentar o antropólogo à fácil (e inútil) oferta de bugigangas como meio de estabelecer relações com os nativos, ou de se livrar da culpa por ser um príncipe entre os miseráveis. Mas logo se tornam rotina e, após algum tempo, o pesquisador acaba se resignando ao fato de ser visto, até pelos amigos mais confiáveis, não só como uma pessoa mas também como fonte de renda. Um dos benefícios psicológicos colaterais da pesquisa antropológica — pelo menos, acho que é um benefício — é que ela ensina ao sujeito o que é ser considerado um otário e usado como um objeto, e a maneira de suportar isso.

Muito mais difícil, porém, é lidar com outro conflito bem semelhante, entre minha maneira típica de ver as coisas e o modo como a maioria de meus informantes o faz. Mais difícil porque não diz respeito apenas ao conteúdo imediato da relação entre nós, mas a seu sentido mais amplo, a suas nuanças simbólicas. Para todos os informantes, à exceção dos completamente tradicionais (cada vez mais raros), represento uma exemplificação, uma vitrine ambulante das oportunidades que eles logo terão na vida, ou, se não eles, com certeza seus filhos. Mas, como indicam minhas observações anteriores sobre problemas e soluções, tenho muito menos certeza disso do que eles, e o resultado, do ponto de vista das minhas reações, é o que chamo de "tocante problema da fé". Não é nada cômodo viver entre pessoas que de repente se sentem herdeiras de vastas possibilidades, às quais certamente têm todo o direito, mas que, com toda a probabilidade, não terão.

Tampouco o fato de, aos olhos delas, você já ter recebido essa herança (como aliás recebeu, embora não na medida em que elas costuma imaginar) alivia a situação. Quer queira, quer não, você é colocado numa posição moral um tanto parecida com a do burguês que aconselha os pobres a serem pacientes, pois Roma não foi construída num dia. Na verdade, esse tipo de homilia não é proferido, ou, pelo menos, não o é mais de uma vez. Mas tal postura é inerente à situação, independentemente do que faça, pense, sinta ou deseje o pesquisador, em virtude do fato de que o antropólogo é um membro, ainda que marginal, das classes mais privilegiadas do mundo; e no entanto, a não ser que ele (ou ela) seja incrivelmente ingênuo(a) ou se iluda desvairadamente (ou ambas as coisas, como às vezes acontece), será difícil acreditar que o informante ou os filhos do informante estejam a ponto de se juntar a ele(a) como integrantes dessa elite transcultural. É essa assimetria radical de opiniões sobre as verdadeiras chances do informante (e, além dele, do seu país), especialmente se combinada com uma concordância sobre o que elas deveriam ser, que dá ao trabalho de campo esse colorido moral muito especial que considero irônico.

É irônico, antes de tudo, porque as instituições sociais das quais o antropólogo é supostamente um produto tão exemplar, e que, portanto, tem em alta conta, não parecem ser para seus informantes a via régia para o bem-estar que foram para ele: o antropólogo é um mostruário de bens que, apesar da semelhança superficial com produtos locais, não estão efetivamente disponíveis no mercado interno. Isso se evidencia no caso da educação, onde o tocante problema da fé aparece na sua forma mais aguda. A idéia segundo a qual as escolas são varinhas mágicas que por si sós tornarão as oportunidades de vida de uma criança marroquina ou indonésia idênticas às de uma americana, francesa ou holandesa é generalizada. Para uma pequena minoria que já goza de posição privilegiada, isso pode ser e é verdade. Porém, para a grande maioria, a escola pode apenas transformar crianças totalmente ignorantes em crianças ligeiramente educadas. O que, por si, não é uma proeza insignificante. A rápida difusão da educação popular é um dos fenômenos mais estimulantes do cenário em geral desanimador dos novos países e, se requer ilusões para se sustentar, então teremos que acalentar essas ilusões. No entanto, para as pessoas com idéias mais grandiosas, idéias estimuladas pelo otimismo maníaco do nacionalismo radical, esse tipo de progresso marginal é bem diverso do que elas têm em mente. Essas confusas esperanças nas possibilidades de progresso giram em torno do emprego público, da posse de máquinas e do morar em cidades grandes; e em relação ao país como um todo, giram em torno do planejamento econômico, do voto popular e da diplomacia intermediária entre forças políticas opostas. Essas instituições e instrumentos têm seu lugar em qualquer tentativa verdadeira de reconstrução social; sem eles, aliás, é muito provável que tal reconstrução seja impossível. Mas não são os operadores de milagres que têm a fama de ser. A chamada revolução das expectativas crescentes traz uma bela promessa de culminar numa revolução de crescentes desapontamentos, fato que o antropólogo, que afinal estará voltando para sua casa confortável em mais ou menos um ano, pode se permitir ver com muito mais clareza do que seus informantes extremamente engajados. No máximo, eles só podem permitir-se, de forma incômoda e semiconsciente, suspeitar disso.

Essa sensação de que enxergamos nosso relacionamento com os informantes com uma visão clara seria mais reconfortante, porém, não fosse por outro capricho da situação que coloca esse suposto fato em séria dúvida. Pois, se o antropólogo é de fato essencialmente irrelevante para o destino dos informantes e movido por interesses que, salvo da forma mais indireta, não têm nada a ver com os deles, com base em quê tem ele o direito de esperar que essas pessoas o aceitem e o ajudem? Nesse tipo de trabalho atuamos em meio a pessoas necessitadas que esperam melhorias radicais em suas condições de vida, melhorias que não parecem propriamente iminentes; além disso, somos os típicos benfeitores capazes de trazer exatamente as melhorias que eles buscam, obrigados também a pedir a sua caridade e, o que é quase pior, obtendo-a. Esta deveria ser uma experiência portadora de modéstia e, portanto, de elevação; no entanto, o mais das vezes, é simplesmente desorientadora. Todas as conhecidas racionalizações que têm a ver com ciência, progresso, filantropia, esclarecimento e pura dedicação altruísta soam falsas, e ficamos eticamente desarmados para lidar com um relacionamento humano que tem de ser repetidamente justificado da maneira mais imediata. Moralmente, voltamos ao nível do escambo; a moeda do pesquisador é inegociável, todos os seus créditos se dissolveram. A única coisa que realmente temos a oferecer para evitar a mendicância (ou — não desprezando a abordagem da troca de bugigangas — o suborno) somos nós mesmos. Eis uma idéia alarmante; e a reação inicial a ela é o surgimento de um desejo ardente de nos tornarmos pessoalmente valiosos para os informantes — ou seja, amigos —, de modo a manter o auto-respeito. A noção de termos nos saído maravilhosamente bem nisso é a face da moeda da fé tocante voltada para o pesquisador: acreditamos na comunhão intercultural (chamamos a isso de "empatia") como nossos objetos de pesquisa acreditam no amanhã. Não admira que tantos antropólogos deixem o campo vendo lágrimas nos olhos dos informantes, as quais, tenho absoluta certeza, não estão de fato lá.

Não quero que me entendam mal. Assim como não acho impossível um progresso social significativo nos novos países, também não acho impossível o autêntico contato humano através das barreiras culturais. Se não tivesse visto um pouco desse progresso e experimentado, vez por outra, um pouco desse contato, meu trabalho teria sido insuportável. O que estou assinalando, num e noutro caso, é uma enorme pressão tanto sobre o pesquisador quanto sobre seus pesquisados para encararem essas metas como próximas, quando, na verdade, são distantes; como certas, quando meramente desejadas; e como alcançadas, quando, no máximo, houve uma aproximação delas. Essa pressão deriva da assimetria moral inerente à situação do trabalho de campo. Não é, portanto, inteiramente evitável, mas faz parte do caráter eticamente ambíguo da situação em si. De um modo que não é absolutamente fortuito, a relação entre um antropólogo e um informante repousa sobre um conjunto de ficções parciais que são mais ou menos percebidas.

Enquanto elas se mantêm apenas como ficções parciais (portanto, verdades parciais) e apenas mais ou menos percebidas (portanto, meio obscuras), a relação progride bem. O antropólogo apóia-se no valor científico dos dados coletados e talvez num certo alívio pela simples descoberta de que a tarefa não é, afinal, do todo sisífica. Quanto ao informante, seu interesse é mantido por toda uma série de ganhos secundários: a sensação de ser um colaborador essencial numa empreitada importante, ainda que mal compreendida; o orgulho por sua própria cultura ou por seu próprio conhecimento dela; a chance de expressar idéias e opiniões pessoais (e passar adiante boatos do varejo) a uma pessoa neutra, de fora; e também, de novo, algum benefício material direto ou indireto de um tipo ou de outro. E assim por diante — as recompensas são diferentes praticamente para cada informante. Mas, se é rompido o acordo implícito de eles se encararem mutuamente, a despeito de sérios indícios do contrário, como membros do mesmo universo cultural, nenhum desses incentivos mais comuns é capaz de manter a continuidade da relação por muito tempo. Ela se extingue aos poucos numa atmosfera de inutilidade, tédio e desapontamento geral, ou, de forma bem menos comum, desmorona subitamente num sentimento mútuo de que se foi enganado, usado e rejeitado. Quando isso acontece, o antropólogo experimenta uma perda da empatia: o namoro foi rompido. O informante vê a coisa como uma revelação de má-fé: sente-se humilhado. E mais uma vez eles se encerram em seus mundos separados, internamente coesos e incomunicáveis.

Permitam-me um exemplo. Quando eu estava em Java, um de meus melhores informantes era um jovem escriturário de trinta e poucos anos, que tinha altas aspirações, apesar de ter nascido e sempre vivido na cidadezinha interiorana que eu estudava: ele queria ser escritor. Na verdade, era um escritor. Durante minha estadia, escreveu e montou uma peça teatral baseada no recente divórcio de uma irmã, na qual, em parte por verossimilhança mas sobretudo por vingança (o infeliz ex-marido ainda vivia na aldeia), a moça fazia o papel dela mesma. A trama equivalia a uma espécie de *Casa de bonecas* javanesa: uma moça educada (ela cursara o segundo ano ginasial) quer fugir às obrigações do papel tradicional de esposa, mas o marido não deixa e ela o abandona — só que, como a arte é um aperfeiçoamento da vida, em vez disso, na peça, ela o mata. Além dessa obra curiosa, ele escreveu muitos contos (inéditos) e peças (não encenadas), a maioria dos quais extraía sua linha geral das histórias tradicionais em que ele, apesar de todo o seu modernismo de fachada, tinha muito interesse e era muito versado. Seu trabalho comigo tinha a ver sobretudo com esse material folclórico — mitos, lendas, fórmulas encantatórias etc. — e ele era um bom informante: esforçado, inteligente, preciso, entusiasmado. Demo-nos muito bem até um estranho incidente envolvendo minha máquina de escrever, após o qual ele passou a se recusar até a me cumprimentar na rua, quanto mais a trabalhar comigo.

Fazia tempo que ele pegava a máquina emprestada de vez em quando para datilografar seus escritos *catando milho*, preparando uma espécie de edição manuscrita. Com o tempo, passou a pegá-la mais e mais, até que ficava com ela a maior parte do tempo, o que era um inconveniente para mim, já que eu não tinha outra. Decidi, então, tentar reduzir os empréstimos a prazos mais moderados. Certo dia, quando ele mandou o irmão menor, como de costume, pegar emprestada a máquina por uma tarde, enviei-lhe um bilhete dizendo que lamentava, mas precisava dela para um trabalho meu. Foi a primeira vez que recusei o empréstimo. Em dez minutos o irmãozinho estava de volta com outro bilhete, que, sem mencionar a máquina ou minha recusa, dizia apenas que meu informante, devido a um compromisso inadiável, não poderia (também pela primeira vez) vir ao encontro marcado comigo para o dia seguinte. Tentaria, porém, se possível, honrar o encontro subseqüente, três dias depois. Interpretei isso, com muito acerto, como uma paga na mesma moeda e, temeroso como sempre de uma perda do vínculo, fiz uma coisa estúpida, que, no tocante ao nosso relacionamento, foi um erro fatal. Em vez de simplesmente deixar o incidente passar, respondi ao bilhete lamentando que ele não pudesse vir ao encontro marcado e dizendo que esperava não tê-lo ofendido, e que ele poderia dispor da máquina, afinal, porque eu iria aos arrozais. Três horas depois, voltou o irmãozinho, com a máquina e um longuíssimo bilhete (datilografado) cuja essência era: (1) é claro que ele não se sentira ofendido, pois, afinal, a máquina era minha; (2) ele lamentava muito, mas o fato é que não apenas não poderia comparecer ao nosso próximo encontro, como também a premência de seu trabalho literário impossibilitaria por completo, infelizmente, que continuássemos a nos ver. Fiz alguns débeis esforços para consertar a situação — ainda mais débeis pela sensação de me haver portado como uma besta —, mas era tarde demais. Ele voltou a copiar seus escritos a mão e eu tive de encontrar um novo informante com quem trabalhar sobre temas míticos — um funcionário de hospital que, por praticar um pouco de medicina amadora com os vizinhos, estava mais interessado em meu estoque de remédios do que na máquina de escrever.

Mera cavilação, ridiculamente exagerada? Cômico mal-entendido agravado por um excesso normal de melindres e uma estúpida falta de tato? Com certeza. Mas, por que tamanha tempestade em copo d'água? Por que tivemos tanta dificuldade com uma coisa tão simples quanto o empréstimo de uma máquina de escrever? Porque, é claro, não se tratava de uma máquina de escrever sendo emprestada — ou, pelo menos, não somente da máquina —, mas de um conjunto de reivindicações e concessões apenas obscuramente reconhecidas. Ao tomar emprestada a máquina, meu informante afirmava tacitamente sua demanda de ser levado a sério como um intelectual, um "escritor" — isto é, um igual; ao emprestá-la, eu tacitamente concordava com essa demanda, interpretando tacitamente nosso relacionamento como de amizade pessoal — isto é, eu me admitia no círculo interno da sua comunidade moral. Ao tomá-la emprestada, ele aceitava, também tacitamente, essa interpretação. Ambos sabíamos, tenho certeza, que esses acordos só podiam ser parciais: não éramos realmente colegas nem camaradas. Mas, enquanto nosso relacionamento persistiu, eles existiram pelo menos parcialmente, foram de algum modo reais, o que, dados os componentes da situação — ele estava tão longe de ser um Milton desconhecido quanto eu de ser javanês —, foi uma façanha. Porém, quando recusei a utilização do símbolo de nosso pacto tácito de encarar, por uma espécie de suspensão mútua da descrença, nossos diferentes mundos culturais como um só, sua suspeita, sempre presente, de que eu não levava seu "trabalho" tão a sério quanto o meu, irrompeu na consciência. Quando ele, por sua vez, recusou-se a comparecer a nosso encontro seguinte, irrompeu em minha consciência o meu medo, também sempre presente, de que ele me visse apenas como um estrangeiro inconseqüente, a quem só estava ligado por considerações as mais oportunistas. Com sua verdadeira anatomia visivelmente exposta, o relacionamento acabou em amargura e decepção.

Esse fim não chega a ser típico nos relacionamentos entre antropólogos e informantes: em geral, é possível manter a sensação de que eles são membros, ainda que temporariamente, de modo incompleto e inseguro, de uma só comunidade moral, mesmo face a realidades sociais mais amplas, que pressionam quase o tempo todo para negá-la. É essa ficção — ficção, não falsidade — que está no coração da pesquisa antropológica de campo bem-sucedida; e é por nunca ser completamente convincente para nenhum dos participantes que ela torna continuamente irônica essa pesquisa, considerada como forma de conduta. Reconhecer a tensão moral e a ambigüidade ética implícitas no encontro antropólogo/informante, e ainda assim ser capaz de dissipá-la através das próprias ações e atitudes, é o que tal encontro exige de ambas as partes para ser autêntico e efetivamente ocorrer. E descobrir isso é descobrir também algo muito complicado e não inteiramente claro sobre a natureza da sinceridade e da insinceridade, da autenticidade e da hipocrisia, da honestidade e da auto-ilusão. O trabalho de campo é uma experiência educativa completa. O difícil é decidir o que foi aprendido.

Existem, é claro, muitas outras dimensões éticas do trabalho de campo além das duas discutidas aqui: o desequilíbrio entre a capacidade de revelar problemas e o poder de resolvê-los, por um lado, e a inerente tensão moral entre pesquisador e objeto, por outro. Nem são essas duas dimensões necessariamente as mais profundas, como talvez indique o fato de eu ter podido discuti-las. Mas mesmo a mera revelação de que elas — e outras semelhantes — existem pode contribuir para dissipar algumas ilusões comuns sobre o que vêm a ser as ciências sociais como conduta. Em especial, poder-se-ia questionar a noção generalizada de que a pesquisa social científica consiste em uma tentativa de descobrir fios escondidos com que manipular pessoas de papelão. Não se trata apenas de que tais fios não existam e as pessoas não sejam de papelão; é que todo o empreendimento destina-se não à impossível tarefa de controlar a história, mas à tarefa apenas quixotesca de ampliar o papel nela desempenhado pela razão.

É a impossibilidade de ver isso — não apenas por parte dos que são hostis às ciências sociais por princípio (qual princípio, é outra questão), mas por parte de muitos de seus mais ardorosos defensores — que tem tornado sem sentido grande parte da discussão sobre seu status moral. O fato é que as ciências sociais não são um ataque sinistro à nossa cultura nem um meio de resgatá-la em definitivo — são meramente parte desta cultura. Do ponto de vista da filosofia moral, a questão central a levantar sobre as ciências sociais não é a que os pretensos guardiães platônicos de ambos os lados sempre formulam: Será que vão nos destruir ou nos salvar? É quase certo que não farão uma coisa nem outra. A questão central a formular é: o que elas nos dizem sobre os valores com que nós — todos nós — de fato vivemos? O necessário é colocar as ciências sociais não no banco dos réus, que é onde deve estar a nossa cultura, mas no das testemunhas.

Se, quando isso for feito, elas testemunharão pela defesa ou promotoria, é, creio, uma questão em aberto. Mas é claro que seu testemunho será, como o de qualquer testemunha, mais pertinente a certos assuntos do que a outros. Em especial, tal investigação deve esclarecer que tipo de comportamento social é o pensamento científico sobre os assuntos humanos, e deve fazê-lo de um modo que não o podem fazer as análises filosóficas de questões éticas, a lógica da decisão pessoal ou as fontes da autoridade moral, apesar de todas serem esforços úteis em si mesmas. Até meu exame passageiro de alguns fragmentos da minha própria experiência dá algumas pistas nessa direção — ao expor o que significam "distanciamento", "relativismo", "método científico" e coisas semelhantes, não como senhas e lemas mas como atos concretos de pessoas concretas em disputas sociais específicas. Discuti-los como tais, como aspectos de um ofício, não porá fim à disputa, mas pode ajudar a torná-la proveitosa.

A natureza do distanciamento científico — do desprendimento, se ainda podemos usar esse termo — é um bom exemplo. O estereótipo popular do técnico de laboratório de guarda-pó branco, tão asséptico nos afetos quanto nos trajes, é apenas uma expressão da idéia geral de que esse distanciamento consiste numa ausência neurótica de afetividade posta em prática. Como o eunuco no harém, o cientista é um empregado com um defeito útil; e, como o eunuco, é correspondentemente perigoso, em vista de uma insensibilidade para os assuntos subcerebrais (em geral ditos "humanos"). Não sei muita coisa sobre o que se passa nos laboratórios, mas no trabalho de campo em antropologia, o distanciamento não é um dom natural nem um talento fabricado, mas uma conquista parcial laboriosamente alcançada e precariamente mantida. O pouco desprendimento que se consegue atingir não vem da inexistência de emoções, de seu desconhecimento nos outros, tampouco do ensimesmamento num vácuo moral. Provém de uma submissão pessoal a uma ética vocacional.

Essa não é, reconheço, uma descoberta original. O que se precisa explicar é por que tanta gente fica tão aflita em negá-la e insiste, ao contrário, em que, pelo menos enquanto estão trabalhando, os cientistas sociais são absolutamente infensos às considerações morais — não desprendidos, mas indiferentes. Quanto às críticas externas, talvez os interesses acadêmicos velados expliquem a maioria dos casos, sendo o restante explicado por uma ignorância cuidadosamente preservada. Mas quando os mesmos protestos são feitos pelos próprios cientistas sociais — "Não dou conselhos, apenas aponto a raiz do problema" — talvez seja preciso olhar um pouco mais fundo para as dificuldades inerentes à manutenção de uma ética científica não apenas na escrivaninha ou no estrado de conferências, mas no coração mesmo das situações sociais cotidianas, e para a dificuldade de ser ao mesmo tempo um ator envolvido na situação e um observador imparcial.

A característica mais marcante do trabalho de campo antropológico como forma de conduta é que ele não permite qualquer separação significativa das esferas ocupacional e extra-ocupacional da vida. Ao contrário, ele obriga a essa fusão. Devemos encontrar amigos entre os informantes e informantes entre os amigos; devemos encarar as idéias, atitudes e valores como outros tantos fatos culturais e continuar a agir de acordo com aqueles que definem os nossos compromissos pessoais; devemos ver a sociedade como um objeto e experimentá-la como sujeito. Tudo o que dizemos, tudo o que fazemos e até o simples cenário físico têm ao mesmo tempo que formar a substância de nossa vida pessoal e servir de grão para nosso moinho analítico. No seu ambiente, o antropólogo vai comodamente ao escritório para exercer um ofício, como todo mundo. Em campo, ele tem que aprender a viver e pensar ao mesmo tempo.

Como sugeri, esse processo de aprendizagem só pode ir até certo ponto, mesmo nas melhores condições, que de qualquer forma nunca prevalecem. O antropólogo permanece inevitavelmente mais alheio do que deseja e menos cerebral do que imagina. Mas o processo impõe, dia após dia, o esforço da sua promoção, o esforço de combinar duas atitudes fundamentais em relação à realidade — a engajada e a analítica — numa atitude única. É a essa atitude, não ao vácuo moral, que chamamos distanciamento ou desprendimento. E, por menor que seja o grau dessas características alcançado pelo pesquisador, ele não provém da adoção de uma ideologia do tipo eu-sou-uma-câmera, ou do encerramento sob camadas de armadura metodológica, mas da simples tentativa de fazer, nessa situação equívoca, o trabalho científico que se pretende fazer. E, como a capacidade de olhar para as pessoas e acontecimentos (e para si mesmo) com um olhar ao mesmo tempo frio e interessado é um dos sinais mais seguros de maturidade, seja no indivíduo, seja num povo, essa experiência de pesquisa tem implicações morais bem mais profundas e diversas para nossa cultura do que as que são em geral sugeridas.

O compromisso profissional de encarar os assuntos humanos de forma analítica não se opõe ao compromisso pessoal de encará-los sob uma perspectiva moral específica. A ética profissional repousa na ética pessoal e dela extrai sua força; obrigamo-nos a enxergar por uma convicção de que a cegueira — ou a ilusão — prejudica a virtude como prejudica as pessoas. O distanciamento provém não do desinteresse, mas de um tipo de interesse flexível o bastante para suportar uma enorme tensão entre a reação moral e a observação científica, uma tensão que só faz aumentar à medida que a percepção moral se aprofunda e a compreensão científica avança. A fuga para o cientificismo ou, por outro lado, para o subjetivismo não passa de um sinal de que a tensão não pode mais ser suportada, de que os nervos não agüentam e de que se fez a opção de suprimir a própria humanidade ou a própria racionalidade. Estas são as patologias da ciência, não a sua norma.

Visto por esse prisma, o famoso relativismo de valor da antropologia não é o pirronismo moral de que tantas vezes foi acusado, mas uma expressao da confiança em que tentar ver o comportamento humano em termos das forças que o animam é um elemento essencial para compreendê-lo, e em que julgar sem compreender é uma ofensa à moral. Os valores são mesmo valores, e os fatos, infelizmente, são mesmo fatos. Mas comprometer-se com o estilo de pensamento chamado ciências sociais é tentar transcender a defasagem lógica que os separa através um padrão de comportamento que, abarcando-os numa experiência unitária, ligue-os racionalmente. A vocação para aplicar o "método científico" à investigação dos assuntos humanos é uma vocação para confrontar diretamente o divórcio entre a razão e o sentimento, diagnosticada com acerto como a doença do nosso tempo e a cuja cura John Dewey dedicou incondicionalmente todo o trabalho de sua vida, imperfeito como qualquer outro.

3 *Anti anti-relativismo*

Não há melhor tarefa para um estudioso do que destruir um medo. O medo que eu quero destruir é o do relativismo cultural. Não a coisa em si, que penso meramente existir, como a Transilvânia, mas o pavor dela, que julgo infundado. Infundado porque as conseqüências morais e intelectuais que comumente se supõe decorrerem do relativismo — subjetivismo, niilismo, incoerência, maquiavelismo, estupidez ética, cegueira estética e assim por diante — na verdade não decorrem dele, e porque as recompensas prometidas a quem escapa de suas garras, relacionadas sobretudo com um conhecimento pasteurizado, são ilusórias.

Para ser mais claro, não quero defender o relativismo, grito de guerra do passado e afinal uma palavra desgastada, mas atacar o anti-relativismo, que me parece estar em ampla ascensão e representar uma versão aerodinâmica de um erro antigo. O que quer que possa ser ou ter sido originalmente o relativismo cultural (e não há um só dos seus críticos que o tenha entendido bem), ele serve, atualmente, sobretudo como um espectro para nos afugentar de certos modos de pensar e nos encaminhar para outros. E, como os modos de pensar de que estamos sendo afastados me parecem mais convincentes do que aqueles para os quais somos impelidos, além de estarem no cerne da herança antropológica, eu gostaria de fazer algo a esse respeito. Exorcizar demônios é uma prática a devemos aderir, além de estudá-la.

Meu título no estilo através-do-espelho pretende sugerir esse esforço de objetar a uma visão, em vez de defender a visão a que ela afirma opor-se. A analogia que tive em mente ao escolhê-lo — uma analogia lógica, como creio que entenderão; e não uma analogia substantiva — foi o que, no auge da guerra fria (vocês devem estar lembrados), era chamado de "anti-anticomunismo". Aqueles que se opunham ferozmente à obsessão — como a encarávamos — com o Perigo Vermelho eram assim denominados pelos que — como o encaravam —

viam esse Perigo como o fato primordial da vida política da época, com a insinuação — absurdamente incorreta, na vasta maioria dos casos — de que, pela lei da dupla negativa, tínhamos uma simpatia secreta pela União Soviética.

Mais uma vez, pretendo usar essa analogia num sentido formal; não penso que os relativistas sejam como os comunistas, que os anti-relativistas sejam como os anticomunistas e creio que ninguém (bem... quase ninguém) está se comportando como o senador McCarthy. Poderíamos estabelecer um paralelismo semelhante com a controvérsia sobre o aborto. Aqueles de nós que nos opomos ao aumento das restrições legais ao aborto não somos, pelo que eu entendo, pró-aborto, no sentido de o considerar uma coisa maravilhosa e achar que, quanto maior o índice de abortos, maior será o bem-estar social; somos "anti-anti-pró-aborto" por razões bem diferentes, que não preciso enumerar. Nesse contexto, a dupla negativa simplesmente não funciona da maneira usual — e nisso residem seus atrativos retóricos. Ela permite rejeitar algo sem que com isso nos comprometamos com aquilo que este algo rejeita. E é exatamente isso o que quero fazer com o anti-relativismo.

Esta abordagem tão carregada do assunto, que se explica e se desculpa à medida que avança, é necessária porque, como notou o filósofo e antropólogo John Ladd, "todas as definições comuns do... relativismo são formuladas por adversários do relativismo... são definições absolutistas".[1] (Ladd, cujo foco imediato é o famoso livro de Edward Westermarck, fala especificamente do "relativismo ético", mas a questão é geral: sobre o "relativismo cognitivo", pensem na crítica de Israel Scheffler a Thomas Kuhn; sobre o "relativismo estético", na crítica de Wayne Booth a Stanley Fish.)[2] E, como Ladd também afirma, o resultado disso é que o relativismo, ou qualquer coisa que se pareça com ele segundo essas definições hostis, é identificado com o niilismo.[3] Sugerir que talvez não existam fundamentos "sólidos" para os juízos cognitivos, estéticos ou morais, ou, pelo menos, que são duvidosos aqueles que nos são oferecidos, é ver-se acusado de descrer da existência do mundo físico, de achar que as trivialidades são tão boas quanto a poesia, de ver Hitler apenas como um sujeito de gostos pouco convencionais, ou até, como me aconteceu recentemente, de ser acusado — com o perdão da palavra — de não ter "nenhuma posição política".[4] A idéia de que alguém que não pensa como você tem a visão inversa ou simplesmente não tem nenhuma, seja qual for seu consolo para os que temem que a realidade desapareça se não acreditarmos piamente nela, não produziu muita clareza na discussão anti-relativista, mas apenas levou muito mais gente a gastar muito mais tempo do que parece proveitoso descrevendo longamente aquilo que *não* defende.

Tudo isso é relevante para a antropologia porque, naturalmente, foi através da idéia de relativismo, sumamente mal definida, que ela mais perturbou a paz intelectual geral. Desde nossos primórdios, mesmo quando a teoria antropológica — evolucionista, difusionista ou *elementargedankenisch* [de idéias básicas] — era tudo menos relativista, a mensagem que fomos tidos como transmitindo ao resto do mundo foi que, como as pessoas vêem as coisas de maneira diferente e as fazem de modo diverso no Alasca ou em Entrecasteaux, a confiança em nossas próprias opiniões e atitudes e nossa determinação de fazer os outros partilhá-las têm uma base muito precária. Também isso é comumente mal entendido. Não foi a teoria antropológica como tal que fez nosso campo de investigação parecer um argumento poderoso contra o absolutismo no pensamento, na moral e no juízo estético, mas sim os dados antropológicos: costumes, crânios, vestígios arqueológicos e léxicos. A idéia de que foram Boas, Benedict e Melville Herskovits, com a ajuda européia de Westermarck, que infectaram o nosso campo com o vírus relativista, e de que Kroeber, Kluckhohn e Redfield, com ajuda similar de Lévi-Strauss, lutaram para nos livrar dele, não passa de mais um mito a confundir toda essa discussão. Afinal, Montaigne pôde tirar conclusões relativistas, ou de aparência relativista, de ter ouvido falar que os caraíbas não usavam calças; não precisou ler *Patterns of Culture*. Mesmo antes disso, contemplando "certos indígenas da raça chamada calaciana", entre os quais dizia-se que os homens comiam os próprios pais, Heródoto chegou, como seria de esperar, a visões semelhantes.

A inclinação relativista ou, mais exatamente, a inclinação relativista a que a antropologia comumente induz os que lidam muito com seus materiais, está, portanto, em certo sentido, implícita no campo antropológico como tal, talvez particularmente na antropologia cultural, mas também em boa parte da arqueologia, da lingüística antropológica e da antropologia física. Não se pode ler muito sobre a matrilinearidade nayar, o sacrifício asteca, o verbo hopi ou as convoluções da transição dos hominídeos sem começar por considerar pelo menos a possibilidade de que, para citar de novo Montaigne, "todo homem chame de barbarismo qualquer prática que não seja a sua ... porque não temos outro critério racional que não o exemplo e a idéia das opiniões e costumes do país em que vivemos".[5] É improvável que essa idéia, sejam quais forem seus problemas e por mais delicadamente que se expresse, venha a se extinguir a menos que a antropologia desapareça.

Foi a esse fato, progressivamente constatado como tal à medida que nossa iniciativa avançou e nossas descobertas se tornaram mais circunstanciadas, que reagiram, de acordo com suas sensibilidades, tanto os relativistas quanto os anti-relativistas. A percepção de que as informações de outras regiões sobre o casamento fantasma, a destruição ritual da propriedade, a felação iniciática, a imolação real e o sexo despreocupado na adolescência davam à mente uma inclinação natural para ver as coisas sob um prisma do tipo "outras bestas, outros hábitos" levou a discussões, alternadamente violentas, desesperadas e efusivas, destinadas a nos convencer a resistir a essa inclinação em nome da razão, ou a abraçá-la com a mesma justificativa. O que parece um debate sobre as implicações mais amplas da pesquisa antropológica é, na verdade, um debate sobre como viver com elas.

Apreendido esse fato, e sendo o "relativismo" e o "anti-relativismo" vistos como respostas genéricas à maneira como nossa percepção das coisas é afetada pelo que Kroeber certa vez chamou de impulso centrífugo da antropologia — lugares distantes, épocas distantes, espécies distantes... gramáticas distantes —, toda a discussão entra mais em foco. O suposto conflito entre o apelo de Benedict e Herskovits à tolerância e a paixão intolerante com que eles o fizeram revela-se não a simples contradição que tantos lógicos amadores sustentaram que fosse, mas a expressão de uma percepção (causada por muita reflexão sobre os Zuni e os daomeanos) segundo a qual, sendo o mundo tão cheio de tantas coisas, apressar-se a julgar é mais do que um erro, é um crime. De modo semelhante, as verdades panculturais de Kroeber e Klukhohn — as de Kroeber foram sobretudo acerca de confusos assuntos pessoais como o delírio e a menstruação, e as de Kluckhohn, sobre complicados temas sociais, como a mentira e o assassinato no próprio grupo — revelaram-se não exatamente as obsessões arbitrárias e pessoais que tanto parecem ser, mas a expressão da preocupação muito mais ampla (causada por muita reflexão sobre *anthropos* em geral) de que, se algo não está alicerçado em toda parte, nada pode estar alicerçado em lugar algum. Aqui, a teoria — se é assim que se devem chamar esses conselhos zelosos sobre como devemos encarar as coisas para sermos considerados decentes — é bem mais uma troca de advertências do que uma discussão analítica. Oferecem-nos opções de preocupação.

Aquilo com que os chamados relativistas querem que nos preocupemos é o provincianismo — o perigo de que nossa percepção seja embotada, nosso intelecto seja encolhido e nossas simpatias sejam restringidas pelas escolhas excessivamente internalizadas e valorizadas de nossa própria sociedade. Aquilo com que os auto-intitulados anti-relativistas querem que nos preocupemos — e nos preocupemos ao máximo, como se nossas próprias almas dependessem disso — é com um tipo de entropia espiritual, uma espécie de morte mental por excesso de energia, no qual tudo é tão importante e, portanto, tão insignificante quanto todo o resto: vale tudo, a cada um o que é seu, é só pagar e escolher, sei o que eu quero, comigo não, *tout comprendre, c'est tout pardonner.*

Como já sugeri, eu mesmo acho o provincianismo a mais real de todas as preocupações no que concerne ao que acontece no mundo (embora, mesmo aí, possa haver exagero: "Você tanto pode cair de cara no chão", diz um dos maravilhosos ditados de Thurber, "como se inclinar demais para trás.") A imagem de um vasto número de leitores de antropologia vagando por aí com uma mentalidade tão cosmopolita a ponto de não terem opinião sobre o que é ou não verdadeiro, bom ou belo, parece-me sobretudo uma fantasia. Pode haver alguns niilistas autênticos por aí, na Rodeo Drive de Beverly Hills ou em Times Square, mas duvido que muitos se tenham tornado niilistas por excessiva sensibilidade aos apelos de outras culturas; e pelo menos a maioria das pessoas que eu encontro, leio ou sobre quem leio, assim como eu mesmo, está totalmente comprometida com uma coisa ou outra, em geral provinciana. "É o olhar da infância que teme os demônios de brinquedo": o anti-relativismo, em boa parte, engendrou a angústia de que se alimenta.

Mas devo estar exagerando, não é? Com certeza, os anti-relativistas, seguros de que os chocalhos não podem provocar trovões e de que comer carne humana é errado, não podem ser tão irritáveis, certo? Ouçam, então, William Gass, romancista, filósofo, *précieux* e observador atento dos caminhos da antropologia:

> Antropólogos ou não, todos costumávamos chamá-los de "nativos" — aquele povo ilhéu, distante, selvagem e de baixa estatura — e acabamos reconhecendo o esnobismo nada científico dessa atitude. Até nossas publicações mais respeitáveis podiam exibi-los nus sem ser ofensivas, porque as tetas caídas ou pontudas de suas mulheres eram tão inumanas para nós quanto os úberes de uma vaca. Logo caímos em nós e fizemo-los vestir-se. Começamos por suspeitar de nossas próprias opiniões, de nossas certezas, e abraçamos o relativismo, embora este seja uma rameira das mais miseráveis; e acabamos por endossar uma bela igualdade entre as culturas, cada qual desempenhando sua tarefa de aglutinar, colocar em interação e estruturar uma sociedade. A enorme sensação de superioridade era um dos fardos do homem branco, e esse peso, aliviado, foi substituído por um sentimento de culpa igualmente pesado.
>
> Assim como não devemos esperar que um cirurgião diga "morreu e já vai tarde", um antropólogo não exclamaria, retirando-se da cultura que houvesse acabado de investigar como quem tirasse as roupas de trabalho: "Que jeito horroroso de viver!" Porque, mesmo que os nativos estivessem pobres e cobertos de pó e feridas, ainda que tivessem sido esmagados por pés mais fortes até ficarem achatados, mesmo que estivessem morrendo como moscas, ainda assim o observador podia notar com que freqüência eles riam, como era raro brigarem, ou como eram serenos. Podemos invejar nos Zuni seus modos pacíficos e nos Navajo seu "bom humor".
>
> Era espantoso como nos apaziguava descobrir que havia algum objetivo funcional nos tabus alimentares, na infibulação ou na clitorectomia; e, se ainda nos sentíamos moralmente melindrados com o sacrifício humano ou a caça de cabeças, é claro que ainda estávamos espremidos num estreito ponto de vista eu-

ropeu moderno e não tínhamos simpatia nem compreensão — não podíamos compreender. No entanto, quando encontrávamos certos adolescentes de indolentes tribos praianas que tinham permissão para transar sem nenhum tabu, ficávamos a imaginar se isso lhes permitia evitar os estresses dos nossos jovens, e secretamente esperávamos que não.

Alguns antropólogos desataram o ponto de vista moral, tão sagrado para Eliot, Arnold e Emerson, de toda e qualquer amarra (a ciência e a arte também flutuam na corrente do Devir), taxando de "fundamentalista" qualquer crença no conhecimento objetivo, como se ele fosse a mesma coisa que o estúpido literalismo bíblico, e defendendo a total mutabilidade do homem e a completa sociologia do que, nessas circunstâncias, já não podia ser considerado conhecimento, mas apenas *doxa*, ou "opinião".[6]

Essa visão acalorada do "ponto de vista antropológico", que surge das brumas de argumentos caricaturais e mal compreendidos, para começo de conversa (uma das idéias de Gass é que Mary Douglas é uma espécie de cética, e a sátira de Benedict, mais sagaz que a dele, escapou-lhe inteiramente), deixa-nos com um belo fardo para carregar. Contudo, mesmo entre os antropólogos, as acusações, embora expressas com menos originalidade, como convém a uma ciência, não são menos graves. O relativismo ("[P]ostura segundo a qual toda avaliação é relativa a algum padrão, seja qual for, e os padrões derivam de culturas"), no dizer de I.C. Jarvie,

> tem as seguintes conseqüências censuráveis: ao limitar a avaliação crítica das obras humanas, ele nos desarma, desumaniza e incapacita para entrarmos numa interação comunicativa, ou seja, deixa-nos incapazes de criticar interculturalmente e intersubculturalmente; em última instância, o relativismo não deixa nenhum espaço para a crítica.... [P]or trás desse relativismo espreita o niilismo.[7]

Mais à frente do que atrás, fazendo lembrar o espantalho e o sino do leproso: certamente nenhum de nós, vestidos e em nosso juízo perfeito, vai correr para abraçar uma opinião que nos desumaniza a ponto de nos tornar incapazes de nos comunicar com alguém. Os extremos a que pode chegar esse alerta contra a rameira miserável que pode eliminar a capacidade de crítica são indicados, para dar um último exemplo, pelo livro feroz de Paul Johnson sobre a história do mundo depois de 1917, *Modern Times*, que, começando por um capítulo intitulado "Um mundo relativista" (a resenha do livro por Hugh Thomas, no *Times Literary Supplement*, foi mais adequadamente intitulada "O inferno do relativismo"), descreve todo o desastre moderno — Lenin, Hitler, Amin, Bokassa, Sukarno, Mao, Nasser e Hammarskjöld, o estruturalismo, o New Deal, o holocausto, as duas guerras mundiais, 1968, a inflação, o militarismo xintoísta, a OPEP e a independência da Índia — como resultado de uma coisa chamada "a heresia relativista".[8] "Um grande trio de inventivos sábios alemães" — Nietzsche, Marx e (com a poderosa ajuda de Frazer — nossa contribuição) Freud — destruiu moralmente o século XIX, assim como Einstein, ao acabar com o movimento absoluto, destruiu-o cognitivamente, e Joyce, ao abolir a narrativa absoluta, destruiu-o esteticamente:

> Marx descreveu um mundo no qual a dinâmica central era o interesse econômico. Para Freud, o impulso principal era sexual. ... Nietzsche, o terceiro do trio, era também ateu... [e] via [a morte de Deus] como ... um evento histórico que teria conseqüências dramáticas. ... Entre as raças avançadas, o declínio e o colapso final do impulso religioso deixariam um imenso vazio. A história dos tempos modernos é, em grande parte, a história de como esse vazio [foi] preenchido. Nietzsche percebeu corretamente que o candidato mais provável seria o que ele chamou de "vontade de poder". ... Em lugar da crença religiosa haveria a ideologia secular. Aqueles que outrora haviam integrado as fileiras do clero totalitário tornar-se-iam políticos totalitários. ... O fim da velha ordem, com um mundo desgovernado, à deriva num universo relativista, era um convite ao surgimento desses gângsteres-estadistas. E eles não demoraram a surgir.[9]

Depois disso, provavelmente não há muito mais a dizer, exceto talvez o que diz George Stocking, resumindo outros: "o relativismo cultural, que respaldara o ataque ao racialismo, [pode] ser percebido como uma espécie de neo-racialismo que justifica o atraso tecno-econômico dos povos outrora colonizados".[10] Ou o que diz Lionel Tiger, resumindo a si mesmo: "[O] argumento feminista [da 'não-necessidade social ... das leis instituídas pelo patriarcado'] reflete o relativismo cultural que de há muito caracteriza as ciências sociais que se recusaram a situar o comportamento humano nos processos biológicos."[11] Tolerância inconseqüente, intolerância inconseqüente; promiscuidade ideológica, monomania ideológica; hipocrisia igualitária, simplismo igualitário — todos provêm da mesma doença. Assim como o Bem-Estar, a Mídia, a Burguesia ou os Círculos Dirigentes, o Relativismo Cultural causa tudo o que há de ruim.

Os antropólogos, batalhando em seu ofício e de algum modo refletindo sobre ele, dificilmente poderiam, apesar de todo o seu peculiar provincianismo, ficar indiferentes ao zumbido da inquietação filosófica que se ergue por toda a parte à sua volta. (Nem sequer mencionei os ferozes debates suscitados pelo ressurgimento da teoria política e moral, pelo aparecimento da crítica literária desconstrutivista, pela difusão de idéias não-fundacionistas na metafísica e na epistemologia, e pela rejeição do republicanismo e do metodismo na história da ciência.) Tornou-se mais e mais intenso o medo de que nossa ênfase na diferença, na diversidade, na estranheza, na descontinuidade, na incomensurabilidade, na singularidade e assim por diante — o que William Empson chamou de "gigantesco circo antropológico, [mantendo] ruidosamente armadas todas as suas lonas" — possa acabar deixando-nos com pouco mais a dizer senão que nos outros lugares as coisas são diferentes e que a cultura é o que a cultura faz.[12] Esse medo intensificou-se tanto, na verdade, que nos conduziu por rumos sumamente conhecidos, na tentativa, a meu ver mal concebida, de aplacá-lo.

Poder-se-ia alicerçar essa última proposição num bom número de lugares do pensamento e da investigação antropológicos contemporâneos — desde o materialismo harrisoniano do "tudo que surge tem que convergir" até o evolucionismo popperiano do "Grande Divisor de Águas". ("Nós Temos a Ciência... ou a Instrução, ou a Competição Interteórica, ou a Concepção Cartesiana do Saber... e Eles Não.")[13] Mas quero me concentrar aqui, de imediato, em dois pontos de importância central, ou, pelo menos, muito populares: a tentativa de restaurar um conceito de "Natureza Humana" independente do contexto como um baluarte contra o relativismo, e a tentativa de reinstituir igualmente um conceito similar daquela outra velha amiga, "A Mente Humana".

De novo, é necessário ser claro para não ser acusado (sob a já mencionada suposição de que "se você não acredita em meu Deus, deve acreditar em meu Demônio") de defender posições absurdas — um historicismo radical, que acha que a cultura é tudo, ou um empirismo primitivo, que vê o cérebro como um quadro-negro —, que ninguém com um mínimo de seriedade defende, e que, muito possivelmente, fora um entusiasmo momentâneo aqui e ali, defendeu. A questão não é se os seres humanos são organismos biológicos com características intrínsecas. Os homens não podem voar e os pombos não podem falar. Nem se trata de saber se eles exibem atributos comuns de funcionamento mental onde quer que os encontremos. Os papuanos invejam, os aborígenes sonham. A questão é como devemos entender esses fatos indiscutíveis ao explicarmos rituais, analisarmos ecossistemas, interpretamos seqüências fósseis ou compararmos línguas.

Esses dois movimentos para a restauração de concepções não pautadas na idéia de cultura do que consideramos o *homo* básico, de valor fixo, e o *sapiens* essencial, sem aditivos, adquirem formas bastante díspares, sem maior concordância afora seu teor geral, naturalista num caso, racionalista no outro. Do lado naturalista estão, claro, a sociobiologia, a psicologia evolucionista e outras orientações hiperadaptativas, mas há também perspectivas derivadas da psicanálise, da ecologia, da neurologia, da etologia do *imprinting*, de certos tipos de teoria do desenvovimento e de algumas correntes do marxismo. Do lado racionalista estão, naturalmente, o neo-intelectualismo associado ao estruturalismo e outras orientações hiperlogicistas, mas há também perspectivas derivadas da lingüística gerativa, da psicologia experimental, da pesquisa sobre inteligência artificial, da microssociologia do estratagema e contra-estratagema, de certos tipos de teoria do desenvolvimento de algumas correntes do marxismo. As tentativas de banir o espectro do relativismo, seja escorregando da Grande Cadeia do Ser, seja escalando-a a duras penas — a ostentação por trás das aparências, a mente aberta a todas as culturas — não traduzem um empreendimento único, maciço e coordenado, mas uma miríade desordenada de esforços que não se podem misturar, cada um a pressionar em direção diferente, defendendo a própria causa. O pecado pode ser um só, as propostas de salvação são muitas.

É por essa razão, também, que um ataque como o meu às tentativas de extrair das investigações biológicas, psicológicas, lingüísticas ou simplesmente culturais conceitos da "Natureza Humana" e da "Mente Humana" que independam do contexto não deve ser tomado como um ataque a essas investigações enquanto programas de pesquisa. Não importa, em absoluto, se a sociobiologia é ou não, como penso, um programa de pesquisa em degeneração, fadado a se esgotar em suas próprias confusões, e se a neurociência é uma investigação em progresso (para usar os úteis epítetos de Imre Lakatos), na iminência de obter resultados extraordinários aos quais os antropólogos fariam bem em atentar, com matizes variados de vereditos ambíguos, do tipo talvez sim, talvez não, sobre a gramática gerativa, a etologia, a inteligência artificial, a psicanálise, a ecologia, a microssociologia, o marxismo e a psicologia do desenvolvimento.[14] O que está em questão não é, ou não é aqui, a validade das ciências, reais ou supostas. O que me preocupa e deve preocupar-nos a todos são os machados que, com uma determinação crescente, quase evangélica, estão sendo ativamente afiados com a ajuda delas.

Como forma de penetrar em todo esse debate pelo lado naturalista, podemos dar uma olhada numa discussão geral que é amplamente aceita — embora seja difícil entender por quê, uma vez que se compõe basicamente de pronunciamentos — como uma profissão de fé equilibrada e moderada: o livro *Beast and Man, The Roots of Human Nature*, de Mary Midgeley. No tom que se tornou característico desses discursos nos últimos anos, à moda do "antes eu era cego, mas agora posso ver" que encontramos no *Pilgrim's Progress*, Midgeley escreve:

> Entrei pela primeira vez nessa selva há alguns anos, pulando o muro do árido jardinzinho que na época era cultivado com o nome de Filosofia Moral Britânica. Fiz isso numa tentativa de pensar a natureza humana e o problema do mal. Os males do mundo, pensava, são reais. O fato de que o são não é uma fantasia imposta a nós pela cultura ou criada pela nossa vontade e imposta ao mundo. Tais suposições não passam de má-fé. O que abominamos não é opcional. A cultura

> varia os detalhes, sem dúvida, mas acontece que podemos criticar nossa cultura. Que modelo [observem que a palavra é usada no singular] usamos para isso? Qual estrutura subjacente à natureza humana deve a cultura completar e exprimir? Nesse emaranhado de perguntas, encontrei algumas clareiras sendo abertas por psicólogos freudianos e junguianos, com base em princípios que pareciam promissores mas não eram muito claros para mim. Outras áreas estavam sendo mapeadas por antropólogos, que pareciam ter algum interesse no meu problema, mas se inclinavam a ... dizer que o que os seres humanos tinham em comum não era afinal muito importante, que a chave de todos os mistérios [estava] na cultura. Isso me pareceu simplório. ... [Por fim] cheguei a outra clareira, dessa vez uma ampliação das fronteiras da zoologia tradicional, feita por pessoas [Lorenz, Tinbergen, Eibes-Eibesfeldt, Desmond Morris] que vinham estudando a natureza de outras espécies. Elas tinham desenvolvido muitos trabalhos sobre a questão do que era essa *natureza* — trabalhos recentes, na linha de Darwin e até de Aristóteles, diretamente relacionadas a problemas que já haviam interessado a Aristóteles mas que se tornaram particularmente urgentes hoje em dia.[15]

Talvez possamos deixar que pereçam por si mesmos os pressupostos de que essa declaração de consciência está repleta — o pressuposto de que as fantasias que nos são impostas pelos juízos culturais (os pobres não valem nada? os negros são sub-humanos? as mulheres, irracionais?) são mal substanciadas para servir de fundamento ao mal real; o de que a cultura é o glacê e a biologia, o bolo; de que não temos escolha quanto ao que iremos odiar (os *hippies*, os patrões, os intelectuais?... os relativistas?); o de que a diferença é superficial, mas a semelhança, profunda; o de que Lorenz é um sujeito franco, direto, e Freud, misterioso. Apenas trocou-se um jardim por outro. A selva continua a muros e muros de distância.

Mais importante é saber que tipo de jardim é esse onde "Darwin encontra Aristóteles". Que abominações vão se tornar impositivas? Que fatos serão antinaturais?

Bem, as sociedades de admiração mútua, o sadismo, a ingratidão, a monotonia e a rejeição dos aleijados, entre outras coisas — pelo menos quando levados ao excesso.

> Perceber isso ["que o *natural* nunca é apenas uma condição ou atividade ... mas um certo *nível* dessa condição ou atividade, proporcional ao resto da vida da pessoa"] permite superar uma dificuldade sobre conceitos como *natural* que fez com que muita gente os considerasse inúteis. Além do sentido forte, que recomenda alguma coisa, eles têm um sentido fraco, que não o faz. No sentido fraco, o sadismo é natural. Isso significa apenas que ele existe e que devemos portanto reconhecê-lo. ... Mas, num sentido forte e perfeitamente correto, podemos dizer que o comportamento sádico é *antinatural* — no sentido de que uma política baseada

> nesse impulso natural e presente durante toda a vida de uma pessoa sob a forma de uma atividade organizada é, como disse [o bispo] Butler, "inteiramente contrária à constituição da natureza humana". ... Que adultos se mordam na cama, por consentimento mútuo, é natural em todos os sentidos; mas que professores intimidem crianças pequenas para disso extrair uma satisfação sexual não o é. Há algo de errado nessa atividade que vai além do prejuízo efetivo que ela inflige. ... Podem-se encontrar exemplos desse erro — dessa não naturalidade — que não envolvem outras pessoas como vítimas, a saber, o narcisismo exagerado, o suicídio, a obsessividade, o incesto e as sociedades exclusivas de admiração recíproca. "É uma vida antinatural", dizemos, querendo indicar que o seu centro está fora do lugar. Outros exemplos, que implicam a vitimação de terceiros, são a agressão desviada e redirecionadà, a evitação dos deficientes, a ingratidão, a vingança e o parricídio. Todas essas coisas são *naturais* no sentido de que há impulsos conhecidos para elas que fazem parte da natureza humana. ... Mas a agressão redirecionada e outras coisas do gênero podem ser corretamente chamadas de *antinaturais* quando pensamos na natureza em seu sentido mais pleno, não apenas como uma soma de partes, mas como um todo organizado. Essas são partes que destruirão a forma do todo se de algum modo lhes for permitido controlá-lo.[16]

À parte o fato de legitimar um dos sofismas mais conhecidos do debate intelectual de hoje, afirmando a forma forte de um argumento e defendendo a fraca (o sadismo é natural, desde que a a pessoa não morda com demasiada força), esse malabarismo conceitual (o natural pode ser antinatural quando pensamos na natureza "em seu sentido pleno") revela a tese básica de todos esses argumentos fundamentados na Natureza Humana: a virtude (cognitiva, estética, moral, tanto faz) está para o vício assim como a adequação está para a desordem, a normalidade para a anormalidade, o bem-estar para a doença. A tarefa do homem, como a dos pulmões ou da tireóide, é funcionar direito. Evitar os incapacitados pode ser perigoso para a saúde.

Ou, como diz Stephen Salkever, cientista político e seguidor de Midgeley:

> Talvez o modelo mais desenvolvido ou análogo para uma ciência social funcionalista adequada seja o fornecido pela medicina. Para o médico, as características físicas de um organismo individual tornam-se inteligíveis à luz de uma concepção básica dos problemas enfrentados por esse sistema físico autodirigido, e à luz de uma idéia geral da saúde ou estado de bom funcionamento do organismo com relação a esses problemas. Entender um(a) paciente é entendê-lo(a) como estando mais ou menos saudável em relação a um padrão estável e objetivo de bem-estar físico, padrão que os gregos chamavam de *aretè*. Essa palavra é hoje comumente traduzida por "virtude", mas, na filosofia política de Platão e Aristóteles, refere-se simplesmente à excelência característica ou definitiva do objeto de qualquer análise funcional.[17]

Mais uma vez, podemos hoje encontrar praticamente em qualquer parte da antropologia exemplos do ressurgimento dessa mentalidade do "tudo se resume a" (genes, estrutura cerebral, características da espécie, constituição psico-sexual etc.). Balance qualquer árvore e é provável que caia um altruísta egocêntrico ou um estruturalista especializado em biogenética.

Mas é melhor, creio eu, ou pelo menos não tão dissimulado, não ter como exemplo uma presa fácil nem um artefato autodestrutivo. Portanto, deixem-me examinar bem rapidamente os pontos de vista, em especial os mais recentes, de um de nossos etnógrafos e teóricos mais experientes e influentes, além de formidável polemista, Melford Spiro. Poder-se-iam encontrar casos mais puros, menos matizados e menos circunspectos, portanto melhores ainda para impressionar os leitores. Mas, recorrendo a Spiro, pelo menos não estamos lidando com nenhum fenômeno marginal — como um Morris ou um Ardrey — facilmente descartável como um entusiasta ou um divulgador, mas com uma figura de destaque, que está no centro ou quase no centro da disciplina.

As mais importantes incursões recentes de Spiro nas "profundezas" da antropologia do *Homo* — sua redescoberta do romance familiar de Freud, primeiro no seu próprio material sobre o kibutz e depois no de Malinowski sobre os trobriandeses — são bem conhecidas e eu diria que terão tanto ou tão pouco poder de persuasão para os leitores quanto a teoria psicanalítica ortodoxa em geral. Mas minha preocupação, de novo, é menos com isso do que com o anti-relativismo do tipo Aqui Vem o Homem Comum que ele desenvolve a partir daí. E, para termos uma idéia disso, serve muito bem um artigo em que ele resume seu progresso das confusões passadas até clareza atual. Intitulado "Cultura e natureza humana", o artigo capta uma atitude e uma postura muito mais difundidas do que sua criticada perspectiva teórica já nada vanguardista.[18]

O texto de Spiro, como mencionei, também é formulado no estilo "quando menino eu falava como criança, mas, agora que estou grande, não tenho essas infantilidades", tão comum na literatura anti-relativista em geral. (Aliás, teria sido melhor intitulá-lo tal como um outro antropólogo do sul da Califórnia — o relativismo parece ser um perigo claro e presente naquelas bandas — intitulou o relato da sua libertação, "Confissões de um ex-relativista cultural".)[19]

Spiro começa sua apologia admitindo que, quando chegou à antropologia, no início dos anos 40, já tinha sido preparado, por uma formação marxista e por inúmeros cursos de filosofia britânica, para uma visão radicalmente ambientalista do homem, a qual presumia uma visão da mente como *tabula rasa*, uma visão do comportamento sob o prisma de determinismo social, e uma visão cultural relativista da... cultura. Em seguida, relata a história de suas viagens de trabalho de campo como uma parábola para a nossa época, uma narrativa didática de como não apenas veio a abandonar aquelas idéias, mas a substituí-las por seus opostos. Em Ifaluk ele descobriu que um povo que demonstrava pouquíssima agressividade social podia, apesar disso, ser assolado por sentimentos hostis. Em Israel descobriu que crianças "criadas no sistema totalmente comunitário e cooperativo" do kibutz e educadas para serem gentis, amáveis e não competitivas, mesmo assim reagiam mal às tentativas de fazê-las partilhar as coisas, mostrando-se resistentes e hostis quando obrigadas a isso. E na Birmânia, descobriu que a crença na transitoriedade da existência sensível, no nirvana budista e no desprendimento não diminuía o interesse pelas materialidades imediatas da vida cotidiana.

> Em suma, [minhas pesquisas de campo] convenceram-me de que muitas disposições motivacionais são culturalmente invariáveis, assim como muitas orientações cognitivas. Tais disposições e orientações invariáveis decorrem ... de constantes biológicas e culturais pan-humanas e incluem aquela natureza humana universal que rejeitei anteriormente, junto com a opinião antropológica adquirida, como mais um preconceito etnocêntrico.[20]

Resta saber se a imagem dos povos da Micronésia ao Oriente Médio como moralistas irados, numa busca desonesta de interesses hedonísticos, irá liquidar por completo a suspeita de que um certo preconceito etnocêntrico ainda está ligado à visão de Spiro sobre a natureza humana universal. O que não resta saber, porque ele é bem explícito quanto a isso, são os tipos de idéias, produtos nocivos de um pernicioso relativismo, de que esse recurso ao funcionalismo médico destina-se a nos curar:

> [O] conceito de relativismo cultural ... foi acionado para combater as noções racistas em geral e, em particular, a de uma mentalidade primitiva. ... [Mas] o relativismo cultural também foi usado, ao menos por alguns antropólogos, para perpetuar uma espécie de racismo às avessas. Quer dizer, foi usado como poderoso instrumento de crítica cultural, com a conseqüente depreciação da cultura ocidental e da mentalidade que ela produziu. Abraçando a filosofia do primitivismo..., a imagem do homem primitivo foi usada ... como meio para conduzir utópicas investigações pessoais e/ou como veículo para expressar o descontentamento pessoal com o homem e a sociedade ocidentais. As estratégias adotadas assumiram várias formas, das quais as seguintes são bem representativas: (l) as tentativas de abolir a propriedade privada, a desigualdade ou a agressão nas sociedades ocidentais têm uma chance razoavelmente realista de sucesso uma vez que tal estado de coisas pode ser encontrado em muitas sociedades primitivas. (2) Comparado pelo menos a alguns primitivos, o homem ocidental é único em matéria de competição, belicismo, intolerância para com os desviantes, sexismo e assim por diante. (3) A paranóia não é necessariamente uma doença, porque o pensamento paranóico é institucionalizado em certas sociedades primitivas; a ho-

> mossexualidade não é desviante porque os homossexuais são focos culturais de atração em algumas sociedades primitivas; a monogamia não é viável porque a poligamia é a forma mais freqüente de casamento nas sociedades primitivas.[21]

Além de acrescentar mais alguns itens à lista de abominações não opcionais, que promete ser infinita, é a introdução da idéia de "desvio", concebido como afastamento de uma norma inerente, como uma batida cardíaca arrítmica, e não como uma esquisitice estatística como a poliandria fraterna, que constitui o gesto realmente crucial em meio a toda essa conversa bombástica sobre "racismo às avessas", "investigações utópicas" e "filosofia do primitivismo". Pois é através dessa idéia, O Amigo do Legislador, que se faz a transição de Midgeley entre o natural natural (a agressão, a desigualdade) e o natural antinatural (a paranóia, a homossexualidade). Depois que o camelo enfia o nariz do lado de dentro, a tenda — a rigor, todo o ruidoso circo na barulheira de suas tendas — fica com um sério problema.

O tamanho do problema talvez possa ser visto com mais clareza no texto de Robert Edgerton que acompanha o de Spiro no mesmo livro: "Estudo do desvio: homem marginal ou homem comum?"[22] Após um eclético e útil balanço dos estudos sobre o desvio em antropologia, psicologia e sociologia, incluindo mais uma vez seu próprio e interessante trabalho com excepcionais americanos e intersexuados africanos, também Edgerton chegou — aliás, muito subitamente, como a lâmpada que se acende num desenho animado — à conclusão de que o necessário para tornar tal pesquisa realmente produtiva é uma concepção da natureza humana que independa do contexto — uma concepção que veja os "potenciais de comportamento geneticamente codificados que todos temos em comum" como "subjacentes à [nossa universal] tendência ao desvio". O "instinto" de autopreservação do homem, seu mecanismo de luta e fuga e sua intolerância ao tédio são usados como exemplos; e, num argumento que em minha inocência eu supunha haver desaparecido da antropologia, junto com o evemerismo e com a promiscuidade primitiva, sugere-se que, se tudo correr bem com a ciência, poderemos, com o tempo, ser capazes de julgar não apenas indivíduos mas sociedades inteiras como desviantes, falhas e antinaturais:

> Mais importante ainda é a nossa incapacidade de testar qualquer proposição sobre a adequação relativa de uma sociedade. Nossa tradição relativista na antropologia demorou a aceitar a idéia de que pode existir a sociedade desviante, uma sociedade contrária à natureza humana. ... No entanto, a idéia de sociedade desviante é central na tradição da alienação em sociologia e outros campos, e constitui um desafio para a teoria antropológica. Por sabermos tão pouco sobre a natureza humana ... não podemos dizer se e muito menos como uma sociedade

fracassa. ... Mesmo assim, basta passar os olhos numa reportagem de qualquer jornal urbano sobre o aumento dos índices de homicídios, suicídios, estupros e outros crimes violentos para ver que essa questão é relevante não apenas para a teoria, mas também por questões de sobrevivência no mundo moderno.[23]

Com isso completa-se o círculo e a porta é batida com força. O medo do relativismo espreitando em cada esquina como obsessão hipnótica levou a uma situação em que a diversidade cultural no tempo e no espaço corresponde a uma série de expressões, algumas sadias, outras não, de uma realidade subjacente estável — a natureza essencial do homem —, e a antropologia equivale a uma tentativa de discernir, através da bruma de tais expressões, a substância dessa realidade. Um conceito abrangente, esquemático e faminto de conteúdo, passível de se amoldar a praticamente qualquer forma que apareça, wilsoniana, lorenziana, freudiana, marxista, benthamiana ou aristotélica ("uma das características centrais da Natureza Humana", teria dito algum gênio anônimo, "é um judiciário autônomo"), torna-se a base sobre a qual vem repousar definitivamente a compreensão da conduta humana, do homicídio, do suicídio, do estupro ..., [em suma,] da depreciação da cultura ocidental. Alguns deuses de algumas máquinas parecem custar bem mais do que valem.

Sobre essa outra conjuração, "A Mente Humana", erguida como cruz protetora contra o Drácula relativista, posso ser um pouco mais sucinto; nos aspectos gerais, se não no essencial, ela é praticamente a mesma coisa. Há o mesmo esforço de promover uma linguagem privilegiada da explicação "real" ("o vocabulário próprio da natureza", como disse Richard Rorty, atacando a idéia como fantasia cientificista) e a mesma discordância feroz quanto à linguagem de que de fato se trata — a de Shannon, a de Saussure, a de Piaget?[24] Há a mesma tendência a ver a diversidade como superficial e a universalidade como profunda. E há o mesmo desejo de representar as interpretações pessoais não como construções impostas aos objetos — sociedades, culturas, línguas — no esforço de compreendê-los um pouco, de algum modo, mas como qualidades essenciais desses objetos, impostas ao nosso pensamento.

Há também diferenças, é claro. A volta da Natureza Humana como idéia reguladora foi sobretudo estimulada pelos avanços da genética e da teoria evolucionista, e a da Mente Humana, pelos avanços da lingüística, da informática e da psicologia cognitiva. A tendência da primeira é ver o relativismo moral como fonte de todos os nossos males; a da segunda é jogar a culpa no relativismo conceitual. E a predileção pelos tropos e imagens do discurso terapêutico (saúde e doença, normal e anormal, função e disfunção), de um lado, equipara-se, de outro, à preferência pelo discurso epistemológico (conhecimento e opinião, fato e ilusão, verdade e falsidade). Mas essas diferenças pouco importam contra o impulso comum para análise final: chegamos agora à Ciência, à explicação. Amarrar as teorias numa coisa chamada Estrutura da Razão é um modo tão eficaz de isolá-las da história e da cultura quanto inseri-las numa coisa chamada Constituição do Homem.

No que concerne à antropologia, porém, há uma outra diferença que mais ou menos deriva dessas e que, embora também seja (desculpem a expressão) mais relativa do que radical, atua no sentido de levar as duas discussões para direções algo divergentes e até contrárias, a saber, enquanto a orientação da Natureza Humana leva a recolocar no centro da atenção uma de nossas concepções clássicas — a de "desvio social" —, a orientação da Mente Humana traz de volta uma outra — a do "pensamento primitivo" (*sauvage*, primário, sem escrita). As angústias anti-relativistas que se juntam em um discurso em torno dos enigmas da conduta juntam-se, no outro, em torno dos enigmas da crença.

Mais exatamente, juntam-se em torno de crenças "irracionais" (ou "místicas", "pré-lógicas", "afetivas" ou, especialmente hoje em dia, "não cognitivas"). Enquanto foram práticas perturbadoras como a caça de cabeças, a escravidão, o sistema de castas e a deformação dos pés que levaram os antropólogos a se unirem sob a grande e velha bandeira da Natureza Humana, com a impressão de que só assim seria justificável tomar uma distância moral delas, foram concepções improváveis como a da substância da bruxaria, dos protetores animais, dos reis-deuses e (antecipando um exemplo ao qual voltarei num segundo) de um dragão de coração de ouro e chifre na nuca que os levaram a se unirem sob a divisa da Mente Humana, com a impressão de que só assim se poderia defender a adoção de um ceticismo empírico em relação a elas. O que preocupa tanto não é bem como a outra metade se porta, mas — o que é realmente bem pior — o que ela pensa.

Há, mais uma vez, um número bem grande dessas perspectivas racionalistas ou neo-racionalistas na antropologia, com graus variáveis de pureza, força de persuasão, coerência e aceitação, não totalmente consoantes entre si. Algumas invocam constâncias formais, geralmente chamadas de universais cognitivos; algumas, constâncias de desenvolvimento, geralmente chamadas de estágios cognitivos; outras, constâncias operacionais, em geral chamadas de processos cognitivos. Algumas são estruturalistas, algumas junguianas, outras piagetianas, e outras buscam as últimas novidades do MIT, dos Bell Laboratories ou da Carnegie-Mellon. Todas estão atrás de alguma coisa sólida: a Realidade alcançada, a Razão salva do afogamento.

O que elas têm em comum, portanto, não é meramente um interesse no nosso funcionamento mental. Como o interesse em nossa constituição biológica, isso é indiscutivelmente Uma Coisa Boa, tanto em si quanto para a análise da cultura; e, se nem todas as descobertas do que vem sendo esperançosamente chamado de "ciência cognitiva" revelam-se descobertas autênticas, algumas por certo o farão e alterarão significativamente não só nosso modo de pensar sobre como pensamos, mas também nosso modo de pensar sobre aquilo que pensamos. O que elas têm em comum além disso, desde Claude Lévi-Strauss até Rodney Needham (o que é uma certa distância), e que não é tão indiscutivelmente benéfico, é uma visão fundacionista da Mente. Isto é, uma visão da mente — assim como "Meios de Produção", "Estrutura Social", "Troca", "Energia", "Cultura" ou "Símbolo" em outras abordagens pragmáticas da teoria social, do tipo "essa é a essência da coisa" (e também, é claro, como "Natureza Humana") — como o termo soberano da explicação, a luz que brilha na escuridão relativista.

Que este é o medo do relativismo, o anti-herói de mil faces, que fornece boa parte do ímpeto do neo-racionalismo e do neonaturalismo, e que serve como sua principal justificativa, pode ser convenientemente percebido na excelente coletânea de exortações anti-relativistas — somadas a uma ousada peça relativista maravilhosamente concebida para levar os outros ao desejado nível de ultraje — organizada por Martin Hollis e Steven Lukes: *Rationality and Relativism.*[25] Produto do chamado debate da racionalidade, que as histórias de Evans-Pritchard, entre outras coisas, parecem ter induzido nas ciências sociais britânicas e em boa parte da filosofia britânica ("Há verdades absolutas que podem ser gradualmente atingidas com o correr tempo, através de processos racionais? Ou serão todos os modos e sistemas de pensamento igualmente válidos se vistos a partir de seus quadros referenciais internamente coerentes?"), o livro mais ou menos cobre a área da Razão em Perigo![26] "As tentações do relativismo são perenes e difundidas", começa a introdução dos organizadores, como uma convocação cromwelliana às barricadas. "[O] caminho florido que leva ao relativismo ... é pavimentado com afirmações plausíveis."[27]

Os três antropólogos da coletânea respondem com entusiasmo, todos eles, a esse apelo para que nos salvemos de nós mesmos. Ernest Gellner diz que o fato de outras pessoas não acreditarem no que nós, os Filhos de Galileu, acreditamos sobre a maneira como se forma a realidade não é argumento contra o fato de que aquilo em que acreditamos não é a "Única Visão Verdadeira" e correta.[28] E, especialmente uma vez que outras pessoas, até habitantes do Himalaia, lhe parecem estar se convencendo dela, Gellner considera quase certo que ela seja a visão verdadeira. Robin Horton defende um "núcleo cognitivo comum", uma "teoria primordial" do mundo, culturalmente universal e apenas com variações banais, que é cheia de objetos duradouros e de tamanho médio, inter-relacionados em termos de um conceito de causalidade tipo "liga-desliga", cinco dicotomias espaciais (esquerda/direita, acima/abaixo etc.), uma tricotomia temporal (antes/ao mesmo tempo/depois) e duas distinções categóricas (humano/não humano, self/outro), cuja existência assegura que o "Relativismo está fadado a fracassar, enquanto o Universalismo poderá ter sucesso um dia".[29]

Mas é Dan Sperber, mais seguro de sua base racionalista (a visão computacional de representações mentais de Jerry Fodor) que qualquer desses dois e com Uma Visão Verdadeira toda dele ("não existe essa coisa chamada fato não literal"), que desfere o ataque mais vigoroso.[30] O relativismo, embora maravilhosamente nocivo (ele torna "a etnografia... inexplicável e a psicologia, imensamente difícil"), não é sequer uma posição indefensável: na verdade, nem sequer se qualifica como uma posição. Suas idéias são meias idéias, suas crenças, semicrenças, suas proposições, semiproposições. Como o dragão de coração de ouro e chifre na nuca que um de seus informantes idosos do povo Dorze o convidou a caçar e matar inocentemente, ou talvez não tão inocentemente (desconfiado dos fatos não literais, ele recusou o convite), os "lemas relativistas", tais como "povos de diferentes culturas vivem em mundos diferentes", não são, a rigor, crenças factuais. São representações mal formadas e indefinidas, tapa-buracos mentais que se produzem quando, menos circunspectos do que os computadores, tentamos processar mais informações do que permite nossa capacidade conceitual intrínseca. Úteis, por vezes, para guardar o lugar até que possamos pôr em dia nossos poderes cognitivos, ocasionalmente divertidos para brincar enquanto esperamos, e até, vez por outra, "fontes de inspiração no [autêntico] pensamento criativo", eles não são, esses dragões acadêmicos de coração de plástico e sem chifre algum, coisa que sequer seus maiores defensores tomem como verdadeiras, pois estes não compreendem nem podem compreender de fato o que eles significam. São acenos de mão — mais ou menos elaborados — de um tipo que, no cômputo final, é conformista, falsamente profundo, enganoso, "hermenêutico-psicodélico" e interesseiro:

> A maior prova contra o relativismo é ... a própria atividade dos antropólogos, ao passo que a maior prova a favor dele [está] nos escritos dos antropólogos. ... Ao reconstituírem os próprios passos [em suas obras], os antropólogos transformam em abismos insondáveis as fronteiras culturais rasas e irregulares que não haviam achado tão difíceis de transpor [no trabalho de campo], com isso protegendo seu próprio senso de identidade e dando a seu público filosófico ou leigo exatamente o que ele quer ouvir.[31]

Em suma, seja na forma de um vigoroso bom senso (deixem para lá a leitura de vísceras ou os oráculos de veneno; afinal, sempre entendemos mais ou menos as coisas), de ecumenismo cheio de anseios (apesar das variações dos esquemas explicativos mais desenvolvidos, dos fetiches ou da genética, no fundo todos têm mais ou menos a mesma concepção do mundo) ou de um cientificismo agressivo (há coisas que são realmente idéias, como "atitudes propositivas" e "crenças representacionais", e há coisas que apenas parecem idéias, como "há um dragão na estrada" e "as pessoas de culturas diferentes vivem em mundos diferentes"), a ressurreição da Mente Humana como ponto imóvel do mundo em rotação desfaz a ameaça do relativismo cultural ao desarmar a força da diversidade cultural. Como acontece com a "Natureza Humana", a desconstrução da alteridade é o preço da verdade. Pode ser, mas não é isso que sugerem a história da antropologia, os materiais que ela reuniu ou os ideais que a moveram; nem tampouco são apenas os relativistas que dizem a seu público o que ele quer ouvir. Há alguns dragões — "tigres em clima quente" — que merecem ser examinados.

Examinar dragões, não domesticá-los ou abominá-los, nem afogá-los em barris de teoria, é tudo em que consiste a antropologia. Pelo menos, é no que consiste como a entendo eu, que não sou niilista nem subjetivista e que, como vocês podem ver, tenho opiniões bastante firmes sobre o que é real e o que não é, o que é louvável e o que não é, o que é sensato e o que não é. Temos procurado, com sucesso nada desprezível, manter o mundo em desequilíbrio, puxando tapetes, virando mesas e soltando rojões. Tranqüilizar é tarefa de outros; a nossa é inquietar. Australopitecos, Malandros, Cliques Fonéticos, Megalitos: apregoamos o anômalo, mascateamos o que é estranho, mercadores que somos do espanto.

Vez por outra, sem dúvida, fomos longe demais nessa direção e transformamos idiossincrasias em charadas, charadas em mistérios e mistérios em farsa. Mas essa atração pelo que não se enquadra e não se conforma, pela realidade deslocada, ligou-nos ao tema condutor da história cultural dos "Tempos Modernos". Pois essa história tem consistido numa sucessão de campos de pensamento que têm que descobrir como continuar vivos sem as certezas que os desencadearam. Fato bruto, lei natural, verdade necessária, beleza transcendental, autoridade imanente, revelação única, até o self aqui-dentro defrontando-se com o mundo-lá-fora, tudo isso foi submetido a um ataque tão pesado que hoje em dia essas coisas parecem simplicidades perdidas de um passado menos árduo. Mas a ciência, o direito, a filosofia, a arte, a teoria política, a religião e a teimosa insistência do senso comum conseguiram continuar, apesar de tudo. Não foi necessário reviver as simplicidades.

Creio que é precisamente a determinação de não nos agarrarmos ao que um dia funcionou bem e nos trouxe até onde estamos, mas que agora já não funciona tão bem e nos leva a impasses reiterados, que faz avançar a ciência. Enquanto não havia nada mais ligeiro que um maratonista, a física de Aristóteles funcionou bastante bem, a despeito dos paradoxos eleáticos. Enquanto os instrumentos técnicos mal podiam fazer-nos avançar um pouco e sair um pouco do mundo dado pelos sentidos, a mecânica de Newton funcionou muito bem, a despeito das perplexidades da ação a distância. Não foi o relativismo — o Sexo, a Dialética e a Morte de Deus — que matou o moto perpétuo, o espaço euclidiano e a causalidade universal. Foram fenômenos instáveis, feixes de ondas e saltos orbitais, diante dos quais eles ficaram impotentes. Tampouco foi o Relativismo — o Subjetivismo Hermenêutico-Psicodélico — que matou (se é que eles foram mortos *de fato*) o *cogito* cartesiano, a visão conservadora da história e "o ponto de vista moral tão sagrado para Eliot, Arnold e Emerson". Foram fatos bizarros — contratos de casamentos de crianças, pinturas não ilusionistas — que embaralharam as categorias.

Nesse movimento de distanciamento de antigos triunfos transformados em comodismo, de grandes avanços de outrora transformados em barreiras, a antropologia desempenhou em nossa época um papel de vanguarda. Fomos os primeiros a insistir numa série de coisas: que o mundo não se divide entre devotos e supersticiosos; que há esculturas nas selvas e pinturas nos desertos; que a ordem política é possível sem o poder centralizado, e a justiça, proba sem regras codificadas; que as normas da razão não foram estabelecidas na Grécia nem a evolução da moral se consumou na Inglaterra. Mais importante, fomos os primeiros a insistir em que vemos a vida dos outros através das lentes que nós próprios polimos e que os outros nos vêem através das deles. Não é de surpreender que isso tenha levado alguns a pensar que o céu estava desabando, que o solipsismo se apoderara de nós e que o intelecto, o juízo e até a simples possibilidade de comunicação haviam desaparecido. A redefinição de horizontes e a descentralização de perspectivas já tiveram esse efeito antes. O cardeal Bellarmines sempre esteve entre nós; e, como alguém observou acerca dos polinésios, é necessário um certo tipo de cabeça para sair em alto-mar numa casquinha de canoa.

Mas isso é o que temos feito, da melhor maneira possível e no nível máximo de que somos capazes. E, a meu ver, seria uma grande lástima — agora que as distâncias que estabelecemos e os lugares outros que demarcamos começam a surtir efeito, a mudar nosso sentido do sentido e nossa percepção da percepção — se voltássemos às velhas canções e a histórias mais antigas na esperança de que, de algum modo, apenas o superficial precise mudar, e de que não despenquemos da beirada do mundo. A objeção ao anti-relativismo não concerne a ele rejeitar uma abordagem do conhecimento do tipo "tudo depende da maneira como você vê as coisas", ou uma abordagem da moral do tipo "em Roma, como os romanos", mas ao fato de ele imaginar que tais abordagens só podem ser derrotadas se a moral for posta acima da cultura e o conhecimento acima de ambas. Isso, falando de coisas que têm que ser assim, já não é possível. Se quiséssemos verdades caseiras, deveríamos ter ficado em casa.

4 *Os usos da diversidade*

A antropologia, minha *fröhliche Wissenschaft*, tem se envolvido fatalmente, no curso de toda sua história (uma longa história, se partirmos de Heródoto, ou muito curta, se partirmos de Taylor), com a enorme variedade de maneiras com que os homens e mulheres tentam viver suas vidas. Em certos momentos, ela procurou lidar com essa variedade captando-a em alguma rede teórica universalizante: estágios evolutivos, idéias ou práticas pan-humanas, ou formas transcendentais (estruturas, arquétipos, gramáticas subterrâneas). Em outros, insistiu na particularidade, na idiossincrasia, na incomensurabilidade — repolhos e reis. Mas, recentemente, ela se viu diante de algo novo: a possibilidade de que a variedade esteja rapidamente se suavizando num espectro mais pálido e mais estreito. Podemos ver-nos confrontados com um mundo no qual simplesmente já não existam mais caçadores de cabeças, estruturas matrilineares ou pessoas que fazem a previsão do tempo pelas vísceras do porco. As diferenças sem dúvida continuarão a existir — os franceses jamais comerão manteiga com sal. Mas os bons e velhos tempos de lançar viúvas na fogueira e do canibalismo não voltam mais.

Em si mesmo, como questão profissional, esse processo de suavização do contraste cultural (supondo-se que seja real) talvez não seja tão perturbador. Os antropólogos simplesmente terão que aprender a compreender diferenças mais sutis, e seus textos talvez se tornem mais sagazes, ainda que menos espetaculares. Mas ele levanta uma questão mais ampla, ao mesmo tempo de ordem moral, estética e cognitiva, que é muito mais perturbadora e que está no centro de várias discussões atuais sobre como justificar os valores: o que chamarei, apenas para ter um nome que fique gravado na mente, de o Futuro do Etnocentrismo.

Retomarei mais adiante algumas dessas discussões mais gerais, pois é para elas que se volta o meu interesse global; mas, como forma de abordar o problema, quero começar apresentando uma tese, a meu ver incomum e um bocado desconcertante, que o antropólogo francês Claude Lévi-Strauss desenvolve no início da sua recente coletânea de ensaios, provocadoramente intitulada (provocadoramente ao menos para um antropólogo) *O olhar distanciado.*[1]

A tese de Lévi-Strauss surgiu, antes de mais nada, em resposta a um convite da Unesco para que proferisse a conferência de abertura do Ano Internacional de Combate ao Racismo e à Discriminação Racial, que, caso vocês tenham esquecido, foi 1971. "Fui escolhido", disse ele,

> porque vinte anos antes tinha escrito [um panfleto intitulado] "Raça e história" para a Unesco,[no qual] afirmara algumas verdades fundamentais.... [Em] 1971, logo percebi que a Unesco esperava que eu [simplesmente] as repetisse. Mas, vinte anos antes, para atender às instituições internacionais, que eu julgava ter que apoiar mais do que creio hoje, eu havia exagerado um pouco minhas conclusões em "Raça e história". Talvez por minha idade e certamente graças a reflexões inspiradas pela situação atual do mundo, não gostei dessa solicitude e me convenci de que, para ser útil à Unesco e cumprir com honestidade o meu compromisso, deveria falar com absoluta franqueza.[2]

Como de hábito, isso não se revelou propriamente uma boa idéia, provocando uma espécie de farsa. Algumas membros da diretoria da Unesco ficaram consternados por "eu haver questionado um catecismo [cuja aceitação] lhes permitira ascender de empregos modestos nos países em desenvolvimento para respeitáveis posições de executivos numa instituição internacional".[3] O então diretor-geral da Unesco, outro francês decidido, pediu inesperadamente a palavra a fim de reduzir o tempo de Lévi-Strauss e assim forçá-lo a fazer os cortes de "aperfeiçoamento" que lhe haviam sugerido. Lévi-Strauss, *incorrigível*, leu a íntegra de seu texto, aparentemente em alta velocidade, no tempo que lhe restava.

Afora isso, que equivalia a um dia normal na ONU, o problema da conferência de Lévi-Strauss foi que, nela, ali ele se "rebelou contra o abuso de linguagem pelo qual as pessoas tendem cada vez mais a confundir o racismo... com atitudes normais e até legítimas e, de qualquer modo, inevitáveis" — ou seja, com o etnocentrismo, embora ele não o chamasse por esse nome.[4]

O etnocentrismo, argumentou Lévi-Strauss em "Raça e cultura", e de modo um pouco mais técnico em "O antropólogo e a condição humana", escrito cerca de uma década depois, não apenas não é ruim em si, como é até uma coisa boa, pelo menos desde que não fuja ao controle. A fidelidade a um certo conjunto de valores faz com que, inevitavelmente, as pessoas fiquem "parcial ou totalmente insensíveis a outros valores" aos quais outras pessoas, igualmente provincianas, são igualmente fiéis.[5] "Não há nada de ofensivo em se colocar o próprio estilo de vida ou o próprio modo de pensar acima dos outros ou em sentir pouca atração por outros valores." Essa "incomunicabilidade relativa" não autoriza ninguém a reprimir ou destruir os valores rejeitados ou aqueles que os possuem. À exceção disso, porém, "ela não tem nada de repugnante":

> Talvez seja até o preço a pagar para que os sistemas de valores de cada família espiritual ou de cada comunidade sejam preservados e encontrem em si mesmos os recursos necessários para sua renovação. Se... as sociedades humanas exibem um grau ótimo de diversidade para além do qual não podem avançar, mas abaixo do qual não podem descer sem riscos, temos de reconhecer que, em larga medida, essa diversidade resulta do desejo de cada cultura de resistir às culturas que a cercam, de se distinguir delas — em suma, de ser ela mesma. As culturas não desconhecem umas às outras e, de vez em quando, até tomam empréstimos entre si; mas, para não perecerem, elas devem, sob outros aspectos, permanecer um tanto impermeáveis.[6]

Portanto, não apenas é uma ilusão que a humanidade possa se livrar inteiramente do etnocentrismo, "ou sequer interessar-se em fazê-lo", como não seria bom se o fizesse. Tal "liberdade" conduziria a um mundo "cujas culturas, todas apaixonadas umas pelas outras, aspirariam apenas a celebrar-se mutuamente, numa tal confusão que cada uma perderia qualquer atrativo que pudesse ter para as demais e perderia sua própria razão de ser."[7]

A distância cria, se não encanto, pelo menos indiferença e, assim, integridade. No passado, quando as chamadas culturas primitivas envolviam-se apenas muito marginalmente umas com as outras — referindo-se a si mesmas como "As Verdadeiras", "As Boas" ou simplesmente "Os Homens", e desprezando as que se situavam do outro lado do rio ou da serra como " macacos" ou "ovos de piolho", isto é, não humanas ou não plenamente humanas —, a integridade cultural era prontamente mantida. A "profunda indiferença para com outras culturas era... uma garantia de que elas podiam existir à sua própria maneira e segundo os seus próprios termos."[8] Agora, quando é claro que essa situação já não prevalece quando todos, cada vez mais apertados num pequeno planeta, estão profundamente interessados em todos os demais e nos assuntos que lhes dizem respeito, assoma a possibilidade de perda dessa integridade em função da perda dessa indiferença. Talvez o etnocentrismo nunca desapareça por completo, sendo "da essência mesma da nossa espécie", mas pode tornar-se perigosamente fraco, deixando-nos à mercê de uma espécie de entropia moral:

> Sem dúvida nos iludimos com um sonho ao supor que algum dia a igualdade e a fraternidade reinarão entre os homens sem comprometer nossa diversidade. No

> entanto, se a humanidade não está resignada a se tornar um consumidor estéril dos valores que conseguiu criar no passado..., capaz apenas de dar à luz obras bastardas e invenções grosseiras e pueris, [então] terá que aprender mais uma vez que toda criação verdadeira implica uma certa surdez ao apelo de outros valores, chegando até a rejeitá-los, se não negá-los por completo. Pois não podemos desfrutar plenamente do outro, identificarmo-nos com ele e, ao mesmo tempo, continuar diferentes. Quando se alcança a comunicação integral com o outro, mais cedo ou mais tarde ela significa a destruição da criatividade de ambos. As grandes eras criativas foram aquelas em que a comunicação se tornara suficiente para a estimulação mútua de parceiros distantes, mas não era tão freqüente nem tão veloz que pusesse em perigo os obstáculos indispensáveis entre os indivíduos e os grupos, ou que os reduzisse ao ponto em que trocas excessivamente fáceis pudessem igualar e anular sua diversidade.[9]

O que quer que se pense de tudo isso ou por mais surpreso que se fique ao ouvi-lo da boca de um antropólogo, decerto se trata de algo que tem um toque contemporâneo. Os atrativos da "surdez ao apelo de outros valores" e de uma abordagem do tipo "relaxe e goze" a respeito do aprisionamento pessoal na própria tradição cultural são cada vez mais celebrados no pensamento social recente. Incapazes de abraçar o relativismo ou o absolutismo — o primeiro por inviabilizar o julgamento, o segundo por retirá-lo da história —, nossos filósofos, historiadores e cientistas sociais voltam-se para a *imperméabilité* que Lévi-Strauss recomenda, do tipo "nós somos nós, eles são eles". Quer se encare isso como legitimação, como a justificação do preconceito ou como a esplêndida honestidade da frase de Flannery O'Connor, "quando em Roma, façam como fizeram em Milledgeville", dita em tom de "eis-me aqui", é claro que é algo que coloca a questão do Futuro do Etnocentrismo — e da diversidade cultural — sob uma nova luz. O recuo, o distanciamento, O Olhar Distanciado serão realmente a maneira de escapar à desesperada tolerância do cosmopolitismo da Unesco? Será o narcisismo moral a alternativa à entropia moral?

São múltiplas as forças responsáveis por uma visão mais interessante do autocentramento cultural nos últimos 25 ou 30 anos. Existem as questões relativas à "situação do mundo" a que Lévi-Strauss alude, mais especialmente o incapacidade de a maioria dos países do Terceiro Mundo de atender às róseas expectativas que eram correntes pouco antes e pouco depois de suas lutas de independência. Os extremistas Amin, Bokassa, Pol Pot e Khomeini, ou, com menos extravagância, Marcos, Mobuto, Sukarno e Indira Gandhi esfriaram um pouco a idéia de que há mundos em outros lugares em relação aos quais uma comparação nos é claramente desfavorável. Existe o sucessivo desmascaramento das utopias marxistas — a União Soviética, a China, Cuba, o Vietnã. E há também uma redução do pessimismo expresso na idéia de Declínio do Ocidente, induzida pela II Guerra Mundial, pela depressão global e pela derrota do imperialismo. Mas há também, e creio que não menos importante, o aumento da consciência de que o consenso universal — transnacional, transcultural e até de todas as classes — sobre assuntos normativos não está visível num futuro próximo. Nem todos — os sikhs, os socialistas, os positivistas, os irlandeses — chegarão a uma opinião comum sobre o que é decente e o que não é, o que é justo e o que não é, o que é belo e o que não é, o que é razoável e o que não é, pelo menos não tão cedo, ou talvez nunca.

Quando abandonamos (e, é claro, nem todos abandonaram, talvez sequer a maioria) a idéia de que o mundo caminha para um acordo essencial sobre questões fundamentais, ou mesmo, como Lévi-Strauss, de que deveria fazê-lo, naturalmente cresce o apelo do etnocentrismo do tipo "relaxe e goze". Se nossos valores não podem ser desvinculados de nossa história e nossas instituições, como não podem sê-lo os valores de ninguém em relação a suas instituições e sua história, parece não haver outra coisa a fazer senão seguir o exemplo de Emerson e andar com nossas próprias pernas, falando com nossa própria voz. "Espero indicar", escreveu Richard Rorty num texto recente (maravilhosamente intitulado "Liberalismo burguês pós-moderno"), "como nós [os liberais burgueses pós-modernos] podemos convencer nossa sociedade de que a fidelidade a ela mesma é o suficiente..., de que ela só precisa ser responsável por suas próprias tradições."[10] Aquilo a que chega o antropólogo em busca das "leis consistentes que subjazem à diversidade observável das crenças e instituições"[11], partindo do racionalismo e da alta ciência, é atingido a partir do pragmatismo e da prudência ética pelo filósofo persuadido de que "não há 'base' para [nossas] lealdades e convicções, exceto pelo fato de que as crenças, desejos e emoções que as sustentam superpõem-se às de inúmeros outros membros do grupo com que nos identificamos para fins de deliberação moral e política".[12]

A semelhança é ainda maior, apesar dos pontos muito diversos de que partem esses dois sábios (o kantismo sem o sujeito transcendental, o hegelianismo sem o espírito absoluto) e dos fins ainda mais diversos para os quais eles tendem (um mundo bem arrumado de formas transponíveis, um mundo desarrumado de discursos coincidentes), porque também Rorty encara as distinções odiosas entre os grupos não apenas como naturais, mas como essenciais ao pensamento moral:

> [O] análogo hegeliano da "dignidade humana intrínseca" [kantiana] naturalizado, é a dignidade comparativa do grupo com que a pessoa se identifica. As nações ou igrejas ou movimentos, nos termos dessa visão, são exemplos históricos bri-

lhantes, não porque reflitam raios provenientes de uma fonte superior, mas por causa dos efeitos de contraste — da comparação com comunidades piores. As pessoas têm dignidade não como uma luminescência interna, mas por compartilharem esses efeitos de contraste. Um corolário dessa visão é que a justificação moral das instituições e práticas do grupo a que se pertence — por exemplo, a burguesia contemporânea — é sobretudo uma questão de narrativas históricas (que incluem hipóteses sobre o que tende a acontecer em algumas contingências futuras), e não de metanarrativas filosóficas. O respaldo principal da historiografia não é a filosofia, mas a arte, que serve para desenvolver e modificar a auto-imagem do grupo — por exemplo, fazendo a apoteose de seus heróis, diabolizando seus inimigos, montando diálogos entre seus membros e mudando o foco de sua atenção.[13]

Ora, sendo eu mesmo integrante dessas tradições intelectuais — do estudo científico da diversidade cultural, por profissão, e do liberalismo burguês pós-moderno, por convicção geral —, minha visão pessoal, para abordá-las neste momento, é que a rendição fácil ao comodismo de sermos apenas nós mesmos, cultivando a surdez e maximizando a gratidão por não termos nascido vândalos ou Ik, será fatal para ambas. Uma antropologia muito temerosa de destruir a integridade e a criatividade culturais, nossas e de todos os outros, por se aproximar de outras pessoas, conversar com elas e procurar apreendê-las em seu cotidiano e sua diferença, está fadada a morrer de uma inanição que não pode ser compensada por qualquer manipulação de conjuntos de dados objetivados. Qualquer filosofia moral temerosa de se enredar num relativismo desajuizado ou num dogmatismo transcendental, a ponto de não conseguir pensar em nada melhor a ser feito com as outras maneiras de viver do que fazê-las parecerem piores do que a nossa, está destinada (como disse alguém sobre os textos de V.S. Naipaul, talvez nosso principal adepto da construção desses "efeitos de contraste") a fazer com que o mundo se torne seguro para a condescendência. Tentar salvar duas disciplinas delas mesmas, ao mesmo tempo, talvez pareça arrogância. Mas, quando se tem dupla cidadania, tem-se obrigações dobradas.

A despeito de suas condutas diferentes e de suas diferentes preocupações (e eu me confesso muito mais próximo do populismo desleixado de Rorty que do elitismo melindroso de Lévi-Strauss — o que talvez seja apenas um preconceito cultural meu), essas duas versões do "cada um tem sua própria moral" apóiam-se, pelo menos em parte, numa visão comum da diversidade cultural, qual seja, a de que sua grande importância reside em ela nos fornecer, para usar uma fórmula de Bernard Williams, alternativas a nós, em contraste com alternativas para nós. Outras crenças, valores e estilos de conduta são vistos como crenças que adotaríamos, valores que defenderíamos e estilos de conduta que seguiríamos, se houvéssemos nascido num lugar ou época diferentes daqueles em que estamos.

E o faríamos mesmo. Mas tal visão parece ao mesmo tempo superestimar e subestimar bem mais do que deveria a realidade da diversidade cultural. Superestimá-la por sugerir que ter uma vida diferente da que se tem é uma opção prática sobre a qual, de algum modo, o sujeito tem que decidir (será que eu deveria ter sido Bororo? Não é uma sorte eu não ter nascido hitita?); e subestimá-la por obscurecer o poder que tem essa diversidade, quando pessoalmente dirigida a nós, de transformar nossa idéia do que *é*, para um ser humano — Bororo, hitita, estruturalista ou burguês liberal pós-moderno —, acreditar, valorizar ou conduzir-se: do que é, como observou Arthur Danto, fazendo eco à famosa pergunta de Thomas Nagel sobre o morcego, "achar que o mundo é plano, que fico irresistível com meu vestido de Poiret, que o reverendo Jim Jones me teria salvo por seu amor, que os animais não têm sentimentos ou que as flores os têm — ou que o quente é o *punk*".[14] O problema do etnocentrismo não está em ele nos comprometer com nossos compromissos. Temos, por definição, esse compromisso, assim como estamos comprometidos com nossas dores de cabeça. O problema do etnocentrismo é que ele nos impede de descobrir em que tipo de ângulo, como o Cavafy de Forster, nos situamos em relação ao mundo; que tipo de morcegos somos, de fato.

Essa visão — de que os enigmas suscitados pela realidade da diversidade cultural têm mais a ver com nossa capacidade de sondar às apalpadelas as sensibilidades alheias, os modos de pensamento que não temos nem tendemos a ter (rock *punk* e vestidos de Poiret), do que com podermos ou não fugir de preferir nossas preferências — tem diversas implicações, que são um mau presságio para a abordagem das coisas culturais em termos de "nós somos nós" e "eles são eles". A primeira delas, e, possivelmente, a mais importante, é que esses enigmas não surgem meramente nas fronteiras de nossa sociedade, onde, segundo essa abordagem, esperaríamos encontrá-los, mas surgem, por assim dizer, nos limites de nós mesmos. A estranheza não começa nos limites da água, mas nos da pele. Aquele tipo de idéia que tende a ser cultivada pelos antropólogos desde Malinowski e pelos filósofos desde Wittgenstein — a de que os xiitas, digamos, por serem outros, constituem um problema, mas os torcedores de futebol, por exemplo, por serem parte de nós, não o constituem, ou, pelo menos, não são um problema do mesmo tipo — é simplesmente errada. O mundo social não se divide, em suas articulações, entre um nós perspícuo, com o qual podemos ter empatia, por mais que sejamos diferentes *entre nós*, e um eles enigmático, com o qual não podemos ser empáticos, por mais que defendamos até a morte seu direito de serem diferentes *de nós.* A gentalha começa muito antes do Canal da Mancha.

Tanto a antropologia recente, do tipo Do Ponto de Vista do Nativo (que pratico), quanto a filosofia recente, do tipo das Formas de Vida (da qual sou adepto), foram levadas a conspirar, ou parecem conspirar, para obscurecer esse fato, através de uma aplicação cronicamente errada de sua idéia mais poderosa e mais importante: a idéia de que o sentido é socialmente construído.

A percepção de que o sentido, sob a forma de sinais interpretáveis — sons, imagens, sentimentos, artefatos, gestos —, só passa a existir dentro dos jogos de linguagem, das comunidades discursivas, dos sistemas de referência intersubjetivos e das maneiras de construir o mundo; de que ele surge no contexto de uma interação social concreta, em que uma coisa é uma coisa para um você e um eu, e não em alguma gruta secreta na cabeça; e de que ele é rigorosamente histórico, moldado no fluxo dos acontecimentos, essa percepção é interpretada como implicando que as comunidades humanas são ou devem ser mônadas semânticas, quase sem janelas (o que, a meu ver, nem Malinowski nem Wittgenstein — e, a rigor, nem Kuhn nem Foucault — pretenderam que implicasse). Somos, diz Lévi-Strauss, passageiros desses trens que são nossas culturas, cada qual movendo-se em seus trilhos próprios, com sua própria velocidade e em sua própria direção. Os trens que correm lado a lado, indo em direções similares e com velocidades não muito diferentes da nossa, são-nos ao menos razoavelmente visíveis, quando os olhamos de nossos compartimentos. Mas os trens que estão em trilhos oblíquos ou paralelos, indo em direção oposta, não o são. "[P]ercebemos apenas uma imagem vaga, fugaz e quase não identificável, em geral apenas uma mancha momentânea em nosso campo visual, que não traz nenhuma informação sobre si mesma e meramente nos irrita, porque interrompe nossa plácida contemplação da paisagem que serve de pano de fundo para nossos devaneios."[15] Rorty é mais cauteloso e menos poético, e sinto que se interessa menos pelos trens das outras pessoas, tão preocupado está em saber para onde está indo o seu, mas fala de uma "superposição" mais ou menos acidental de sistemas de crença, entre comunidades "americanas ricas e burguesas" e outras "com as quais precisamos falar", como sendo o que permite que "alguma conversa entre as nações ainda seja possível".[16] O fato de o sentimento, o pensamento e o juízo se alicerçarem numa forma de vida — que é o único lugar, aliás, tanto a meu ver quanto na opinião de Rorty, em que eles podem se apoiar — é tido como significando que os limites de meu mundo são os limites da minha linguagem, o que não é exatamente o que o homem disse.

O que ele disse, é claro, foi que os limites da minha linguagem são os limites do meu mundo, o que não implica que o alcance de nossa mente, daquilo que podemos dizer, pensar, apreciar e julgar, esteja aprisionado nas fronteiras de nossa sociedade, nosso país, nossa classe ou nossa época, mas que o alcance de nossa mente, a gama de sinais que de algum modo conseguimos interpretar, é aquilo que define o espaço intelectual, afetivo e moral em que vivemos. Quanto maior ele é, maior podemos torná-lo, tentando compreender o que vêm a ser os adeptos da Terra plana, ou o reverendo Jim Jones (ou os Ik ou os vândalos), o que significa ser como eles, e mais claros nos tornamos também para nós mesmos, tanto em termos do que vemos de aparentemente remoto e de aparentemente familiar nos outros, de atraente e de repulsivo, de sensato e de inteiramente louco; oposições essas que não se alinham de maneira simplista, pois há algumas coisas muito atraentes nos morcegos e outras muito repugnantes nos etnógrafos.

Como diz Danto no mesmo artigo que citei há pouco, são "as lacunas entre mim e os que pensam diferentemente de mim — o que equivale a dizer todos os outros, e não apenas os segregados por diferenças de gerações, sexo, nacionalidade, seita e até raça — [que] definem as verdadeiras fronteiras do self".[17] Como ele também diz, ou quase, são as assimetrias — entre aquilo em que cremos ou que sentimos e aquilo que os outros fazem — que nos permitem situar onde estamos agora no mundo, como é estar nesse lugar e para onde gostaríamos ou não de ir. Obscurecer essas lacunas e assimetrias, relegando-as ao campo da diferença passível de ser reprimida ou ignorada, da mera dessemelhança, que é o que o etnocentrismo faz e está destinado a fazer (o universalismo da Unesco as obscurece — Lévi-Strauss tem toda razão nisso —, negando por completo sua realidade), equivale a nos isolar desse conhecimento e dessa possibilidade: da possibilidade, em termos literais e rigorosos, de mudarmos de idéia.

A história de qualquer povo em separado e a de todos os povos em conjunto, como também, a rigor, a história de cada pessoa tomada individualmente, tem sido a história dessa mudança de idéias, em geral devagar, às vezes mais depressa; ou, caso o tom idealista desta afirmação perturbe o leitor (não deveria, porque não é idealista nem nega as pressões naturais da realidade ou os limites materiais da vontade), tem sido a história da mudança dos sistemas de sinais, das formas simbólicas e das tradições culturais. Essas mudanças não se deram necessariamente para melhor, talvez nem mesmo em caráter normal. Tampouco levaram a uma convergência das opiniões, mas a uma mistura delas. O que realmente foi, em algum momento, algo ao menos parecido com o mundo das sociedades integrais em comunicação distante de Lévi-Strauss, lá em seu abençoado neolítico, transformou-se em algo bem mais parecido com o mundo pós-moderno de sensibilidades em choque num contato inescapável de que nos fala Danto. Tal como a nostalgia, a diversidade já não é como antigamente; e o trancafiamento das vidas em vagões ferroviários separados, para produzir a renovação cultural, ou seu espaçamento com efeitos de contraste, para liberar energias morais, são sonhos românticos que não deixam de ser perigosos.

A tendência geral de o espectro cultural tornar-se mais vago e mais contínuo, sem se tornar menos discriminado (aliás, é provável que esteja ficando mais discriminado, à medida que as formas simbólicas se dividem e proliferam), tendência esta a que me referi no início, altera não só a relação dele com a argumentação moral, mas também o caráter dessa própria argumentação. Acostumamo-nos à idéia de que os conceitos científicos modificam-se com as mudanças dos tipos de interesse para os quais se voltam os cientistas — a idéia de que não se precisa do cálculo infinitesimal para determinar a velocidade de uma charrete, nem da energia quântica para explicar a oscilação de um pêndulo. Mas temos bem menos consciência de que o mesmo se aplica aos instrumentos especulativos do raciocínio moral. As idéias que bastaram para as magníficas diferenças de Lévi-Strauss não são suficientes para as perturbadoras assimetrias de Danto; e é com estas últimas que nos confrontamos cada vez mais.

Em termos mais concretos, as questões morais provenientes da diversidade cultural (que, é claro, estão longe de ser todas as questões morais que existem), as quais, se é que chegavam a surgir, surgiam sobretudo entre sociedades — aquele tipo de coisa dos "costumes contrários à razão e à moral" de que se alimentou o imperialismo —, surgem agora, cada vez mais, dentro delas. As fronteiras sociais e culturais têm uma coincidência cada vez menor — há japoneses no Brasil, turcos às margens do Main e nativos das Índias Ocidentais e Orientais encontrando-se nas ruas de Birmingham —, num processo de baralhamento que já vem acontecendo há um bom tempo, é claro (na Bélgica, no Canadá, no Líbano, na África do Sul, e nem a Roma dos Césares era lá muito homogênea), mas que, em nossos dias, aproxima-se de proporções extremas e quase universais. Já vai longe o tempo em que a cidade norte-americana era o principal modelo de fragmentação cultural e desordem étnica; a Paris de *nos ancêtres les gaulois* está ficando tão poliglota e policroma quanto Manhattan, e é possível que ainda venha a ter um prefeito da África setentrional (ou, pelo menos, assim temem muitos dos *gaulois*) antes que Nova York tenha um prefeito hispânico.

No corpo de uma sociedade, dentro das fronteiras de um "nós", esse surgimento de questões morais angustiantes, centradas na diversidade cultural, assim como as implicações que ele tem para nosso problema geral do "futuro do etnocentrismo", talvez se esclareçam de maneira bem mais vívida através de um exemplo — não de um exemplo inventado de ficção científica, referente à água em antimundos, ou a pessoas cujas lembranças se intercambiam enquanto elas dormem (como os exemplos que passaram a agradar demais aos filósofos ultimamente, em minha opinião), mas de um exemplo real, ou, pelo menos, apresentado a mim como real pelo antropólogo que o narrou: O Caso do Índio Bêbedo e da Máquina de Hemodiálise.

O caso é simples, por mais intrigante que tenha sido seu desfecho. Anos atrás, a extrema escassez de máquinas de hemodiálise, em virtude de seu enorme custo, levou, como era natural, à criação de um processo de formação de fila para que os pacientes necessitados de diálise tivessem acesso a elas, num programa médico de governo do sudoeste dos Estados Unidos, dirigido, também muito naturalmente, por jovens médicos idealistas, provenientes de grandes faculdades de medicina, em sua maioria situadas no leste. Para que esse tratamento seja eficaz, ao menos por um período prolongado, é necessária uma disciplina rigorosa quanto à dieta e outras questões por parte dos pacientes. Como iniciativa governamental regida por códigos contrários à discriminação e, de qualquer modo, moralmente motivada, como afirmei, a organização da fila foi feita não em termos da capacidade de pagamento, mas da simples gravidade dos casos e da ordem de chegada dos pedidos, política esta que, com as distorções habituais da lógica prática, levou ao problema do índio bêbedo.

Esse índio, depois de conseguir acesso ao equipamento escasso, recusou-se, para grande consternação dos médicos, a parar de beber, ou sequer a controlar sua ingestão de álcool, que era prodigiosa. Sua postura, seguindo um tipo de princípio semelhante ao de Flannery O'Connor, que mencionei anteriormente — o de o sujeito continuar a ser quem é, independentemente de quem os outros quiserem que seja —, era a seguinte: sou mesmo um índio bêbedo, já faz um bom tempo que sou assim, e pretendo continuar a sê-lo enquanto vocês conseguirem me manter vivo, amarrando-me a essa sua maldita máquina. Os médicos, cujos valores eram bem diferentes, achavam que o índio estava impedindo o acesso ao aparelho por parte de outras pessoas da fila em situação não menos desesperada, as quais, na visão deles, poderiam aproveitar melhor seus benefícios — o tipo jovem de classe média, digamos, bem parecido com eles, destinado à universidade e, quem sabe, à faculdade de medicina. Como o índio já estava utilizando a máquina de hemodiálise quando o problema se evidenciou, eles não conseguiram decidir-se (nem creio que isso lhes tivesse sido permitido) a retirá-lo de lá; mas ficaram profundamente aborrecidos — pelo menos tanto quanto o índio se mostrava determinado, sendo suficientemente disciplinado para comparecer com pontualidade a todas as suas sessões —, e sem dúvida teriam concebido uma razão qualquer, aparentemente médica, para retirá-lo de sua posição na fila, se houvessem percebido a tempo o que estava por vir. O índio continuou a usar o aparelho e eles continuaram incomodados durante vários anos, até que — orgulhoso, imagino, agradecido (não aos médicos) por ter obtido um prolongamento da vida em que continuar a beber, e sem nenhum arrependimento — ele morreu.

Pois bem, o objetivo desta pequena fábula em tempo real não é mostrar como os médicos podem ser insensíveis (eles não eram insensíveis, e tinham lá suas razões) ou quão desorientados tornaram-se os índios (esse não estava desnorteado, sabia exatamente onde se situar), nem tampouco sugerir que os valores dos médicos (isto é, aproximadamente os nossos), os do índio (isto é, aproximadamente os não nossos), ou algum julgamento externo às partes, retirado da filosofia ou da antropologia e proferido por um dos juízes hercúleos de Ronald Dworkin, devesse ter prevalecido. Era um caso difícil, que teve um final penoso, mas não vejo como um etnocentrismo, um relativismo ou uma neutralidade maiores pudessem ter melhorado as coisas (embora um pouco mais de imaginação talvez o fizesse). O objetivo da fábula (não tenho propriamente certeza de que haja nela uma moral) é mostrar que é esse tipo de coisa, e não a tribo distante, dobrada sobre si mesma numa diferença coerente — como os Azande ou os Ik, cujo fascínio sobre os filósofos é apenas ligeiramente menor que o das fantasias de ficção científica, talvez porque lhes seja possível transformá-los em marcianos sublunares e enxergá-los em consonância com isso —, que representa, ainda que de maneira meio melodramática, a forma geral assumida hoje em dia pelos conflitos de valores surgidos da diversidade cultural.

Os antagonistas dessa história, se é que se pode vê-los desse modo, não eram representantes de totalidades sociais ensimesmadas, que se encontrassem por acaso nas fronteiras de suas crenças. Os índios que afastam o destino através do consumo de álcool são parte tão integrante da América contemporânea quanto os médicos que o corrigem através do uso de máquinas. (Se você quiser saber como, pelo menos no que concerne aos índios — presumo que conheça os médicos —, leia o inquietante romance de James Welch, *Winter in the Blood*, onde os efeitos de contraste ressaltam de um modo bastante peculiar.) Se houve alguma falha nesse episódio — e, a bem da justiça, é difícil dizer, à distância, exatamente qual foi sua dimensão —, tratou-se da incapacidade, por parte de ambos os lados, de apreender o que significava estar no outro, e portanto, o que significava estar no seu. Pelo menos ao que parece, ninguém aprendeu muita coisa sobre si mesmo ou sobre qualquer outra pessoa nesse episódio, e absolutamente nada sobre o caráter do encontro ocorrido entre eles, exceto pelas banalidades da repugnância e da amargura. Não é a incapacidade de as pessoas envolvidas abandonarem suas próprias convicções e adotarem as idéias de outros que faz essa historieta parecer tão profundamente deprimente. Tampouco o é sua falta de uma regra moral desencarnada a que recorrer — O Bem Maior ou O Princípio da Diferença (os quais, aliás, pareceriam produzir resultados diferentes aqui). O que responde por esse sentimento depressivo é a impossibilidade de as pessoas sequer imaginarem, em meio ao mistério da diferença, como seria possível contornar uma assimetria moral perfeitamente autêntica. Tudo aconteceu no escuro.

O que tende a acontecer no escuro — as únicas coisas que se diria serem permitidas por uma concepção da dignidade humana pautada em "uma certa surdez ao apelo de outros valores" ou uma "comparação com comunidades piores" — é o uso da força, para garantir a conformidade aos valores dos detentores da força, ou uma tolerância vazia, que, não comprometendo nada, não modifica nada, ou ainda, como neste caso, no qual a força não está disponível e a tolerância é desnecessária, um escoamento para um fim ambíguo.

Sem dúvida, sucede haver situações em que de fato existem as alternativas práticas. Não parece haver muito que fazer com o reverendo Jones, depois que ele está em perseguição cerrada, senão detê-lo fisicamente, antes que ele distribua o venenoso Kool-Aid. Quando as pessoas acham que o quente é o rock *punk*, bem, pelo menos desde que não o toquem no metrô, trata-se dos ouvidos e do funeral delas. E é difícil *mesmo* (alguns morcegos são mais intrinsecamente morcegos do que outros) saber exatamente como proceder com alguém que afirma que as flores têm sentimentos e os animais não. O paternalismo, a indiferença e até a soberba nem sempre são atitudes inúteis a adotar diante de diferenças de valor, mesmo diferenças de maior peso do que essas. O problema é saber quando eles são úteis e podemos deixar a diversidade entregue em segurança a seus especialistas, e quando, como penso ocorrer com mais freqüência, e uma freqüência cada vez maior, eles não são úteis e ela não pode ser entregue dessa maneira, havendo necessidade de algo mais: uma incursão imaginativa numa mentalidade alheia (e uma aceitação dela).

Em nossa sociedade, o conhecedor por excelência das mentalidades alheias tem sido o etnógrafo (o historiador também, em certa medida, e o romancista, de um modo diferente, mas quero voltar a minha própria seara), que dramatiza a estranheza, enaltece a diversidade e transpira largueza de visão. Sejam quais forem as diferenças de método ou teoria que nos separam, temos sido semelhantes nisto: profissionalmente obcecados com mundos situados noutros lugares e com o torná-los compreensíveis, primeiro para nós mesmos e, depois, através de recursos conceituais não muito diferentes dos usados pelos historiadores e de recursos literários não muito diferentes dos usados pelos romancistas, para nossos leitores. E, enquanto esses mundos estiveram realmente noutros lugares, lá onde Malinowski os encontrou e onde Lévi-Strauss os recordou, isso foi, apesar de bastante difícil como tarefa prática, relativamente não problemático como tarefa analítica. Podíamos pensar nos "primitivos" ("selvagens", "nativos" etc.) como pensávamos nos marcianos — como modos possíveis de sentir, raciocinar, julgar, conduzir-se e viver que eram descontínuos dos nossos, alternativos a nós. Agora que esses mundos e essas mentalidades alheios, em sua maioria, não estão realmente noutro lugar, mas são alternativas para nós, situadas bem perto, "lacunas [instantâneas] entre mim e os que pensam diferentemente de mim", parece haver necessidade de um certo reajuste de nossos hábitos retóricos e nosso sentimento de missão.

Os usos da diversidade cultural, de seu estudo, sua descrição, sua análise e sua compreensão, têm menos o sentido de nos separarmos dos outros e separarmos os outros de nós, a fim de defender a integridade grupal e manter a lealdade do grupo, do que o sentido de definir o campo que a razão precisa atravessar, para que suas modestas recompensas sejam alcançadas e se concretizem. O terreno é irregular, cheio de falhas súbitas e passagens perigosas, onde os acidentes podem acontecer e de fato acontecem, e atravessá-lo ou tentar atravessá-lo contribui pouco ou nada para transformá-lo numa planície nivelada, segura e homogênea, apenas tornando visíveis suas fendas e contornos. Para que nossos médicos peremptórios e nosso índio intransigente (ou o(s) "rico(s) americano(s)" e "[aqueles com quem] precisamos falar", na linguagem de Rorty) se confrontem de maneira menos destrutiva (e estamos longe de ter certeza de que possam realmente fazê-lo, pois as fendas são reais), eles precisam explorar o caráter do espaço que os separa.

Em última instância, são eles mesmos que têm de fazer isso; nesse caso, não há substituto para o conhecimento local, nem tampouco para a coragem. Mas os mapas e gráficos ainda podem ser úteis, assim como as tabelas, os relatos, as fotografias, as descrições e até as teorias, se atentarem para o real. Os usos da etnografia são sobretudo auxiliares, mas, ainda assim, são reais; como a compilação de dicionários ou o polimento de lentes, essa é ou pode ser uma disciplina facilitadora. E o que ela facilita, quando o faz, é um contato operacional com uma subjetividade variante. Ela coloca "nós" particulares entre "eles" particulares, e coloca "eles" entre "nós" onde, como venho dizendo, todos já nos encontramos, ainda que pouco à vontade. Ela é a grande inimiga do etnocentrismo, do confinamento das pessoas em planetas culturais em que as únicas idéias que elas precisam evocar são "as daqui", não por presumir que todas as pessoas são iguais, mas por saber quão profundamente não o são, e, apesar disso, quão incapazes são de deixar de levar em conta umas às outras. O que quer que tenha sido possível um dia, e seja por que for que se anseie agora, a soberania do conhecido empobrece a todos; na medida em que ela tenha futuro, o nosso será tenebroso. Não se trata de que devamos amar uns aos outros ou morrer (se assim for — negros e africânderes, árabes e judeus, tâmeis e cingaleses —, creio que estaremos condenados). Trata-se de que devemos conhecer uns aos outros e viver com esse conhecimento, ou terminar isolados num mundo beckettiano de solilóquios em choque.

O trabalho da etnografia, ou pelo menos um deles, é realmente proporcionar, como a arte e a história, narrativas e enredos para redirecionar nossa atenção, mas não do tipo que nos torne aceitáveis a nós mesmos, representando os outros como reunidos em mundos a que não queremos nem podemos chegar, mas narrativas e enredos que nos tornem visíveis para nós mesmos, representando-nos e a todos os outros como jogados no meio de um mundo repleto de estranhezas irremovíveis, que não temos como evitar.

Até época bem recente (agora a situação está mudando, em parte, pelo menos, por causa do impacto da etnografia, mas sobretudo porque o mundo está mudando), a etnografia estava bastante sozinha nisso, pois a história, na verdade, passava boa parte do tempo a estimular nossa auto-estima, a respaldar nosso sentimento de que estávamos chegando a algum lugar, ao fazer a apoteose de nossos heróis e diabolizar nossos inimigos, ou a lamentar a grandeza perdida; o comentário social dos romancistas, em sua maior parte, era interno — com as partes da consciência ocidental segurando, umas para as outras, um espelho plano como o de Trollope ou curvo como o de Dostoiévski; e até os escritos de viagem, que ao menos atentavam para superfícies exóticas (selvas, camelos, bazares, templos), empregavam-nas sobretudo para demonstrar a grande capacidade de recuperação das virtudes aprendidas, em meio a circunstâncias penosas — o inglês que se mantinha calmo, o francês, racional, o norte-americano, inocente. Agora que ela já não está tão sozinha e que as estranhezas com que tem de lidar vão-se tornando mais oblíquas e matizadas, menos fáceis de descartar como anomalias desvairadas — homens que se julgam descendentes de um tipo de canguru ou estão convencidos de que podem ser assassinados por um olhar de esguelha —, sua tarefa de localizar essas estranhezas e descrever suas formas pode ser mais difícil, sob certos aspectos, mas não é menos necessária. Imaginar a diferença (o que não significa, é claro, inventá-la, mas torná-la evidente) continua a ser uma ciência da qual todos precisamos.

Não é meu objetivo aqui, entretanto, defender as prerrogativas de uma *Wissenschaft* feita em casa, cuja patente sobre o estudo da diversidade cultural, se é que ela algum dia a teve, expirou há muito tempo. Meu propósito é sugerir que chegamos a um ponto, na história moral do mundo (uma história que, em si mesma, é claro, é tudo menos moral), em que somos obrigados a pensar nessa diversidade de modo bem diferente do que costumávamos fazer. Se de fato está ocorrendo que, em vez de se separarem em unidades emolduradas, em espaços sociais com limites definidos, as abordagens seriamente distintas da vida estão se misturando em espaços mal definidos, espaços sociais cujos limites não têm fixidez, são irregulares e difíceis de localizar, a questão de como lidar com os enigmas de julgamento a que tais disparidades dão margem assume um aspecto bem diferente. Fitar paisagens e naturezas-mortas é uma coisa; observar panoramas e colagens é outra muito diferente.

Que é com estas últimas que nos deparamos hoje em dia, que vivemos cada vez mais em meio a uma enorme colagem, parece evidenciar-se por toda parte. Não é apenas no noticiário noturno que os assassinatos na Índia, os bombardeios no Líbano, os golpes de Estado na África e os tiroteios na América Central se imiscuem entre desastres locais que não chegam a ser mais inteligíveis, seguidos por sisudas discussões sobre o estilo empresarial japonês, as formas de paixão persas ou os estilos de negociação dos árabes. Há também uma imensa explosão de traduções, boas, ruins e indiferentes, de e para línguas — tâmil, indonésio, hebraico e urdu — antes consideradas marginais e obscuras; há uma migração da culinária, do vestuário, dos acessórios e da decoração (cafetãs em São Francisco, Colonel Sanders em Jogjacarta e banquetas de bar em Quioto), e também o surgimento de temas do gamelão no jazz de vanguarda, de mitos indígenas nos romances latinos e de imagens de revistas na pintura africana. Acima de tudo, porém, trata-se de que a pessoa que encontramos na loja de hortaliças e frutas tem tanta ou quase tanta probabilidade de vir da Coréia quanto do Iowa, a pessoa do correio, tanta de vir da Argélia quanto de Auvergne, e a do banco, tanta de vir de Bombaim quanto de Liverpool. Nem mesmo os meios rurais, onde a similitude tende a ser mais arraigada, ficam imunes: há fazendeiros mexicanos no sudoeste dos Estados Unidos, pescadores vietnamitas no litoral do golfo do México e médicos iranianos no meio-oeste.

Não preciso continuar a multiplicar os exemplos. Todos vocês são capazes de pensar nos seus, extraídos de seus passeios pelas redondezas. Nem toda essa diversidade é igualmente importante (a culinária de Jogjacarta sobreviverá ao prazer de chupar os dedos), igualmente imediata (você não precisa compreender as crenças religiosas do homem que lhe vende selos), nem provém, toda ela, de um contraste cultural claro. Mas parece flagrantemente claro que o mundo, em cada um de seus pontos locais, está começando a se parecer mais com um bazar do Kuwait do que com um clube de cavalheiros ingleses (para exemplificar o que, talvez por eu nunca ter estado em nenhum dos dois, parecem-me ser os casos mais diametralmente opostos). O etnocentrismo dos tipos ovo de piolho ou "isso só existe graças à cultura" pode ou não coincidir com a espécie humana, mas agora é muito difícil, para a maioria de nós, saber exatamente onde centrá-lo, na imensa montagem das diferenças justapostas. Os *milieux* estão todos *mixtes*. Já não se fazem mais *Umwelte* como antigamente.

Nossa resposta a essa realidade que me parece imperiosa é, ao que também me parece, um dos maiores desafios morais que enfrentamos atualmente, como um ingrediente de praticamente todos os outros que enfrentamos, desde o desarmamento nuclear até a distribuição eqüitativa dos recursos mundiais; e, para enfrentá-lo, as recomendações de tolerância indiscriminada, que de qualquer modo não são sinceras, e (o que constitui meu alvo aqui) os conselhos de rendição aos prazeres da comparação odiosa, seja ela orgulhosa, animada, defensiva ou resignada, são-nos igualmente inúteis, embora estes últimos talvez sejam os mais perigosos, por serem os que mais tendem a ser seguidos. A imagem de um mundo repleto de pessoas tão apaixonadamente encantadas com a cultura umas das outras, que aspirem unicamente a celebrar umas às outras, não me parece constituir um perigo claro e atual; a imagem de um mundo repleto de pessoas que glorifiquem alegremente seus heróis e diabolizem seus inimigos, sim, infelizmente parece constituí-lo. Não é preciso escolher — aliás, é preciso não escolher — entre um cosmopolitismo sem conteúdo e um provincianismo sem lágrimas. Nenhum dos dois tem serventia para se viver numa colagem.

Para viver numa colagem, é preciso, em primeiro lugar, que a pessoa se torne capaz de discernir seus elementos, determinando quais são (o que implica, em geral, determinar de onde vieram e o que eram quando estavam lá) e como se relacionam uns com os outros na prática, ao mesmo tempo sem embotar a idéia que ela tem de sua própria localização e de sua identidade dentro desta. Em termos menos figurados, "compreender", no sentido da compreensão, da percepção e do discernimento, precisa ser distinguido de "compreender" no sentido da concordância de opiniões, da união de sentimentos ou da comunhão de compromissos; há que distinguir o *je vous ai compris* que De Gaulle proferiu do *je vous ai compris* que os *pieds noirs* ouviram.* Devemos aprender a apreender o que não podemos abraçar.

A dificuldade disso é imensa, como sempre foi. Compreender aquilo que, de uma dada maneira ou forma, nos é estranho e tende a continuar a sê-lo, sem aparar suas arestas com vagos murmúrios sobre a humanidade comum, sem desarmá-lo com o indiferentismo do "a cada cabeça sua sentença", e sem descartá-lo como encantador, adorável até, mas sem importância, é uma habilidade que temos de aprender duramente e, depois de havê-la aprendido, sempre de maneira muito imperfeita, temos de trabalhar continuamente para manter

---

*"Eu os compreendo"; *pieds noirs* designa os argelinos. (N.T.)

viva; não se trata de uma capacidade inata, como a percepção de profundidade ou o senso de equilíbrio, em que possamos confiar plenamente.

É nisso, no fortalecimento da capacidade de nossa imaginação para apreender o que está diante de nós, que residem os usos da diversidade e do estudo da diversidade. Se temos (como admito que tenho) mais do que uma simpatia sentimental por aquele obstinado índio norte-americano, não é por compartilharmos as idéias dele. O alcoolismo é realmente nocivo, e colocar aparelhos de hemodiálise a serviço de suas vítimas é fazer um mau uso deles. Nossa simpatia deriva de sabermos a que preço ele conquistou o direito a suas opiniões e, portanto, o sentimento de amargura que existe nelas; deriva de nossa compreensão da estrada terrível que ele teve de percorrer para chegar a elas, e daquilo — o etnocentrismo e os crimes que ele legitima — que a tornou tão terrível. Se quisermos ser capazes de julgar com largueza, como é óbvio que devemos fazer, precisamos tornar-nos capazes de enxergar com largueza. E para isso, o que já vimos — o interior de nossos vagões ferroviários e os brilhantes exemplos históricos de nossas nações, nossas igrejas e nossos movimentos, por mais absorvente que seja o primeiro e por mais deslumbrantes que sejam os últimos — simplesmente não basta.

5 *A situação atual*

Entrando com passo desajeitado

Uma das vantagens da antropologia como empreitada acadêmica é que ninguém, nem mesmo os que a praticam, sabe exatamente o que ela é. Gente que observa a cópula de babuínos, gente que reescreve mitos em fórmulas algébricas, gente que desenterra esqueletos do pleistoceno, gente que elabora correlações de pontos decimais entre as práticas do treinamento esfincteriano e as teorias da doença, gente que decodifica hieroglifos dos maias e gente que classifica os sistemas de parentesco em tipologias nas quais o nosso aparece como "esquimó", todos se denominam antropólogos. O mesmo fazem as pessoas que analisam os ritmos dos tambores africanos, dispõem a totalidade da história humana em fases evolutivas que culminam na China comunista ou no movimento ecológico, ou refletem em geral sobre a natureza da natureza humana. Livros intitulados (escolhi alguns ao acaso) *O cabelo da Medusa*, *O chefe e eu*, *A lamparina vermelha do incesto*, *Teoria da cerâmica e processo cultural*, *Do Kamo*, *Conhecimento e paixão*, *A linguagem escolar americana*, *Pronunciamentos circunstanciais* e *O diabo e o fetichismo da mercadoria* apresentam-se, todos eles, como antropológicos, como faz também um livro que me caiu nas mãos sem ser chamado, alguns anos atrás, de um homem cuja teoria é que os macedônios derivaram originalmente da Escócia, com base no fato de tocarem gaitas de foles.

Há diversos resultados disso tudo, sem falar numa porção de belos exemplos de pessoas cuja ambição ultrapassa seu discernimento, porém o mais importante deles, sem dúvida, é uma crise permanente de identidade. Costuma-se perguntar aos antropólogos, e eles perguntam a si mesmos, em que sua atividade difere do que fazem o sociólogo, o historiador, o psicólogo ou o cientista político, e eles não têm nenhuma resposta pronta, exceto que sem dúvida há uma diferença. Os esforços de definir esse campo vão desde argumentos displicentes, no estilo "conversa de clube social" ("de algum modo, todos somos pessoas do mesmo tipo, pensamos da mesma maneira"), até argumentos francamente institucionais ("qualquer um que se forme num departamento de antropologia é antropólogo"). Mas nenhum deles parece realmente satisfatório. Não pode tratar-se de que estudemos povos "tribais" ou "primitivos", porque, a esta altura, a maioria de nós não o faz e, de qualquer modo, já não temos muita certeza do que seja uma "tribo" ou um "primitivo", se é que isso existe. Não pode tratar-se de que estudemos "outras sociedades", porque um número cada vez maior de nós estuda a nossa mesmo, inclusive a parcela crescente de nós — cingaleses, nigerianos, japoneses — que pertence a essas "outras sociedades". Não pode tratar-se de que estudemos a "cultura", as "formas de vida" ou o "ponto de vista do nativo", porque, nestes tempos hermenêutico-semióticos, quem não o faz?

Não há nada de particularmente novo nessa situação. Ela existe desde os primórdios desse campo, quando quer que eles tenham ocorrido (com Rivers? Tylor? Herder? Heródoto?), e sem dúvida estará por perto em seu fim, se ele vier. Nos últimos anos, contudo, ela assumiu uma certa nitidez e deu origem a uma certa angústia, que não é fácil de descartar com atitudes como "são ossos do ofício". Um incômodo crônico, do tipo que dá fisgadas, transformou-se num incômodo agudo, do tipo que irrita.

A dificuldade inicial de descrever a antropologia como uma iniciativa coerente é que ela consiste, muito especialmente nos Estados Unidos, mas em grau significativo também noutras partes do mundo, numa coletânea de ciências muito diversamente concebidas e unidas de maneira bastante acidental, por versarem todas elas, de um modo ou de outro (para citar mais um título anterior, que hoje imagino que seria julgado sexista), sobre *O homem e suas obras.* A arqueologia (exceto a clássica, que manteve patrulhadas as suas fronteiras), a antropologia física, a antropologia cultural (ou social) e a lingüística antropológica formaram uma espécie de consórcio de fugitivos reunidos, cuja lógica sempre foi tão obscura quanto foi declarada sua correção. A ideologia dos "Quatro Campos", proclamada nos discursos e cultuada nos departamentos universitários, manteve unida uma disciplina descentrada, feita de visões díspares, pesquisas pouco interligadas e alianças improváveis: uma autêntica vitória da vida sobre a lógica.

Mas há um limite para o que se pode fazer com os sentimentos, os hábitos e os apelos liberais às vantagens da amplitude. À medida que avançam tecnicamente as várias ciências extra-antropológicas de que dependem as várias ciências intra-antropológicas, a lógica começa a se vingar. Especialmente nos casos da antropologia física e da lingüística, o desvio da antiga aliança foi acentuado. Na primeira, os avanços na genética, na neurologia e na etologia viraram de pernas para o ar a antiga abordagem das coisas que se pautava na medição da cabeça, e levaram um número cada vez maior de estudantes interessados na evolução humana a achar que bem poderiam estar numa disciplina biológica e dar o assunto por encerrado. Na segunda, o advento da gramática gerativa levou à construção de uma nova associação com a psicologia, os estudos de informática e outras empreitadas de alta tecnologia, majestosamente intituladas de "ciência cognitiva". Até a arqueologia, entremeada com a paleoecologia, a biogeografia e a teoria dos sistemas, tornou-se muito mais autônoma e, um dia desses, poderá começar a referir-se a si mesma de forma mais ambiciosa. Toda essa descosedura nos faz pensar em universos que se foram: a filologia, a história natural, a economia política, o Império dos Habsburgo. As diferenças internas estão começando a aparecer.

No entanto, não é esse movimento centrífugo, por mais poderoso que se tenha tornado, que constitui a causa principal da atual sensação de desconforto. A história, a filosofia, a crítica literária e até a psicologia, mais recentemente, passaram por uma diversificação interna similar, por motivos semelhantes, mas conseguiram manter pelo menos uma identidade geral. A empresa matriz da antropologia decerto se manterá, ainda que a duras penas, por mais algum tempo, nem que seja porque as pessoas interessadas no animal humano que não se importam com a sociobiologia, ou as pessoas interessadas na linguagem que não estão enamoradas da gramática gerativo-transformacional, podem encontrar nela um abrigo protegido dos imperialismos dos entomologistas e dos lógicos. Os problemas mais perturbadores vêm surgindo no ramo da disciplina que ainda é o maior, o mais visível e o que mais costuma ser percebido pelo mundo em geral como aquele que a distingue (e que é também aquele a que eu mesmo pertenço): a antropologia social, cultural ou sociocultural. Se há problemas na periferia, eles são ainda maiores na capital.

A primeira das dificuldades, a mais sentida e mais comentada, embora eu duvide que seja a mais importante, é o problema do "desaparecimento do objeto". Se algum dia foi cabível darmos aos "primitivos" esse nome, ou se realmente havia, mesmo no século XIX, muitos povos realmente "intocados" no mundo, é certo que hoje mal chega a existir algum grupo que mereça essas caracterizações. As terras altas da Nova Guiné, a Amazônia e talvez algumas partes do Ártico ou do Kalahari são praticamente os únicos lugares em que se pode sequer encontrar candidatos a sociedades "intactas", "simples", "elementares" ou "selvagens" (para invocar alguns outros termos obsoletos desse campo); e, na medida em que realmente existem como tais, elas estão sendo rapidamente incorporadas, como aconteceu antes com os índios norte-americanos, os aborígenes australianos e os nilóticos da África, nos planos maiores desta ou daquela pessoa. Os "primitivos", mesmo os do tipo que celebrizou Boas, Mead,

Malinowski e Evans-Pritchard, são um patrimônio meio desgastado. Hoje em dia, a esmagadora maioria dos antropólogos sociais não está zarpando para ilhas não registradas nos mapas ou entrando em paraísos na selva, mas atirando-se em assombrosas entidades da história mundial, como a Índia, o Japão, o Egito, a Grécia ou o Brasil.

Contudo, não é o desaparecimento de uma temática supostamente única, em si mesma, que se tem revelado um abalo nos alicerces da antropologia social, e sim uma outra privação, acarretada pelo envolvimento com sociedades menos proscritas: a perda do isolamento das pesquisas. As pessoas que furavam o nariz ou usavam tatuagens no corpo, ou que enterravam seus mortos em árvores, talvez nunca tenham sido os solitários que presumimos que fossem, mas *nós* o éramos. Os antropólogos que partiam para os Talensi, a tundra ou os Tikopia faziam de tudo: economia, política, direito, religião; psicologia e posse da terra, dança e parentesco; falavam de como os filhos eram criados, de como se construíam casas, caçavam-se focas e se contavam histórias. Não havia mais ninguém por perto, exceto, vez por outra e a uma adequada distância acadêmica, um outro antropólogo; ou então, quando havia — um missionário, um negociante, uma autoridade municipal, ou Paul Gauguin —, ele ou ela eram mentalmente postos de lado. Eram mundos pequenos, talvez, mas eram justamente a nossa concha.

Nada disso existe mais. Quando se vai à Nigéria, ao México, à China, ou, como no meu caso, à Indonésia e ao Marrocos, o que se encontra não são apenas "nativos" e cabanas de barro, mas economistas calculando coeficientes de Gini, cientistas políticos fazendo escalas de atitudes, historiadores cotejando documentos, psicólogos fazendo experimentos, e sociólogos contando casas, pessoas ou ocupações. Os advogados, os críticos literários, os arquitetos e até os filósofos, não mais satisfeitos em "tirar a rolha do antigo enigma/ e ver os paradoxos efervescerem", estão entrando em ação. Andar descalço pela Totalidade da Cultura já não é uma alternativa, na verdade, e o antropólogo que tenta fazê-lo corre o grave risco de ser desancado por escrito por um crítico ultrajado ou por um demógrafo enlouquecido. Hoje somos, claramente, uma espécie de ciência especial, ou, pelo menos, é bom que não demoremos a nos transformar nisso. A única pergunta, agora que "do Homem" é um pouco demais como resposta, é: ciência de quê?

A resposta a essa pergunta dilacerante tem consistido menos em respondê-la do que em voltar a enfatizar o "método" que, pelo menos desde Malinowski, é considerado o princípio e o fim da antropologia social — o trabalho etnográfico de campo. O que fazemos que os outros não fazem, ou só fazem ocasionalmente, e não tão bem feito, é (segundo essa visão) conversar com o homem do arrozal ou a mulher do bazar, quase sempre em termos não convencionais, no estilo "uma coisa leva a outra e tudo leva a tudo o mais", em língua vernácula e por longos períodos de tempo, sempre observando muito de perto como eles se comportam. O caráter especial "do que os antropólogos fazem", sua abordagem holista, humanista, sobretudo qualitativa e fortemente artesanal da pesquisa social, é o cerne da questão (como nos ensinamos a afirmar). A Nigéria pode não ser uma tribo e a Itália não é uma ilha, mas um ofício aprendido em tribos ou desenvolvido em ilhas ainda pode revelar dimensões do ser que se ocultam de tipos mais rigorosos e mais organizados, como os economistas, os historiadores, os exegetas e os cientistas políticos.

O curioso, nesse esforço de nos definirmos em termos de um estilo de pesquisa particular, coloquial e informal, radicado num conjunto específico de habilidades improvisadoras e pessoais, e não em termos daquilo que estudamos, das teorias que abraçamos ou das descobertas que esperamos fazer, é que ele tem sido mais eficaz fora da profissão do que dentro dela.

O prestígio da antropologia, ou da antropologia sociocultural, pelo menos, nunca foi maior do que é hoje na história, na filosofia, na crítica literária, na teologia, no direito, na ciência política, ou, até certo ponto, na sociologia, na psicologia e na economia (os casos difíceis). Claude Lévi-Strauss, Victor Turner, Mary Douglas, Eric Wolf, Marshall Sahlins, Edmund Leach, Louis Dumont, Melford Spiro, Ernest Gellner, Marvin Harris, Jack Goody, Pierre Bourdieu e eu mesmo (para ensaiar uma lista que decerto ainda hei de lamentar) somos citados por toda parte, por todo o mundo e para toda a sorte de finalidades. A "perspectiva antropológica", no que concerne ao intelectual em geral, está "na moda", e há poucos sinais de que o que os criadores de jargões chamam de seu "alcance" esteja fazendo outra coisa senão crescer. Dentro da disciplina, entretanto, o clima é menos otimista. A própria identificação da "mentalidade do trabalho de campo" como aquilo que nos torna diferentes e justifica nossa existência, num mundo que se tornou metodológico, só faz intensificar a preocupação com a respeitabilidade científica da disciplina, por um lado, e com sua legitimidade moral, por outro. Arriscar tanto do que se tem numa só aposta produz um certo nervosismo, que às vezes beira algo muito próximo do pânico.

Do lado da ciência, essa preocupação tem a ver sobretudo com a questão de saber se pesquisas que se apóiam tão maciçamente no fator pessoal — um dado pesquisador num dado momento, um certo informante num certo local — podem ser suficientemente "objetivas", "sistemáticas", "reproduzíveis", "cumulativas", "preditivas", "exatas" ou "testáveis" para gerar mais do que uma coleção de histórias plausíveis. O impressionismo, o intuicionismo, o subjetivismo, o estetismo e, talvez acima de tudo, a substituição das provas pela retórica e da argumentação pelo estilo parecem constituir perigos claros e presentes — o estado mais temido, a ausência de paradigmas, é uma aflição permanente. Que tipo de cientistas são esses cuja técnica principal é a sociabilidade e cujo principal instrumento são eles mesmos? Que podemos esperar deles, senão uma prosa carregada e belas teorias?

À medida que a antropologia caminhou para ocupar seu lugar como uma disciplina entre outras, ressurgiu uma forma nova de um debate antigo e por demais conhecido, *Geisteswissenschaften vs. Naturwissenschaften* [ciências do espírito *versus* ciências da natureza], e ressurgiu sob uma forma especialmente virulenta e degradada — o *déjà vu* outra vez. Entrando tardiamente e com passo desajeitado, como disse Forster certa vez, referindo-se à Índia, para encontrar seu lugar entre as nações, a antropologia viu-se cada vez mais dividida entre aqueles que se dispõem a ampliar e desenvolver sua tradição aceita — uma tradição que começa por rejeitar a dicotomia entre historicismo e cientificismo e que, com Weber, Tocqueville, Burckhardt, Peirce ou Montesquieu, sonha com uma *science humaine* — e aqueles que, temerosos de serem expulsos da mesa por não estarem adequadamente vestidos, pretendem transformar esse campo numa espécie de física social, repleta de leis, formalismos e provas apodícticas.

Nessa luta, que irrompe por toda parte, desde os encontros acadêmicos em lugares sofisticados até as "reavaliações" fantasiosas de obras clássicas, e que vem ficando extraordinariamente acirrada, os caçadores de paradigmas detêm a maioria das cartas, pelo menos nos Estados Unidos, onde, declarando-se "a corrente central", dominam as fontes de verbas, as organizações, revistas e instituições de pesquisa da profissão, e estão perfeitamente pré-adaptados à mentalidade de lucros e perdas que hoje permeia nossa vida pública. Os jovens (e agora, as jovens) zelosos de Cornford, determinados a conseguir todo o dinheiro que é desembolsado, estão hoje por toda parte, mesmo que o dinheiro desembolsado não seja tanto assim.

Todavia, até os que estão do lado (politicamente) mais fraco, os que se inclinam mais para uma visão das coisas no estilo livre, afligem-se com sua própria variedade de falta de coragem, só que ela é menos metodológica do que moral. Não estão muito preocupados em saber se a pesquisa "mim antropólogo, você nativo" é rigorosa, mas em saber se é decente. Quanto a isso, no entanto, estão *muito* preocupados.

O problema começa com algumas reflexões incômodas sobre o envolvimento da pesquisa antropológica com os regimes coloniais, durante o auge do imperialismo ocidental, e com suas sombras de agora, reflexões estas acarretadas por acusações de intelectuais do Terceiro Mundo sobre a cumplicidade desse campo na divisão da humanidade entre os que sabem e decidem e os que são objeto do saber e em nome dos quais se tomam decisões; tais acusações são particularmente perturbadoras para estudiosos que durante muito tempo se consideraram amigos do nativo, e que ainda julgam compreendê-lo melhor do que qualquer outra pessoa, inclusive, talvez, do que ele mesmo. Mas a coisa não termina aí. Impulsionada pelas imensas máquinas da autodubitação pós-moderna — Heidegger, Wittgenstein, Gramsci, Sartre, Foucault, Derrida e, mais recentemente, Bakhtin —, a angústia se difunde numa preocupação mais generalizada com a representação do "Outro" (inevitavelmente maiúsculo, inevitavelmente singular) no discurso etnográfico como tal. Não será toda essa empreitada apenas uma dominação exercida por outros meios: "hegemonia", "monólogo", "*vouloir-savoir*", "*mauvaise foi*", "orientalismo"? "Quem somos nós para falar em nome deles?"

Essa não é uma pergunta que se possa simplesmente descartar, como tantas vezes foi descartada por pesquisadores de campo calejados, como resmungos de antropólogos de botequim ou posto de gasolina; mas seria desejável que ela fosse abordada com menos agressões e invectivas contra as supostas falhas mentais e de caráter dos cientistas sociais burgueses, e com mais tentativas de realmente respondê-la. Houve algumas dessas tentativas, hesitantes e de caráter bastante formal, mas, pelo menos com igual freqüência, a hipocondria fez-se passar por auto-exame e o "Abaixo todos nós!" (porque, afinal, os descontentes também são burgueses) fez-se passar por crítica. A mudança na situação do etnógrafo, tanto intelectual quanto moral, acarretada pelo deslocamento da antropologia das margens do mundo moderno para seu centro, é tão precariamente examinada pelos avisos de perigo iminente quanto pelas reivindicações clamorosas de ciência. O mero mal-estar é tão evasivo quanto o mero rigor, e bem mais interesseiro.

Mesmo assim, no entanto, é possível que tudo seja para o bem, se não para o melhor. A visão que as pessoas de fora têm da antropologia, como uma poderosa força regenerativa nos estudos sociais e humanos, agora que ela finalmente está se tornando parte integrante deles, em vez de uma pequena diversão colateral, talvez acerte mais no alvo do que a visão dos próprios antropólogos de que a passagem de uma obscuridade dos Mares do Sul para a celebridade mundial está simplesmente expondo a falta de coerência interna da antropologia, sua debilidade metodológica e sua hipocrisia política, além, talvez, de sua irrelevância prática. A necessidade de elaborar, defender e ampliar uma abordagem da pesquisa social que leve a sério a afirmação de que, ao compreender os "outros", sem maiúsculas e no plural, ela é útil para circular entre eles como eles circulam entre si, *ad hoc* e tateantemente, vem produzindo uma agitação extraordinária. Talvez não seja inteiramente surpreendente que essa agitação pareça ameaçadora para alguns dos que são apanhados no meio dela: como disse Randall Jarrell em algum lugar, o problema das fases áureas é que as pessoas que vivem nelas queixam-se de que tudo parece amarelo. O que *de fato* surpreende é o quanto ela parece promissora e até salvadora para outros.

A conjunção de popularidade cultural e inquietação profissional que hoje caracteriza a antropologia não é um paradoxo nem um sinal de que se está perpetrando um modismo passageiro. É uma indicação de que "a maneira antropológica de ver as coisas", ou "a maneira antropológica de descobrir coisas" e "a maneira antropológica de escrever sobre coisas" (o que dá mais ou menos na mesma) realmente tem para oferecer ao final do século XX — e não apenas nos estudos sociais — algo que não se encontra noutros lugares, e está em plena luta para determinar exatamente o que é isso.

De um lado, as expectativas talvez sejam grandes demais — na excitação inicial do estruturalismo, sem dúvida o foram —, e do outro, as preocupações são muito exageradas. Não obstante, puxado em direções opostas por avanços técnicos nas disciplinas afins, internamente dividido por linhas acidentais mal traçadas, sitiado de um lado pelo cientificismo ressurgente e, de outro, por uma forma avançada de aperto de mão, e progressivamente privado de seu objeto original, de seu isolamento na pesquisa e de sua autoridade incontestável, o campo parece não só permanecer razoavelmente intacto, como também, o que é mais importante, estender a influência da perspectiva que o define a áreas cada vez mais amplas do pensamento contemporâneo. Acabamos sendo muito bons em entrar de mansinho, com o passo desajeitado. Em nossa confusão reside nossa força.

Guerra cultural

A antropologia é uma disciplina cheia de conflitos, eternamente em busca de meios para escapar de sua condição, eternamente sem conseguir encontrá-los. Desde sempre comprometida com uma visão global da vida humana — social, cultural, biológica e histórica ao mesmo tempo —, ela está sempre recaindo em suas partes, queixando-se desse fato e tentando desesperadamente, e sem sucesso, projetar algum tipo de nova unidade para substituir a que imagina ter tido, mas que agora, pela infidelidade dos atuais praticantes, teria jogado fora, irrefletidamente. O lema é "holismo", decantado nos encontros profissionais e nas convocações gerais à luta (das quais existe um número enorme) nas publicações e monografias especializadas. A realidade, nas pesquisas efetivamente conduzidas e nos trabalhos realmente publicados, é a enorme diversidade.

E as discussões, discussões intermináveis. As tensões entre as grandes subdivisões do campo — antropologia física, arqueologia, antropologia lingüística e antropologia cultural (ou social) — têm sido razoavelmente bem administradas pelos mecanismos costumeiros de diferenciação e especialização, nos quais cada subcampo tornou-se uma disciplina bastante autônoma. Isso não aconteceu sem invocações lamuriosas de polímatas ancestrais — havia gigantes naquela época — que supostamente "faziam de tudo". Mas as fissuras na antropologia cultural como tal, que é o cerne da disciplina, têm-se mostrado cada vez mais acentuadas e menos fáceis de conter. A divisão em escolas de pensamento nitidamente opostas — em abordagens globais concebidas não como alternativas metodológicas, mas como visões de mundo, morais e posicionamentos políticos arraigados — cresceu a um ponto em que os choques são mais comuns do que as conclusões, e a possibilidade de consenso em torno de qualquer coisa fundamental parece remota. O afastamento que isso acarreta, assim como o sentimento de perda, são consideráveis e sem dúvida sinceros, mas é muito provável que sejam equivocados. A antropologia em geral e a antropologia cultural em particular extraem a maior parte de sua vitalidade das controvérsias que as animam. Não estão muito destinadas a posições firmes e questões resolvidas.

O debate recente, muito celebrado na imprensa intelectual e no circuito acadêmico, entre Gananath Obeyesekere e Marshall Sahlins, duas das figuras mais ilustres e combativas do campo, concerne à maneira como devemos entender a morte do Colombo do Pacífico, o capitão James Cook, nas mãos dos havaianos, em 1779.[1] (Colombo "descobriu" a América quando procurava a Índia; Cook, três séculos depois, "descobriu" as ilhas Sandwich — e, antes delas, a Austrália e a Nova Zelândia — ao procurar pela Passagem Noroeste.) Inflamados, eloqüentes e intransigentes — além de causticamente engraçados, vez por outra —, os dois escancaram algumas das questões mais centrais e mais geradoras de dissidência nos estudos antropológicos. Depois de ler esses dois a se atacarem, por cima, por baixo e pelos lados, nas cerca de quinhentas páginas em que eles se agarram pelo colarinho, o que possa ter acontecido com Cook, e por quê, parece bem menos importante e, provavelmente, menos determinável do que as questões que os autores levantam sobre como devemos entender os atos e emoções de povos distantes em épocas remotas. Em que consiste propriamente "saber" sobre "os outros"? Será isso possível? Será bom?

Com o risco de uma simplificação excessiva (mas não muito: nenhum desses dois guerreiros é dado a idéias obscuras), podemos dizer que Sahlins é um esmerado defensor da idéia de que existem culturas distintas, cada qual com "um sistema cultural completo da ação humana", e que elas devem ser entendidas nos moldes estruturalistas. Obeyesekere é um esmerado defensor da idéia de que os atos e crenças das pessoas têm funções práticas particulares em sua vida, e de que essas funções e crenças devem ser entendidas em moldes psicológicos.[2]

A tese original de Sahlins, que sofreu pouca ou nenhuma modificação desde que ele a expôs pela primeira vez, duas décadas atrás, é que Cook tropeçou numa praia do Havaí (isto é, da "ilha grande" do arquipélago havaiano propriamente dito) por ocasião de uma imensa cerimônia chamada Makahiki, que durava quatro meses e celebrava o renascimento anual da natureza, e cujo evento central era a chegada do deus Lono, que vinha de sua casa sobre as águas, simbolizado por uma gigantesca imagem de pano de casca de amoreira e plumagem de aves, que era desfilada pela ilha durante um mês, no sentido dos ponteiros do relógio.

Os havaianos dividiam o ano lunar em dois períodos. Um deles era a época do Makahiki, quando a paz, os sacerdotes nativos de Kuali'l e o deus da fertilidade, Lono, moldavam a vida do povo, e o rei permanecia imóvel. Durante o resto do ano, depois que Lono tornava a partir, ficando sua imagem de penas de aves virada de costas, vinha um período de guerra, quando os sacerdotes imigrantes de Nahulu e o deus da virilidade, Ku, eram dominantes, e o rei tornava-se ativo. Cook, que chegou da direção certa e da maneira certa, foi tomado pelos havaianos, ou, pelo menos, pelos vários sacerdotes implicados, como a encarnação viva de Lono, e foi consagrado como tal por meio de complexos rituais no grande templo da ilha.

Depois, por suas próprias razões, mas também em concordância acidental com o calendário que regia o Makahiki, ele partiu para o horizonte de onde viera. Pouco depois de zarpar, entretanto, um mastro partido obrigou-o a voltar à praia para consertá-lo. Esse gesto fora dos padrões foi interpretado pelos havaianos como uma desordem cosmológica, que pressagiaria, se eles permitissem seu prosseguimento, uma convulsão social e política — uma "crise estrutural em que todas as relações sociais ... mudariam seus signos". Isso levou rapidamente ao confuso fim de Cook: ele foi morto a facadas e pauladas, em meio a centenas de havaianos reunidos, depois de desembarcar, irritado, disparando impulsivamente sua pistola para todos os lados. Consagrado como deus, por ter chegado da maneira certa na hora certa, ele foi morto como um deus — sacrificado para manter intacta e inalterada a estrutura —, por ter retornado ao Havaí da maneira errada na hora errada: um acidente histórico, apanhado numa forma cultural.

A toda essa tese altamente fabricada e impecável a ponto de levantar suspeitas, Obeyesekere respondeu com um sonoro "Não!" — mais por razões morais e políticas do que empíricas, ao que parece. A seu ver, ela é degradante para os havaianos (e para ele, pessoalmente, como "natural do Sri Lanka e como antropólogo que trabalha numa universidade norte-americana"), por retratá-los como selvagens infantis e irracionais, tão embriagados com seus signos e presságios que eram incapazes de enxergar o que lhes estava diante dos olhos — um homem como qualquer outro — e incapazes de reagir a ele com realismo prático e bom senso corriqueiro.

A exposição de Sahlins é chamada de etnocêntrica, por impingir aos havaianos a idéia européia de que a superioridade tecnológica dos europeus levaria os primitivos atônitos, ao depararem com eles pela primeira vez, a vê-los como seres sobrenaturais. E há quem diga — isso é o que dói realmente, sobretudo para alguém como Sahlins, que, como quase todos os antropólogos, inclusive Obeyesekere, vê-se como um tribuno de seus sujeitos, um defensor público num mundo que os pôs de lado como desafortunados e desprezíveis — que a tese de Sahlins é neo-imperialista: uma tentativa de silenciar as "verdadeiras vozes" dos havaianos e, a rigor, dos "nativos" em geral, e de substituí-las pelas vozes das próprias pessoas que foram as primeiras a dominá-los, depois a explorá-los e, agora, na fase erudita e redatorial da grande opressão conhecida como colonialismo, a obliterá-los.

A propósito do relato de Sahlins e das afirmações de que ele se baseia num fato real, Obeyesekere escreveu:

> Questiono esse "fato", que demonstro ter sido criado na imaginação européia do século XVIII e de épocas posteriores, e que se baseou em "modelos míticos" prévios, pertinentes ao temível explorador e civilizador que é um deus para os "nativos". Dito em linguagem clara, duvido que os nativos tenham criado seu deus europeu; os europeus o criaram para eles. Esse "deus europeu" é um mito da conquista, do imperialismo e da civilização — uma tríade difícil de separar.

A subseqüente guerra de papel entre os dois antropólogos pode ser acompanhada no divagante sumário da promotoria apresentado por Obeyesekere, no estilo "matar a cobra com o pau que estiver à mão" (ele invoca o terrorismo cingalês, Cortés entre os astecas, *O coração das trevas* e uma coisa chamada "psicomimese simbólica"), e no sumário da defesa apresentado por Sahlins, mais fluente e pertinaz, no estilo "e há mais uma coisa". (Um terço do livro de Sahlins compõe-se de dezessete apêndices de uma minúcia espetacular, entre os quais se incluem "Sacerdotes e genealogias", "Política do calendário", "Os Atua nas Ilhas Marquesas e noutras áreas", "Os deuses de Kamakau" e "Lono em Hikiau".) De ambos os lados há uma abundante profusão de fatos, fatos supostos e fatos possíveis, que toca em praticamente tudo o que se sabe ou se supõe saber sobre o infortúnio de Cook e as condições que o cercaram.

Sahlins leva uma certa vantagem natural nesse arremesso de dados, porque, como antigo oceanista de grande reputação, escreveu longamente sobre a etno-história polinésia em geral e sobre a do Havaí em particular. O trabalho de Obeyesekere tem-se voltado quase que exclusivamente para o Sri Lanka, e ele construiu seu conhecimento do assunto em discussão através de três ou quatro anos de leituras pertinentes e de uma breve "peregrinação ao Havaí, para cotejar minha versão com a dos estudiosos da história e da cultura havaianas".

Mas, como os dois estudiosos baseiam-se essencialmente no mesmo *corpus* restrito de materiais primários — diários de bordo, diários de marinheiros, histórias orais anotadas, relatos de missionários, alguns desenhos e gravuras e um punhado de cartas —, essa não é, em si mesma, uma diferença decisiva. É apenas uma diferença que impõe a Obeyesekere — cujo estilo de argumentação tende a ser muito relaxado em termos metodológicos — um ônus maior da prova do que ele parece perceber. ("Julgo terrivelmente difícil aceitar", "com igual facilidade, seria possível argumentar", "parece razoável presumir", "é difícil acreditar", "considero esse relato ... extremamente plausível" e outros apelos dessa ordem à suposta obviedade, justamente das coisas que estão em discussão, pontuam seu texto do começo ao fim.) Se esse fosse o debate acadêmico que às vezes parece ser, Sahlins, mais sagaz, mais concentrado e mais informado, venceria sem esforço.

Mas não se trata desse tipo de debate. Apesar da retórica cientificista de ambos os lados sobre a "busca da verdade", apesar dos insultos eruditos rebuscados e perfeitamente desnecessários (Obeyesekere diz, a propósito de coisa alguma, que falta a Sahlins uma "preocupação ética profunda", enquanto Sahlins diz, a propósito disso, que Obeyesekere é um "terrorista" literário), e a despeito da interminável exposição de pormenores que só poderiam agradar a um advogado, as questões que os dividem, no fundo, não são simples questões de fato. Mesmo que eles conseguissem concordar quanto à maneira como os havaianos viam Cook e este a eles — e, na verdade, os dois autores não se distanciam tanto nisso quanto presumem —, continuariam em completa oposição no tocante a praticamente tudo o que importa na antropologia. O que os separa, assim como a boa parte dos profissionais da área, é sua compreensão da diferença cultural: o que ela é, o que a produz, o que a sustenta e até onde ela vai. Para Sahlins, ela é essência; para Obeyesekere, é superfície.

Aproximadamente nos últimos vinte e cinco anos, era do pós-tudo (pós-modernismo, pós-estruturalismo, pós-colonialismo, pós-positivismo), a tentativa de retratar "como pensam (ou pensavam) os 'nativos'", ou mesmo o que eles estão fazendo quando fazem o que fazem, viu-se sob considerável ataque moral, político e filosófico. A mera afirmação de "saber mais", que diríamos que qualquer antropólogo tem que fazer, ao menos implicitamente, parece pelo menos levemente ilegítima. Dizer sobre as formas de vida dos havaianos (ou de qualquer outro povo) alguma coisa que os próprios havaianos não tenham dito expõe o indivíduo à acusação de estar escrevendo a consciência de outros povos para eles, roteirizando sua alma. Parece que realmente já se foi o tempo da antropologia simples de "os Dang acreditam, os Dang não acreditam".

As reações a esse estado de coisas — o que Sahlins chamou, num de seus ensaios mais recentes, de "Adeus aos *Tristes Tropes*" — têm sido diversas, preocupadas e um bocado confusas.[3] Os pós-modernistas questionam se os relatos organizados de outras maneiras de estar no mundo — relatos que oferecem explicações monológicas, abrangentes e demasiadamente coerentes — são realmente dignos de crédito, e se não estamos tão aprisionados em nossos modos de pensamento e percepção, que somos incapazes de apreender os dos outros, e menos ainda de lhes dar crédito. Os estudiosos politicamente motivados, intensos e sem hesitação, seguros de seu terreno, têm conclamado a um trabalho antropológico que promova os destinos dos povos descritos, como quer que se entendam esses destinos, e a uma subversão deliberada das desigualdades de poder entre "o Ocidente e o Resto". Tem havido demandas de "contextualização" de determinadas sociedades no "sistema mundial ('capitalista', 'burguês', 'utilitário') moderno", em contraposição a seu isolamento em "ilhas da história", como diz outro dos títulos provocativos de Sahlins. Tem havido pedidos de resgate da dimensão histórica das culturas "primitivas" ou "simples", muitas vezes retratadas como estruturas "frias", imutáveis e cristalizadas — naturezas-mortas humanas. E tem havido apelos a uma reenfatização das características pan-humanas comuns e simples (todos raciocinamos, todos sofremos, todos vivemos num mundo indiferente a nossas esperanças), em contraposição aos contrastes nítidos e incomensuráveis da lógica e da sensibilidade entre um povo e outro.

Todos esses temas permeiam o embate entre Obeyesekere e Sahlins, aparecendo e reaparecendo sob formas diferentes em diferentes articulações — em intensos debates para determinar se os relatos havaianos oitocentistas de seus costumes e tradições podem ser usados para reconstruir o passado histórico, ou se estão por demais impregnados dos preconceitos cristianizadores dos missionários que os registraram para ser dignos de confiança; se Cook e seus companheiros haviam aprendido havaiano o bastante para entender o que os havaianos lhes diziam; e se a abordagem estruturalista tem que presumir que as crenças dos havaianos eram uniformes na população inteira, cujos membros são estereotipadamente apresentados, segundo a acusação de Obeyesekere, "como se pusessem em prática um esquema cultural sem nenhuma reflexão". Mas, no fim, os argumentos, opostos em todos os aspectos, dividem-se num contraste nítido e simples, quase maniqueísta.

Para Obeyesekere, os havaianos são racionalistas "pragmáticos", "calculistas" e "estrategistas"; parecendo-se muito conosco — aliás, com qualquer pessoa, com a possível exceção de Sahlins —, eles "avaliam reflexivamente as implicações de um problema em termos de critérios práticos". Para Sahlins, eles são outros distintos, que existem num "esquema" distinto, num "sistema cultural completo da ação humana", numa "outra cosmologia", inteiramente descontínua da "racionalidade burguesa moderna", regida por uma lógica "que [tem] a característica de não parecer necessária aos nossos olhos, mas de ser suficiente para eles". "Culturas diferentes", diz Sahlins, "racionalidades diferentes".

A "racionalidade prática" de Obeyesekere, no dizer de Sahlins (que também a chama de "antropologia pidgin" e de "nativismo popular"), mostra que "a filosofia [utilitária e instrumentalista] de Hobbes, Locke, Helvétius & Cia. ainda está muito presente entre nós". A "teoria estrutural da história" enunciada por Sahlins, no dizer de Obeyesekere (que a chama de "reificada", "superorgânica", "rígida" e "pseudo-histórica"), mostra que o que ainda está muito presente entre nós é o modelo irracionalista da mentalidade primitiva — Lévi-Bruhl, Lévi-Strauss, os astecas de pensamento grupal de Tzvetan Todorov, e o Freud de *Totem e tabu*, que achava que as crianças, os selvagens e os psicóticos eram uma coisa só.

O que está em jogo, portanto, é uma pergunta que perseguiu os antropólogos por quase cem anos, e que nos persegue ainda mais, agora que trabalhamos num mundo descolonizado: Como entender práticas culturais que nos parecem estranhas e ilógicas? Quão estranhas são elas? Quão ilógicas? Em que reside a razão, precisamente? Trata-se de uma pergunta que não se deve formular apenas sobre os havaianos do século XVIII, que desfilavam ruidosamente com imagens vestidas de plumagem de pássaros, tomando um coqueiro ("um homem com a cabeça no chão e os testículos no ar") pelo corpo de um deus, e envolvendo sua vida em um emaranhado tão complexo de sacralidade e proibição — o notório tabu — que, às vezes, mal conseguiam se mexer. Ela também deve ser formulada sobre os ingleses setecentistas, marinheiros e navegadores, vagando sem mulheres pelos oceanos em busca de descobertas — arcádias, curiosidades, ancoradouros, iguarias e a Passagem Noroeste —, e sobre a sociedade inquisitiva e agressiva, sobre o mundo de "o saber é a glória" que, esperando em última instância por uma salvação temporal, mandava os ingleses para lá.[4]

Os havaianos e os navegadores do Iluminismo estão agora muito distantes de nós, no tempo e no espaço. Isso é verdade, pelo menos, a respeito dos havaianos que levavam o ritmo de vida regido por Ku e Lono. (Kamehameha II meio que pôs fim a esse ritmo, com sua famosa fogueira das vaidades no século XIX, que foi uma verdadeira inversão dos signos; e aquilo a que ele não pôs fim, fazendo refeições com as mulheres e atirando ícones no mar, foi eliminado pelo cristianismo, pela cana-de-açúcar e pela navegação a vapor.) E também se aplica aos navegadores que entraram à força nesse ritmo de vida, atrevidos, ignorantes e firmemente decididos a promover melhoramentos. Voltamos os olhos para esses dois "povos" e para seu lendário "primeiro contato" por entre as brumas da moderna ordem de vida (ou, agora que os impérios euro-americanos e o divisor mundial "Oriente-Ocidente" se enfraqueceram ou desapareceram, por entre as brumas da ordem pós-moderna). Além disso, voltamos os olhos para eles a partir de nossas posições particulares dentro dessa ordem. Nós os compreendemos como nos é possível, considerando quem somos ou aquilo em que nos transformamos. Não há nada de fatal nisso, nem para a verdade nem para a imparcialidade. Mas é algo inevitável, e seria uma tolice afirmar outra coisa.

É um grande mérito de Obeyesekere e Sahlins que nenhum dos dois diga outra coisa. Suas posições pessoais e seus projetos profissionais são francos e visíveis. Obeyesekere afirma que, como autêntico "nativo" (ou "pós-nativo"?), diretamente apanhado nas agonias atuais de uma ex-colônia destroçada por uma violência induzida, ele está imune aos auto-enganos ocidentais e especialmente bem posicionado para enxergar o Pacífico do século XVIII, tanto branco quanto de cor, como realmente era. Ele dedica seu livro a um taxista cingalês assassinado, que costumava transportá-lo em Colombo, em memória dos "milhares que foram mortos no mundo inteiro ..., pessoas comuns cujas famílias sequer tiveram a oportunidade de pranteá-los". Escreve ele que "foi precisamente a partir de [minhas] condições existenciais que se desenvolveu e floresceu meu interesse por Cook" (e sua "ira" em relação a Sahlins e sua obra).

Em resposta, Sahlins se pergunta, como seria cabível, de que modo ele e Cook se haveriam tornado "responsáveis, de algum modo, pela tragédia do amigo de Obeyesekere", e se a convocação dessa tragédia a serviço de uma disputa erudita é inteiramente apropriada. Diz ele que, por mais branco e ocidental que seja, está bem menos carregado de preconceitos etnocêntricos do que alguém que, ao explicar "as antigas concepções havaianas dos homens brancos através de crenças cingalesas e de sua própria experiência ..., afasta-se cada vez mais dos havaianos e chega cada vez mais perto do folclore ocidental nativo do divino *versus* o humano, do espiritual *versus* o material".

> A vítima final ... é o povo havaiano. O bom senso empírico ocidental substitui-lhe a visão das coisas, deixando-o com uma história ficcional e uma etnografia pidgin ... Os rituais tradicionais ... se dissolvem; as clivagens sociais em torno das quais girava a história havaiana ... são apagadas ... O povo havaiano aparece em cena como um fantoche da ideologia européia. Privada ... de ação e cultura, a história desse povo fica reduzida a uma clássica falta de sentido: eles viveram e sofreram — e depois morreram.

É essa curiosa inversão — o "sujeito nativo", ofendido e injuriado, portando-se como um universalista do Iluminismo, e o "observador estranho", distante e irônico, aparecendo como um historiador relativista — que confere a esse debate seu *pathos* extraordinário e, no final, ameaça transformá-lo de uma busca de um passado fugidio em uma briga particular. Mesmo que, seguindo Obeyesekere, tenhamos consciência da necessidade de levar plenamente em conta o fato de que o que sabemos sobre o Havaí do "primeiro contato" chega até nós filtrado pelas perspectivas dos que o narraram, e de que ninguém em parte alguma jamais viveu num mundo inteiramente distante das preocupações de ordem prática, a redução desse Havaí a tamanha "construção européia de mitos" continua a parecer mais um produto do ressentimento deslocado — da "ira" ideológica — do que dos fatos, da reflexão e do "bom senso".

E ainda que, seguindo Sahlins, percebamos o perigo de perder para sempre as profundas particularidades de povos extintos de épocas extintas, ao transformá-los em raciocinadores generalizados, movidos por interesses de ordem prática, e reconheçamos que há mais maneiras de silenciar os outros do que imagina o revisionismo pós-colonial, os problemas persistem. O encerramento dessas particularidades em formas de contornos definidos, firmemente ligadas umas às outras como as peças de um quebra-cabeça, ainda corre o risco de sofrer a acusação de engodo etnográfico e excesso de brilhantismo.

Cheios de certezas e acusações e inteiramente dominados pelo desejo de marcar pontos, Obeyesekere e Sahlins conseguiram, apesar disso, colocar juntos indagações teóricas fundamentais, de um modo que jamais teriam conseguido em separado; e levantaram questões metodológicas cruciais referentes à delicada tarefa de "conhecer os outros". (A propósito dessas indagações e questões, talvez neste momento eu deva confessar que, à parte o esplendor estruturalista que cerca suas análises, considero Sahlins claramente mais persuasivo. Suas descrições são mais pormenorizadas, seu retrato dos havaianos e dos ingleses é mais profundamente penetrante e sua apreensão das questões morais e políticas envolvidas é mais segura, menos suscetível aos ruídos desnorteadores deste presente confuso.)

Se eles elevaram o nível do debate antropológico — o que é um assunto mais importante, a longo prazo, para um campo em que realmente não existem respostas no fim do livro — depende de os que vierem depois (e já há um grupo numeroso em cada um dos lados) serem capazes de sustentar sua intensidade e, ao mesmo tempo, refrear sua propensão a se ofenderem e a brigarem pela vitória; de serem capazes, em meio ao rancor alimentado e ao orgulho ferido, de continuar a conversar.

Freqüentação intensa

Todas as ciências humanas são promíscuas, inconstantes e mal definidas, mas a antropologia cultural abusa desse privilégio. Vejamos:

Primeiro, Pierre Clastres. Aos trinta anos, quando fazia pós-graduação no *berceau* do estruturalismo (o *laboratoire anthropologique* de Claude Lévi-Strauss), ele partiu de Paris, no início dos anos 60, rumo a um canto remoto do Paraguai. Lá, numa região pouco habitada, de estranhas florestas e animais ainda mais estranhos — onças, quatis, urubus, caititus, cobras-cipó, guaribas —, viveu durante um ano com cerca de uma centena de índios "selvagens" (como os chamou em tom aprovador, aliás com certa reverência), que abandonavam seus velhos, pintavam o corpo com listras curvas e retângulos inclinados, praticavam a poliandria, comiam os mortos e batiam com o pênis de antas nas meninas que menstruavam pela primeira vez, para torná-las loucamente ardentes, como a anta de tromba comprida.

Ao livro que publicou em sua volta, Clastres deu — com uma insipidez pré-moderna deliberada e quase anacrônica, como se se tratasse do diário missionário recém-descoberto de um jesuíta setecentista — o nome de *Chronique des indiens Guayaki*.[5] Reverentemente traduzido pelo romancista norte-americano Paul Auster ("Creio ser quase impossível não amar esse livro") e tardiamente publicado nos Estados Unidos, vinte e cinco anos depois, o livro, pelo menos em sua forma, chega a exagerar no velho estilo etnográfico. Fornece uma descrição do ciclo de vida "dos Guaiaqui", começando pelo nascimento, passando pela iniciação ritual, casamento, caça e guerra, e chegando à doença, à morte, aos funerais e, depois destes, ao canibalismo. Lá estão as clássicas fotos estéticas, cuidadosamente posadas: nativos seminus, fitando as câmeras com o olhar vazio. Lá estão os esboços museológicos a lápis e nanquim — machadinhas, cestos, varinhas de fazer fogo, ventarolas contra mosquitos, suportes de plumas — que já quase não se vêem nas monografias. E, apesar de um certo lirismo ocasional ao estilo *Tristes trópicos* sobre os sons da floresta ou as cores do entardecer, o estilo da prosa é direto e concreto. Aconteceu isto ou aquilo. Eles acreditam em tal coisa, fazem tal outra. Apenas a voz pensativa e tristonha na primeira pessoa, irrompendo aqui e ali numa fúria moral, sugere que talvez esteja acontecendo algo além do mero relato de curiosidades distantes.

Segundo, James Clifford. Formado como historiador das idéias em Harvard no início dos anos setenta, mas convertido como autodidata à antropologia e, mais tarde, aos estudos culturais (atualmente, ele leciona no Programa de História da Consciência da Universidade da Califórnia, em Santa Cruz), Clifford, aos cinqüenta e dois anos, está bem mais para o Meio da Jornada do que Clastres na época em que partiu para o Paraguai; mas eles são da mesma geração acadêmica — a que foi produzida pela contracultura. Clifford vagueia pelos anos 90, desconfiado e indagador, não entre "nativos" proscritos ou em meio a quaisquer "povos", a rigor, mas no que chamou de "zonas de contato" — exposições etnológicas, pontos turísticos, seminários sobre espetáculos artísticos, consultorias de museus, conferências sobre estudos culturais e hotéis de viajantes. Visita a casa de Freud em Londres, realçada pela arqueologia. Passa pela Honolulu animada e híbrida das convenções de profissionais, pelos torcedores do futebol profissional e por navios afundados no Ano Novo chinês, enquanto a operação Tempestade do Deserto campeia no golfo Pérsico. Rememora sua infância de "branco étnico", filho de um acadêmico da Universidade de Columbia, andando de metrô pela Nova York das canções populares. Medita sobre a história, a dominação e a "dinâmica global" diante de uma paliçada russa da década de 1820, reconstruída como um parque da herança multicultural na "Califórnia 'pós-moderna'".

Ao livro que reúne essas excursões e paradas, numa fábula para nossa época, ele deu o nome de *Routes* [rotas], com a intenção marcante de fazer um trocadilho com *roots* [raízes], acrescentando-lhe o subtítulo cuidadosamente contemporizador de *Viagem e tradução no fim do século XX*.[6] Nele, embora a fala na primeira pessoa também apareça ao longo de todo o texto, bem mais assertiva e muito mais auto-referente, não há uma narrativa construtiva contínua, etnográfica ou de qualquer outro tipo. Ao contrário, há uma série desordenada de "explorações pessoais", não destinadas a retratar "nativos em aldeias" nem "tradições puras e diferenças culturais isoladas", mas "pessoas indo a lugares", "ambientes híbridos", "culturas itinerantes".[7]

A prosa é variada e indireta. Ora é "acadêmica", ou seja, abstrata e argumentativa, ora "experimental", isto é, ensimesmada e impressionista; mas é sempre discursiva, respaldando e preenchendo, dando com uma das mãos e tirando com a outra, fazendo uma digressão para examinar uma idéia, retrocedendo nos próprios passos para voltar ao assunto. Os textos vão de três ou quatro páginas a quarenta ou cinqüenta. As fotografias são reproduções de ilustrações de catálogos — ilustrações de ilustrações — ou instantâneos amadorísticos fora de foco, tirados às carreiras por Clifford. Não há nenhuma descrição de pessoas se casando, combatendo, cultuando, declamando, morrendo ou fazendo o luto; nenhum relato de como as crianças são educadas ou os demônios, aplacados. E enquanto, à exceção de uma passagem de Montaigne, Clastres faz uma única citação no livro inteiro, mesmo assim o resumo de uma paráfrase de algumas páginas de uma história clerical da conquista do Paraguai, Clifford apresenta centenas delas, literalmente, às vezes uma dúzia por página, desde Mikhail Bakhtin, Stuart Hall, Walter Benjamin, Antonio Gramsci e Fredric Jameson até Malinowski, Mead, Rushdie, Gauguin, Amitav Ghosh, Michel de Certeau e Adrienne Rich — quase todas mais criadoras de um clima do que substantivas. Ele chama tudo isso — "escrito sob o signo da ambivalência ..., *in medias res* ..., visivelmente inacabado" — de colagem.[8] Como as caixas mágicas de Joseph Cornell, "a beleza encerrada dos encontros fortuitos —

uma pena, um rolamento, Lauren Bacall", ou como os hotéis parisienses *déclassés*, "lugares de coleção, justaposição, encontro apaixonado", de onde os surrealistas lançaram suas "estranhas e maravilhosas viagens urbanas", *Routes* "afirma uma relação entre elementos heterogêneos de um conjunto repleto de sentido, ... lut[a] por manter uma certa esperança e uma incerteza lúcida".[9]

Em suma: (1) Um peregrino romântico numa Expedição auto-avaliadora, confrontando-se com o Outro Radical nas profundezas da selva ("Eu estava realmente entre os selvagens", escreveu Clastres: "O imenso abismo entre nós ... fazia parecer impossível que viéssemos a compreender uns aos outros"),[10] e (2) um espectador reservado, a meia distância, movendo-se sem desenvoltura por um salão de espelhos pós-moderno ("Noite nas ruas apinhadas: fumaça das carrocinhas de comida, rapazes e moças de um clube de artes marciais a correr, um conjunto de jazz da Universidade do Havaí com um naipe inteiramente asiático de saxofones. ... Em câmera lenta, um prédio [iraquiano] implode.").[11] Os dois autores mal parecem pertencer ao mesmo universo, muito menos à mesma profissão.

No entanto, esses dois descritores do mundo, imaginadores do mundo, comparadores do mundo, de formações e compromissos diferentes, e com pouco ou nenhum conhecimento um do outro (Clastres morreu, aos quarenta e três anos, num acidente de automóvel em 1977, dois anos antes de Clifford começar a publicar; Clifford, apesar de todo o seu interesse pela antropologia francesa, nunca chega sequer a aludir a Clastres), conseguem entre si formular, nos termos mais rigorosos, a questão mais crucial que a antropologia cultural enfrenta nestes tempos pós-coloniais, pós-positivistas, pós-tudo. Esse é o valor, a viabilidade, a legitimidade e, portanto, o futuro da pesquisa de campo vernácula, localizada, de longo prazo e próxima — o que, a certa altura, Clifford chamou coloquialmente de "freqüentação intensa", e que Clastres exaltou em quase todas as páginas ("Bastava eu olhar para a vida cotidiana a meu redor: mesmo com um mínimo de atenção, sempre podia descobrir alguma coisa nova").[12]

Sem uma teoria-mestra, sem um objeto distinto e, agora que todos os nativos são cidadãos e os primitivos são minorias, sem ter sequer um nicho profissional estável e inconteste, a antropologia cultural depende mais de uma prática de pesquisa particular do que praticamente qualquer outra ciência, social ou natural, para ter identidade, autoridade e direito à atenção. Se o trabalho de campo continuar — ou, pelo menos, assim se teme, por um lado, e assim se espera, por outro —, a disciplina prosseguirá com ele.

Os "selvagens" remotos e indecifráveis de Clastres, encerrados num mundo de caça, violência, provações e animais demoníacos — "as metáforas fatais da floresta" — são, para falar a verdade, bem menos primitivos do que parecem à primeira vista.[13] Trata-se, a rigor, de refugiados que o governo paraguaio havia deslocado, dois anos e meio antes, para um posto comercial do Estado na orla da floresta — abatidos, desaculturados e "pacificados". Jogados ali com antigos inimigos (com quem selaram um "pacto de paz" quase caricato), ainda vagando pela floresta, vez por outra, para caçar, e informalmente supervisionados por um "protetor" paraguaio que lhes era muito mais solidário do que a maioria de seus compatriotas, que os viam como gado, eles estavam, por ocasião da chegada de Clastres, em franco e acelerado processo de extinção.

Quando ele se foi, os índios haviam-se reduzido dos cento e poucos originais para, no máximo, setenta e cinco. Cinco anos depois, embora ele não fosse vê-los durante uma visita ao Paraguai ("Não tive coragem. Que poderia encontrar lá?"), estavam reduzidos a menos de trinta.[14] Quando da morte de Clastres, haviam desaparecido por completo — "tragados pela doença e pela tuberculose, mortos por falta de cuidados adequados, por falta de tudo". No dizer dele, eles eram — em uma imagem obsedante —, como objetos não reclamados, bagagem abandonada. "Desoladoramente obrigados a deixar sua pré-história, tinham sido atirados numa história que nada tinha a ver com eles, exceto para destruí-los."

> Toda a empreitada (colonial) iniciada no século XV está chegando ao fim; um continente inteiro logo ficará livre de seus primeiros habitantes, e esta parte do globo poderá realmente proclamar-se um "Novo Mundo". "Tantas cidades arrasadas, tantas nações exterminadas, tantos povos eliminados ao fio da espada, e a mais rica e mais bela parte do mundo destruída em nome de pérolas e pimenta! Vitórias mecânicas." Foi nesses termos que Montaigne saudou a conquista da América pela Civilização Ocidental.[15]

Com base numa antropologia física improvisada e extremamente duvidosa, além de sumamente antiquada, Clastres viu os Guaiaqui como sendo, com toda a probabilidade, remanescentes dos primeiros habitantes humanos da região, talvez do continente inteiro. Embora sua cor variasse do "acobreado clássico dos índios, embora menos pronunciado, até o branco — não o branco rosado dos europeus, mas um branco opaco e acinzentado, como a pele cinzenta da pessoa doente", ele os chamou, como tinham feito os paraguaios e os espanhóis em épocas anteriores, de "índios brancos". E era assim que eles se viam: quando nascia uma criança inusitadamente morena, e portanto, amaldiçoada, sua avó era obrigada a estrangulá-la.

Qualquer que fosse sua cor, a maioria desses Guaiaqui "originais" foi morta ou assimilada, no decorrer de uma guerra de conquista dos Tupi-guarani "mongolóides" e intensamente militaristas, que chegaram depois, e que ainda são o principal grupo indígena da região. Os poucos que escaparam à simples aniquilação abandonaram o cultivo da terra, que praticavam há tanto tempo, e fugiram para as florestas, transformando-se em caçadores nômades — levados ao empobrecimento, ao exílio e à regressão cultural não (como noutras partes do continente) pelos europeus, que só começaram a atacá-los no século XVII, mas por outros índios. Assim, os Guaiaqui, primeiros dos primeiros habitantes, não eram apenas "selvagens". Eram os selvagens dos selvagens — vestígios esvaecentes do socialmente elementar:

> [Os Guarani] não conseguem aceitar as diferenças; impossibilitados de eliminá-las, tentam incluí-las num código conhecido, num conjunto tranqüilizador de símbolos. Para [os Guarani], os Guaiaqui não pertencem a uma cultura diferente, *porque não há possibilidade de existirem diferenças entre culturas*: eles estão fora da norma, fora do senso comum e acima da lei — são Selvagens. Até os deuses colocam-se contra eles. Toda civilização ... tem seus pagãos.[16]

Portanto, eram a "selvageria", ou seja, *la civilisation sauvage* e seu destino que mais interessavam a Clastres e, nesse aspecto, ele foi um estruturalista muito ortodoxo, embora nunca tenha usado esse termo ou empregado o vocabulário artificial do estruturalismo. Como seu mentor, de quem deveria ser o herdeiro, ele contrastou essas sociedades (que Lévi-Strauss chamava de "quentes"), apanhadas num processo implacável e interminável de mudança histórica, com as sociedades (chamadas "frias" por Lévi-Strauss) que se recusaram, de maneira inflexível e absoluta, a se tornarem parte desse processo, que lhe opuseram resistência e procuraram, no máximo com sucesso extremamente temporário, manter suas culturas estáticas, livres, comunais e não deturpadas.

> "Não existem adultos", escreveu alguém recentemente [na verdade, tratava-se do paladino de *la civilisation civilisée*, André Malraux, como Clastres sabia e presumia que seus leitores soubessem]. Essa é uma observação estranha a fazer em nossa civilização, que se orgulha de ser a epítome da maturidade. Mas, justamente por isso, talvez seja verdadeira, ao menos em relação a nosso mundo. É que, quando pomos o pé fora de nossas fronteiras, o que é válido para nós, na Europa, deixa de ter validade. Nós mesmos talvez nunca nos tornemos adultos, mas isso não significa que não haja adultos noutros lugares. A questão é: qual é a fronteira visível de nossa cultura, em que etapa do caminho atingimos o limite de nossos domínios, onde existem coisas diferentes e começam os novos significados? Não se trata de uma pergunta retórica, pois podemos situar a resposta num tempo e num lugar definidos. ... A resposta veio no fim do século XV, quando Cristóvão Colombo descobriu os povos de além-mar — os selvagens da América.
>
> Nas Ilhas, no México de Montezuma e nas praias do Brasil, os homens brancos cruzaram pela primeira vez o limite absoluto de seu mundo, um limite

que identificaram imediatamente como a linha divisória entre a civilização e a barbárie ... Os indígenas representaram tudo o que era estranho ao Ocidente. Eram o Outro, e o Ocidente não hesitou em aniquilá-los. ... Todos eram habitantes de um mundo que já não se destinava a eles: os esquimós, os bosquímanos, os australianos. É provável que seja cedo demais para avaliarmos as conseqüências mais importantes desse encontro. Ele foi fatal para os índios; mas, por uma estranha reviravolta do destino, talvez também venha a se revelar a causa da morte inesperada de nossa própria história, da história do mundo em sua forma atual.[17]

Foi para registrar, com detalhes tão delicados e pormenorizados quanto possível (embora nem sempre fique claro se ele está descrevendo algo que viu, algo de que apenas ouviu falar, ou algo que presume ser verdade), as crenças e práticas que compunham a vida dos Guaiaqui — os mitos do jaguar e as provações das etapas de vida, as guerras inconcludentes e não direcionadas, e a natureza impotente e efêmera da liderança — que Clastres escreveu seu livro. Em termos mais exatos, ele o escreveu para expor a nós, que nunca poderemos encontrar pessoalmente esses adultos selvagens como ele o fez, a lógica dessa vida — canibalismo, infanticídio, pênis de anta e tudo o mais — e sua beleza moral:

> De minha parte, quero sobretudo lembrar a devoção [dos Guaiaqui], a gravidade de sua presença no mundo das coisas e no mundo dos seres. Frisar sua fidelidade exemplar a um saber antiqüíssimo, que nossa violência selvagem desperdiçou num só instante. ... Será absurdo disparar flechas contra a lua nova, quando ela desliza por entre o arvoredo? Não para [os Guaiaqui]: eles sabiam que a lua estava viva e que seu aparecimento no céu faria as [mulheres] derramarem o sangue menstrual, que trazia ... má sorte para os caçadores. Eles se vingavam, porque o mundo não é inerte e a pessoa tem que se defender. ... Durante muitos séculos, [eles] mantiveram tenazmente sua vida furtiva e tímida de nômades na vida secreta da floresta. Mas esse refúgio foi violado, e foi como que um sacrilégio.[18]

Como quer que tenha sido, sacrilégio, conquista ou a mania moderna de mudança e progresso, eles não tiveram alternativa. "Não havia nada a fazer. ... Havia morte em suas almas. ... Estava tudo acabado."[19]

Embora Clifford compartilhe da feroz hostilidade de Clastres ao "globalismo", aos "imperialismos", à "hegemonia ocidental", ao "neoliberalismo feroz", à "transformação de tudo em mercadoria", aos "permanentes desequilíbrios de poder das relações de contato", às "hierarquias de casta e de classe" e, é claro, ao "racismo" (para usarmos as expressões de Clifford, mais em dia com a moda, se bem que menos eloqüentes), e compartilhe também de sua simpatia pelos "dominados", pelos "vistos como exóticos", "explorados" e "marginalizados", ele definitivamente não partilha da crença de Clastres na imersão total no simples e no distante como via real para o resgate das *formes élémentaires de la vie sociale.* Ao contrário, encara sua missão como sendo a de "proferir uma crítica rigorosa [da] clássica busca — 'exotista, antropológica e orientalista' — de 'tipos culturais, aldeões ou nativos' reveladores, de 'epítome[s] condensada[s] de totalidades sociais'". O que corresponde, é claro, exatamente ao que Clastres estava tentando fazer com tanta paixão: chegar ao fundo das coisas, examinando de perto e pessoalmente um punhado de índios massacrados e impotentes, como bagagem não reclamada.

Clifford, que não está muito interessado no fundo das coisas, diz que quer apenas retirar o que chama de "o habitus do trabalho de campo" — "um sujeito sem gênero, sem raça e sexualmente inativo, [que interage] intensamente (no mínimo nos planos hermenêutico/científico) com seus interlocutores" — de sua posição de característica definidora da "verdadeira antropologia" e dos "verdadeiros antropólogos". Ele quer reduzir a "função autorizadora" de entrada nas florestas, desconstruir o "poder normativo" de viver entre pessoas que atiram flechas na lua. Mas fica claro que tem em mente um objetivo bem maior e mais radical do que sugere essa conhecida e cansativa construção de slogans. Ele está decidido a libertar a antropologia de seu provincianismo de Primeiro Mundo, de seu passado comprometido e de suas ilusões epistemológicas — para lançá-la com vigor "em direções pós-exotizantes e pós-coloniais".

> O trabalho intensivo de campo não produz uma compreensão privilegiada ou completa. Tampouco o faz o conhecimento cultural de autoridades indígenas, de "pessoas de dentro". Estamos diferentemente situados, como habitantes e viajantes de nossos "campos" desimpedidos de conhecimento. Será essa multiplicidade de localizações apenas mais um sintoma da fragmentação pós-moderna? Pode ela ser coletivamente moldada em algo mais substancial? Pode a antropologia ser reinventada como um fórum de trabalhos de campo de rotas variadas — um lugar em que diferentes saberes contextuais travem um diálogo crítico e uma polêmica respeitosa? Pode a antropologia promover uma crítica da dominação cultural que se estenda a seus próprios protocolos de pesquisa? A resposta não é clara: ainda restam poderosas forças centralizadoras, recém-flexibilizadas.[20]

As perambulações de Clifford por museus, exposições, armadilhas para turistas, parques do patrimônio cultural e similares são menos informais e inocentes do que parecem. Destinam-se a acelerar um redirecionamento, um "re-enraizamento" da pesquisa antropológica: a afastá-la das descrições estáticas de alta resolução de tal ou qual povo, em tal ou qual lugar, vivendo de tal ou qual maneira, no estilo de Clastres, e fazê-la voltar-se para narrativas desarticuladas e "descentradas" de povos, modos de vida e produtos culturais em movimento — viajando, misturando-se, improvisando, entrando em choque, lutando pela expressão e pela dominação. Esses espaços, eventos, locais ou ambientes são aquilo a que ele pretende referir-se — tomando emprestado um termo de *Imperial Eyes*, um estudo de textos de viagens coloniais feito por Mary Louise Pratt — como "zonas de contato".[21]

Uma zona de contato, nas palavras de Pratt (citadas por Clifford), é "o espaço em que pessoas geográfica e historicamente separadas entram em contato recíproco e estabelecem relações permanentes, que em geral envolvem condições de coerção, desigualdade radical e conflitos renitentes". Esta noção enfatiza, no dizer da autora, "como os sujeitos se constituem em suas relações recíprocas", frisando a "co-presença, a interação, as compreensões e práticas entrelaçadas ... em relações de poder radicalmente assimétricas".[22] Ver por essa perspectiva o tipo de instituições pelas quais Clifford se interessa, lugares de exposição e comemoração culturais, é vê-las como arenas políticas — "conjunto(s) de intercâmbio carregados de poder, de pressões e influências". Nessas arenas, nessas colagens repletas de conseqüências, nessas caixas mágicas da vida real, a antropologia errante e livre de Clifford encontra seu "campo".

Entre os textos reunidos em *Routes*, a maioria dos quais parece absolutamente efêmera, isso talvez fique melhor demonstrado no que se intitula "Quatro museus da costa noroeste", que é uma comparação não apenas dos museus como tais, dois nacionais e majoritários, dois tribais e oposicionistas, mas também de suas abordagens contrastantes do acervo e da exposição de artefatos indígenas; e talvez transpareça de maneira ainda mais eficaz no ensaio intitulado "Meditação do Forte Ross", que é um retrato sumamente original e poderoso, se bem que um tanto tortuoso, do Pacífico Norte — Sibéria, Alasca e costa do Pacífico — como "zona de contato regional". "A América russa foi uma extensão da Sibéria." "No Forte Ross, ... a história 'ocidental' chega pelo lado errado."[23]

O tempo todo, no entanto, mesmo nos textos menos substanciais e mais descartáveis, e a despeito de sua fachada cortês de *noli me tangere*, a seriedade moral do trabalho de Clifford, sua preocupação pessoal com o futuro humano e com o lugar dos despossuídos dentro dele, manifesta-se com a mesma intensidade, clareza e persistência do trabalho de Clastres, com sua voz profética mais *mano a mano*:

> No Forte Ross espero vislumbrar minha própria história em relação a outras, numa zona de contato regional. ... Situadas na orla do Pacífico, meu lar por dezoito anos, as histórias oitocentistas do forte, vistas de um *fin-de-siècle* incerto, talvez proporcionem "profundeza" suficiente para darmos sentido a um futuro, a alguns futuros possíveis. ... A história é pensada em lugares diferentes, dentro de uma dinâmica global inacabada. Onde estamos nós nesse processo? Será tarde de-

> mais para reconhecermos "nossas" diversas trajetórias para e pela modernidade? Ou será cedo demais? ... De repente, o milênio afigura-se um começo.[24]

Portanto: aproximação *versus* recuo, empirismo confiante *versus* "incerteza lúcida", os imediatismos do local *versus* as refrações do descentrado, a estabilidade insular (e condenada) *versus* a comoção global (e estimulante). Essas talvez sejam oposições binárias meio toscas, e, nessa matéria, não existem tipos puros. Mas, para os adeptos do especial, do singular, do diferente e do concreto — ou seja, entre outros, os antropólogos —, elas captam bastante bem a pergunta aqui formulada: como devemos agora exercer nosso ofício?

A maneira já pronta de lidar com tudo isso seria ver Clastres como a voz nostálgica de um passado extinto e esgotado, tanto profissional quanto real — obsoleto, como a famosa caracterização lévi-straussiana dos trópicos —, e ver Clifford como um homem que tem o futuro nos ossos, concebendo uma antropologia para uma era vindoura de interligação global, movimento, instabilidade, hibridismo e política anti-hegemônica dispersa. Mas isso dificilmente bastaria. A escolha não se dá entre lamentar o passado e abraçar o futuro. Tampouco está entre o antropólogo como herói e como o próprio modelo do general-de-brigada pós-moderno. Ela está entre, de um lado, sustentar uma tradição de pesquisa sobre a qual se erigiu uma disciplina "inexata" e parcialmente formada, talvez, mas moralmente essencial, e, de outro, "deslocar", "reelaborar", "renegociar", "reimaginar" ou "reinventar" essa tradição, em favor de uma abordagem mais "multiplamente centrada", "pluralista" e "dialógica", que veja como uma espécie de relíquia colonial o bisbilhotar a vida de pessoas que não estão em condição de bisbilhotar a nossa.

No que fizeram até agora os partidários de uma antropologia em que o trabalho de campo desempenha um papel muito reduzido ou transformado — um grupo atuante e crescente, do qual Clifford é apenas um dos membros mais destacados —, há muito pouco a sugerir que eles representem a onda do futuro.[25] É verdade que o primitivismo rousseauniano de Clastres, a visão de que os "selvagens" são radicalmente diferentes de nós, mais autênticos do que nós, moralmente superiores a nós, e de que só precisam ser protegidos, presumivelmente por nós, de nossa ganância e crueldade, não está, salvo por alguns entusiastas da Nova Era, muito prestigiado hoje em dia. (Clastres escreveu outro livro antes de morrer, *A sociedade contra o Estado*, no qual desenvolveu em termos mais explícitos, para não dizer polêmicos, algumas das idéias expostas na *Crônica*, mas essa obra não recebeu muita atenção.)[26] Nem mesmo os que tentam desesperadamente proteger povos como os Guaiaqui contra a exploração ocidental estão tentando cristalizar suas culturas no tempo ou preservar suas sociedades em alfazema; estão tentando dar-lhes voz em seu futuro próprio, certamente não tradicional. Mas, se o tipo de pesquisa ambulante e a meia distância que Clifford pratica e recomenda constitui um avanço em relação ao tipo praticado com tamanha devoção por Clastres, no estilo intimista e persistente, está longe de ser algo que saibamos com certeza.

Routes, que Clifford diz ser uma extensão de *The Predicament of Culture*, seu livro anterior, muito louvado e muito ridicularizado (aliás, um livro mais forte, menos desconexo e mais bem escrito do que *Routes*), parece mostrar um caráter hesitante e gaguejante (que posso dizer, como posso dizê-lo e que direito tenho de dizê-lo?) que não é inteiramente atribuível a sua natureza exploratória e inacabada.[27] Clastres, fossem quais fossem sua ortodoxia e seu temperamento decidido, sabia aonde estava indo e chegou lá. Clifford, quaisquer que sejam sua originalidade e sua disposição de experimentar, parece bloqueado, vacilante, atrapalhado em busca de uma direção. Talvez seja cedo demais para trocar as raízes pelas rotas.

História e antropologia

Ouvem-se falar muitas coisas hoje em dia — algumas esperançosas, muitas céticas e quase todas nervosas — sobre o suposto impacto da Ciência da Antropologia sobre a Disciplina da História. Os textos das publicações eruditas examinam o problema com uma ponderação inútil: por um lado, sim, por outro, não; é preciso cear com o diabo usando talheres compridos. Os artigos da imprensa popular dramatizam-no como a última novidade no front acadêmico: departamentos "quentes" e "frios"; serão as datas uma preocupação datada? Os tradicionalistas ultrajados (não parece existir outro tipo) escrevem livros dizendo que isso significa o fim da história política tal como a conhecemos, e portanto, o fim da razão, da liberdade, das notas de rodapé e da civilização. Convocam-se simpósios, dão-se cursos e se proferem palestras para tentar dissecar o assunto. Parece que está havendo uma briga. Mas é um bocado difícil saber exatamente a que diz respeito uma gritaria na rua.

Uma das coisas a que ela pode se referir são o Espaço e o Tempo. Parece haver alguns historiadores, cuja educação antropológica terminou em Malinowski ou começou por Lévi-Strauss, que acham que os antropólogos, indiferentes à mudança ou hostis a ela, apresentam imagens estáticas de sociedades imóveis, espalhadas por cantos longínquos do mundo habitado, e há antropólogos cuja idéia da história é mais ou menos a de Barbara Tuchman, e que acham que a atividade dos historiadores consiste em contar histórias admonitórias, do tipo "e aí", sobre este ou aquele episódio da Civilização Ocidental:

"romances verdadeiros" (na expressão de Paul Veyne) destinados a nos fazer enfrentar — ou desafiar — os fatos.

Outra coisa a que a briga pode se referir são o Grande e o Pequeno. O pendor dos historiadores para os grandes movimentos do pensamento e da ação — a Ascensão do Capitalismo, a Queda de Roma — e o dos antropólogos para o estudo de pequenas comunidades bem delimitadas — o Mundo Tewa (*qual?*), o Povo de Alor (*quem?*) — levam os historiadores a acusarem os antropólogos de gostarem de minudências, de se atolarem nos detalhes do obscuro e do sem importância, e levam os antropólogos a acusarem os historiadores de esquematismo, de perderem o contato com os dados imediatos e as complexidades, de não terem "sensibilidade" (como gostam de dizer, considerando-se possuidores dela) para a vida real. Como muralistas e miniaturistas, eles têm certa dificuldade de perceber mutuamente o que cada um vê nas perfeições diminutas ou nos desenhos grandiosos.

Ou talvez a briga se refira a Alto e Baixo, Mortos e Vivos, Escrito e Oral, Particular e Geral, Descrição e Explicação, ou Arte e Ciência. A história sente-se ameaçada (segundo se ouve dizer) pela ênfase antropológica no mundano, no comum, no corriqueiro, que a afasta das forças que realmente movem o mundo — Reis, Pensadores, Ideologias, Preços, Classes e Revoluções — e a leva a obsessões inversas com algazarras, dotes, massacres de gatos, brigas de galo e histórias de moleiros, que só fazem levar os leitores e eles mesmos ao relativismo. O estudo de sociedades vivas, segundo se afirma, leva a uma concentração no presente, a instantâneos do passado entendidos como nós quando éramos moços ("O mundo que perdemos", "A queda do homem público"), e à interpretação ilegítima dos contemporâneos como ancestrais (os sistemas de troca *kula* na Grécia homérica, a monarquia ritualista em Versalhes). Os antropólogos queixam-se de que a dependência dos historiadores nos documentos escritos os torna presa de relatos elitistas e convencionalismos literários. Os historiadores reclamam que a confiança dos antropólogos no testemunho oral os torna presa de tradições inventadas e da fragilidade da memória. Supõe-se que os historiadores sejam arrebatados pela "excitação de aprender coisas singulares", e os antropólogos, pelo deleite da construção de sistemas, uns afundando o indivíduo atuante no rápido suceder de acontecimentos superficiais, outros dissolvendo por completo a individualidade nas estruturas profundas da existência coletiva. A sociologia, diz Veyne, referindo-se com isso a qualquer esforço de discernir princípios constantes na vida humana, é uma ciência cuja primeira linha não foi nem jamais será escrita. A história, diz Lévi-Strauss, referindo-se com isso a qualquer tentativa de entender seqüencialmente essa vida, é uma carreira excelente, desde que ao final se saia dela.

Se é realmente a isso que se refere a discussão, a esse espancamento metodológico em meio às grandes dicotomias da metafísica ocidental, o Ser e o Devir revisitados, não vale a pena levá-la adiante. Já faz um bom tempo que os estereótipos do historiador como memorialista da humanidade ou do antropólogo como explorador das formas elementares do elementar deixaram de ter grande aceitação. Sem dúvida restam exemplos de ambos, mas, nos dois campos, a verdadeira ação (e o verdadeiro divisor) está em outro lugar. Há tanta coisa separando quanto unindo, digamos, Michel Foucault e Lawrence Stone, Carl Schorske e Richard Cobb; e há tanta coisa ligando quanto separando, digamos, Keith Thomas e Mary Douglas, Fernand Braudel e Eric Wolf.

O movimento centrífugo — qualquer tempo exceto agora, qualquer lugar exceto aqui — que ainda marca as duas iniciativas, sua preocupação com o que veio recentemente a se chamar "O Outro", com maiúsculas pós-modernas e trêmulas aspas estruturalistas, garante uma certa afinidade eletiva entre elas. Tentar compreender pessoas em posições muito diferentes das nossas, encerradas em condições materiais diferentes, movidas por ambições diferentes e tomadas por idéias diferentes do que é a vida cria problemas muito semelhantes, quer as condições, as ambições e as idéias sejam as da Liga Hanseática, as das ilhas Salomão, as do conde-duque de Olivares ou as dos Filhos de Sanchez. Lidar com um mundo noutro lugar dá mais ou menos na mesma quando esse outro lugar fica há muito tempo ou muito longe daqui.

Todavia, como mostra a irreversibilidade do slogan comumente usado para expressar essa visão — "o passado é outro país", de L.P. Hartley — (já que outro país definitivamente *não* é o passado), a questão é muito mais complexa; a equivalência da distância cultural entre, digamos, nós e os francos e nós e os nigerianos é bem menos do que perfeita, sobretudo uma vez que, hoje em dia, pode haver um nigeriano morando ali na esquina. Na verdade, nem mesmo o "nós", o "self" que busca essa compreensão do "Outro", é exatamente a mesma coisa aqui, e é isso que explica, a meu ver, o interesse de historiadores e antropólogos pelo trabalho uns dos outros, bem como os receios que surgem quando esse interesse é levado adiante. O "nós", assim como o "eles", significam coisas diferentes para quem olha para trás e para quem olha para os lados, problema este que não se torna propriamente mais fácil quando, como vem acontecendo com freqüência cada vez maior, alguém tenta fazer as duas coisas.

A principal diferença é que, quando "nós" olhamos para trás, "o Outro" se nos afigura ancestral. Foi aquele que de algum modo levou, não importa quão errantemente, à maneira como vivemos hoje. Mas, quando olhamos para os lados, isso não acontece. A burocracia, o pragmatismo ou a ciência da China podem lembrar-nos vivamente os nossos, mas, na verdade, trata-se de um outro país, com uma alteridade que não se encontra nem mesmo na Grécia de Homero, com seus deuses adúlteros, suas guerras pessoais e suas mortes pomposas — os quais nos fazem lembrar sobretudo como nossa mentalidade mudou. Para a imaginação histórica, o "nós" é um momento em uma genealogia cultural, e o "aqui" é uma herança. Para a imaginação antropológica, o "nós" é um verbete num dicionário geográfico cultural, e o "aqui" é nossa casa.

Esses, pelo menos, têm sido os ideais profissionais, e, até época bem recente, também aproximações razoáveis da realidade. O que os minou progressivamente como ideais e como realidades, e que suscitou toda a angústia, não foi uma mera confusão intelectual, uma diminuição da fidelidade disciplinar ou um declínio da erudição. Na maioria dos casos, tampouco o "modismo" — esse portentoso pecado que os conservadores acadêmicos atribuem a qualquer coisa que lhes sugira que eles poderiam ter idéias diferentes das que já tiveram — desempenhou um grande papel. O que os minou foi uma mudança na ecologia do saber, que levou historiadores e antropólogos, como bandos de gansos migratórios, para os territórios uns dos outros: um colapso da dispersão natural dos reservatórios de alimentos, que deixou a França para uns e Samoa para os outros.

Hoje em dia, isso pode ser visto por toda parte: na maior atenção dedicada pelos historiadores ocidentais à história não ocidental, e não apenas à do Egito, da China, da Índia e do Japão, mas à do Congo, dos iroqueses e de Madagascar, como fenômenos autônomos, e não meros episódios na expansão da Europa; no interesse antropológico pelos vilarejos ingleses, pelos mercados franceses, pelas cooperativas russas ou pelas escolas secundárias norte-americanas, e pelas minorias de todos eles; nos estudos da evolução da arquitetura colonial na Índia, na Indonésia ou na África setentrional como representações de poder; nas análises da construção de um sentimento (ou sentimentos) do passado no Caribe, no Himalaia, no Sri Lanka ou no arquipélago havaiano. Antropólogos norte-americanos escrevem a história das guerras das ilhas Fiji, enquanto historiadores ingleses escrevem a etnografia de cultos ao imperador romano. Livros intitulados *Antropologia histórica da Itália do início da era moderna* (de um historiador) ou *Ilhas da história* (de um antropólogo), *A Europa e o povo sem história* (de um antropólogo) ou *Rebeldes primitivos* (de um historiador) parecem perfeitamente normais. O mesmo acontece com um livro intitulado *Anthropologie der Erkenntnis*, cujo tema é a evolução intelectual da ciência do Ocidente.[28] Todos parecem estar-se metendo na seara alheia.

Como de praxe, pode-se apreender com mais segurança em que resultam essas mudanças de direção do interesse, na prática, examinando alguns trabalhos que vêm sendo realizados de verdade — gansos reais, alimentos reais. Nas ciências humanas, as discussões metodológicas conduzidas em termos de posições gerais e princípios abstratos são basicamente inúteis. Salvo, quem sabe, algumas possíveis exceções (talvez Durkheim, talvez Collingwood), essas discussões levam sobretudo a briguinhas intramuros sobre a maneira certa de fazer as coisas e sobre os resultados terríveis ("relativismo", "reducionismo", "positivismo", "niilismo") que advêm de elas não serem feitas dessa maneira, por maldade ou ignorância. Os trabalhos metodológicos de peso na história e na antropologia — *Os dois corpos do rei*, *A formação da classe trabalhadora inglesa*, ou *A estrutura das revoluções científicas*; *A organização social dos pueblos ocidentais*, *Comércio e mercados nos impérios antigos*, ou *A floresta de símbolos* — tendem a ser, ao mesmo tempo, trabalhos empíricos de peso, o que talvez constitua uma das características mais profundas que, atravessando divisores de metas e de temas, mais unem esses dois campos.[29]

Tomarei como exemplos, portanto, dois corpos de trabalhos de tamanho moderado. O primeiro é o de um conjunto pequeno e bastante definível de historiadores sociais que, envolvendo-se com idéias antropológicas e material antropológico, descobriram-se cada vez mais arrastados para as trevas que atormentam essa disciplina. O segundo é o de um número bem maior de historiadores e antropólogos que, havendo descoberto um interesse comum que não sabiam ter, produziram uma série de escritos não padronizados, impregnados de debates incertos. O primeiro, ao qual me referirei como Grupo de Melbourne, sobretudo por seus protagonistas serem de Melbourne e formarem um grupo, fornece uma bela progressão de exemplos do *continuum* entre a história antropologizada e a antropologia historicizada; o outro, ao qual me referirei como Construção Simbólica do Estado, por ser isso que debatem seus debatedores, fornece um exemplo bem definido do que acontece quando historiadores e antropólogos tentam, explicitamente, coordenar seus esforços com respeito a um tema que é tradicional para ambos. Trata-se apenas de amostras parciais e bastante arbitrárias, e ainda por cima esquemáticas, do que vem acontecendo hoje nos tipos de estudo que olham para trás e que olham para os lados. Mas elas revelam um pouco da promessa oferecida, das dificuldades encontradas e das realizações já computadas.

Os membros do Grupo de Melbourne de que vou tratar (parece haver outros, cujo trabalho não conheço) são Rhys Isaac, cujo *Transformação da Virgínia* é um estudo sobre as vicissitudes da cultura colonial a caminho da revolução; Inga Clendinnen, cujo *Conquistas ambivalentes* é uma análise do encontro das formas de vida espanhola e indígena na península de Yucatán, em meados do século XVI; e Greg Dening, cujo *Ilhas e praias* procura mapear a destruição da sociedade das ilhas Marquesas sob o impacto das invasões ocidentais que sofreram a partir de 1770.[30] Três lugares, três épocas, um só problema: o desequilíbrio de formas estabelecidas de ser/estar no mundo.

Esse paradigma, se é nisso que ele consiste, evidencia-se da maneira mais clara no livro de Isaac, porque ele divide seu trabalho em duas partes aproximadamente iguais, uma estática, uma dinâmica. A primeira, chamada "Estilos de vida tradicionais", expõe de maneira sincrônica, através de instantâneos, os contornos da cultura dominada por grandes fazendas até cerca de 1750 ou 1760 — uma ordem social que não deixava de apresentar tensões internas ou direções de mudança endógenas, mas que estava essencialmente em equilíbrio. A segunda, chamada "Movimentos e eventos", narra o transtorno dessa ordem estabelecida pelo aparecimento de elementos — em especial o cristianismo evangélico e, por volta de 1776, o nacionalismo norte-americano — que suas hierarquias simples não tinham possibilidade de conter. É a imagem, portanto, de um cosmo social — a Vida nas Plantações, com tudo o que ela abarcava (casas de campo, corridas de cavalos, o dia de sessão no tribunal, a escravidão patriarcal, a dança formal e o campo de recrutamento militar) —, desintegrando-se nas fissuras nele induzidas por "pregadores [nortistas] de expressão severa", Novos Luminares e outros que agitavam o populacho, e por "republicanos [sulistas] facciosos", Patrick Henry e outros, passando sermões na elite: "[Os] grandes homens [ergueram] belos tribunais e igrejas de tijolos como emblemas da dominação que almejavam exercer e da divindade que legitimava essa dominação ... Em menos de meio século de sua aparente consolidação, o sistema [foi] derrubado."[31]

Essa imagem das maltrapilhas Forças da História destroçando os cristalinos Padrões da Cultura, primeiro o consenso, depois o dissenso, possibilita uma abordagem bastante direta para distinguir o dicionário geográfico da genealogia, como referenciais para relacionar uma sociedade distante com a nossa. O primeiro entra na primeira parte, construindo a imagem, o segundo entra na segunda, explicando sua transitoriedade. A Antropologia fica com o quadro, a História, com o drama; a Antropologia, com as formas, a História, com as causas.

Ao menos em parte pelo mesmo impulso — o desejo de distinguir acontecimentos provenientes de diferenças de visão de diferenças de visão provenientes de acontecimentos —, também Clendinnen divide seu livro em duas partes dialéticas mais ou menos do mesmo tamanho. No caso dela, porém, a divisão não é entre o que é movido e o que move; é entre dois povos — um deles, um grupo de exploradores culturais muito longe de casa, outro, uma fortaleza cultural profundamente *in situ* —, aprisionados num encontro que nenhum dos dois conseguiu realmente entender.

Assim, as duas partes de seu livro são simplesmente chamadas de "Espanhóis" e "Índios", e há o mesmo tipo de distribuição, embora bem menos radical, de narrativa histórica numa parte e retrato etnográfico na outra. Nesse caso, porém, a ordem se inverte: o drama vem antes do quadro, a ruptura antes do que foi rompido. Na parte "espanhola", inicial, os atores históricos — "exploradores", "conquistadores", "colonos" e "missionários" — são apresentados, fazendo-se a crônica de suas façanhas e explorações, bem como dos conflitos entre eles, da crise por que passaram suas empresas, do mundo mental em que eles funcionavam e do desfecho final: a consolidação do poder espanhol. Na parte "indígena", a segunda, uma imagem da sociedade maia e das paixões que a moviam — estoicismo, cosmografia, sacrifício humano — é delicadamente reconstruída, a partir do que se admite ser um registro nativo frágil e fragmentado.

Por conseguinte, a história que o livro tem para contar (ou a imagem que tem a apresentar) não é a de uma ordem social consensual, forçada à conturbação pela entrada de homens desordeiros e de idéias antagônicas em seu cenário público, mas a de uma profunda descontinuidade cultural entre os que se intrometem e os que sofrem a intromissão, descontinuidade esta que só faz aprofundar-se mais à medida que suas relações se intensificam. A familiaridade gera incompreensão: para os espanhóis, tomados pela "extraordinária convicção européia de seu direito de se apropriarem do mundo", os maias afiguram-se cada vez mais inatingíveis, quanto maior é sua aproximação deles; para os maias, "objetos e vítimas da construção espanhola do mundo", os espanhóis se afiguram cada vez menos assimiláveis, quanto mais se entrincheiram. Tudo acaba num terrível "salão de espelhos", encharcado de sangue — açoitamentos clericais e crucificações populares: "O produto da lastimável confusão que assalta os homens quando eles não compreendem a fala uns dos outros e julgam mais fácil transformá-los em monstros conhecidos do que reconhecê-los como diferentes."[32] Uma tragédia antropológica com uma trama histórica.

Dening também divide seu livro ao meio, colocando o que os historiadores chamariam de enredo numa parte e o que os antropólogos chamariam de análise na outra. Só que ele o faz, por assim dizer, ao comprido. A cada capítulo substantivo sobre tal ou qual fase do encontro de 160 anos entre europeus e marquesinos ("Navios e homens", "Vagabundos de praia", "Padres e profetas", "Capitães e reis") ele anexa um capítulo intercalado, voltado para o assunto e intitulado "Reflexão" ("Sobre o modelo e a metáfora", "Dos ritos de passagem", "Das fronteiras", "Da mudança religiosa", "Sobre a dominação", "Sobre o ato civilizador"), que expõe um conjunto mais ou menos sistemático de idéias para interpretar o que acaba de ser relatado. O movimento do texto, nesse caso, é menos entre o que havia e o que lhe aconteceu, como em Isaac, ou entre sensibilidades incomensuráveis, como em Clendinnen, do que entre estilos alternativos de tornar essas questões — a mutação cultural e a não conexão cultural — inteligíveis como um todo. Embora tenha começado e terminado como historiador, Dening fez um doutorado em antropologia nesse ínterim e se dedica a uma empreitada meio excêntrica para ambos os campos: a redação, no dizer dele, de um "discurso sobre uma terra silenciosa".

Silenciosa porque, diversamente dos fazendeiros da Virgínia, de cuja visão persistem ecos até hoje, nem que seja como reivindicações sociais e fantasias ancestrais, ou dos indígenas maias, de cuja civilização restam fragmentos que persistem como tradições populares por sob a personalidade hispânica do México moderno, os marquesinos como marquesinos simplesmente não existem mais: "A morte [os carregou] ... antes que tivessem tempo ou vontade de fazer qualquer adaptação cultural a seu ambiente modificado."[33] Há pessoas vivendo nas ilhas Marquesas, é claro, ao menos algumas das quais são descendentes físicos dos que ali viveram antes da chegada dos capitães, dos padres e dos vagabundos de praia, mas elas foram "despojadas", tiveram rompida a sua história e foram transformadas em "ilhéus do Pacífico", generalizados e indefinidos:

> O passado de todos [dos europeus e dos marquesinos] morreu. Os acontecimentos só acontecem uma vez. Os atos desaparecem com sua execução. Somente a história do passado tem certa permanência, nas formas como a consciência é preservada na escrita, na memória ou nos pressupostos de cada ato social. Mas, para [os marquesinos], até sua história está morta. Toda a história que lhes restou ... vincula-os àqueles cuja intromissão em sua terra lhes causou a morte. Acontecimentos, atos, instituições e papéis transformam-se em história ao serem traduzidos em palavras. No caso [dos marquesinos], essas palavras são as [dos europeus] em sua descrição da terra. Nem mesmo as próprias palavras [dos marquesinos] sobre sua vida, coligidas em lendas ou até em dicionários, conseguem escapar a essa realidade fundamental. Não restou uma só lenda ou genealogia que não tenha sido compilada muitos anos depois da intromissão [dos europeus]. Elas pertencem à época em que foram escritas.[34]

Os responsáveis pelas compilações tardias e pelos registros expropriadores, posto tratar-se de uma população de "primitivos", foram sobretudo antropólogos, embora alguns excêntricos, como o efusivo vagabundo de praia Herman Melville, também se tenham envolvido. Todos os etnógrafos clássicos do lugar, aqueles através de quem sabemos a maior parte do que sabemos sobre a sociedade marquesina naquele *illo tempore*, "o presente etnográfico" — Karl von Steinem, E.S.C. Handy e Ralph Linton —, chegaram às ilhas muito depois de os marinheiros, comerciantes, missionários e vagabundos ocidentais terem feito seu trabalho civilizador ou descivilizador. (*A cultura nativa das ilhas Marquesas*, de Handy, livro em que se pautaram "praticamente todos os modelos da [sociedade indígena marquesina que] foram construídos", só foi publicado em 1923.)[35] O resultado é que a "cultura marquesina" tornou-se uma realidade ocidental, não mais das ilhas Marquesas.

> [H]ouve época em que as lendas [dos marquesinos], suas genealogias e a própria continuidade de sua cultura viva mantinham-nos conscientes de seu passado, diziam-lhes como devia ser seu mundo. Até destas eles foram despojados. Tal como seus artefatos materiais, seus costumes e estilos de vida foram transformados em artefatos culturais [europeus]. Sua cultura viva morreu e foi ressuscitada como uma curiosidade e um problema a respeito de coisas como o canibalismo ou a poliandria. ... Todas as [suas] palavras, [sua] consciência e [seu] saber foram arrancados [das ilhas] e postos a serviço não da continuidade ou da identidade [dos marquesinos], mas do entretenimento, da instrução e da edificação dos forasteiros. A vida [dos marquesinos] deixou de ser parte de seu discurso com eles mesmos [o qual, é claro, ao contrário do dos virginianos ou dos maias, era totalmente não escrito] e, em vez disso, tornou-se parte do discurso [europeu].[36]

Deslocamo-nos (no plano lógico, não cronológico, já que o livro de Dening foi o primeiro dos três e o de Clendinnen, o mais recente) da Antropologia como situação sobre a qual a História age, passando pela Antropologia como a selva em que a História tropeça, para a Antropologia como o túmulo em que a História é sepultada.

Vistos em conjunto, esses três livros sugerem que a junção da História e da Antropologia não é uma questão de fundir dois campos acadêmicos num novo Isto ou Aquilo, mas de redefini-los em termos um do outro, administrando suas relações dentro dos limites de um estudo particular: as táticas textuais. Que realmente não bastará, no final das contas, separar as coisas no que é movido e no que move, no que vitima e no que é vitimado, ou no que aconteceu e no que podemos dizer sobre o que aconteceu, não vem ao caso. No final, nada será de fato suficiente, e acreditar noutra coisa só fará produzir monstros. É em esforços como esses, e noutros que empregam outros ritmos e outras distinções, que se descobrirá o que, além da polêmica e da imitação, esse tipo de trabalho tem a oferecer (inclusive, desconfio, uma crítica de ambos os campos).

Meu segundo exemplo das relações entre história e antropologia em ação é de tipo bem diferente — não um ziguezaguear deliberado entre modalidades variantes de discurso, mas uma convergência não intencional e quase fortuita das duas para um interesse comum: o enredamento do sentido no poder. Pelo menos desde a época em que Burckhardt chamou o Estado renascentista de "obra de arte", em que Kantorowicz começou a falar da "teologia política medieval" ou em que Bagehot notou que a Grã-Bretanha era dirigida por "uma viúva idosa e um jovem desempregado", os historiadores têm-se interessado cada vez mais pelo papel das formas simbólicas no desenvolvimento e no funcionamento — na construção, se preferirmos — do Estado. E, pelo menos desde a época em que Frazer começou a falar em imolação real, Eliade, em centros sagrados, ou Evans-Pritchard, em reis divinos no Alto Nilo, os antropólogos também têm demonstrado esse interesse. Afora uma ou outra referência curiosa, esses dois interesses desenvolveram-se com relativa independência até época bem recente, quando começaram a irromper um no outro com certa força. Os resultados foram o que se poderia esperar: uma explosão de trabalhos e uma explosão ainda maior de perguntas.

A explosão de trabalhos evidencia-se de ambos os lados. Um historiador clássico escreveu sobre a celebração dos imperadores romanos nas cidades gregas da Ásia Menor; um historiador moderno escreveu sobre o aniversário de 75 anos de morte da rainha Vitória. Houve estudos sobre o significado da coroação de Constantino, sobre os funerais imperiais em Roma, sobre "modelos de governo no cerimonial francês da realeza", sobre "rituais dos primeiros papas modernos", e alguém levou Kantorowicz para a época elisabetana, num trabalho chamado *Os dois corpos da rainha*.[37]

Do lado antropológico, no qual eu mesmo tenho sido um conspirador consciente ou semiconsciente, com meu trabalho sobre "o Estado teatral" de Java e Bali, houve estudos sobre o banho ritual real em Madagascar, um livro sobre *O rei ébrio ou a origem do Estado*,[38] outro sobre "o contexto ritualístico da realeza britânica [contemporânea]", no qual figuram a princesa Di, a bolsa da rainha Elizabeth ("talvez o mais intrigante dos acessórios reais"), a caça à raposa e o emir de Qatar, e ainda textos etnográficos mais padronizados sobre a teatralidade da soberania no Chade, no Nepal, na Malásia e no Havaí. O casamento real, a morte real, os túmulos reais e a sucessão real passaram, todos eles, a receber o tipo de atenção que costumava ficar reservado à terminologia do parentesco, o mesmo acontecendo com o regicídio, a deposição e seja qual for o termo técnico que se refere ao incesto na realeza. Uma recente resenha bibliográfica bastante parcial registra, apenas nos últimos dez anos, mais de cinqüenta títulos, desde "A rainha-mãe na África" até "O rei estrangeiro, Dumézil entre os fijianos", e a "dominação simbólica" tornou-se, mesmo que ninguém tenha absoluta certeza do que significa, um termo padrão do saber e da invectiva.

Foi da interação dessas duas linhas de pensamento, tal como descobriram uma à outra, que veio a explosão de perguntas. A maior parte dessa interação continua a ser da natureza das citações: historiadores da Itália renascentista mencionando etnógrafos da África central, etnógrafos do Sudeste Asiático mencionando historiadores da França renascentista. Recentemente, porém, houve algumas conjunções mais íntimas, sob a forma de coletâneas de simpósios que incluem os dois tipos de estudo e os cotejam entre si, em benefício de uma visão mais global. Em dois dos melhores desses trabalhos — *Ritos de poder: símbolos, ritual e política desde a Idade Média*, surgido há uns dois anos no Centro Davis de Estudos Históricos, de Princeton, e *Rituais da realeza, poder e cerimonial nas sociedades tradicionais*, surgido no ano passado no grupo Past and Present, da Grã-Bretanha —, os problemas que chegaram junto com os avanços são tão evidentes quanto não resolvidos.[39]

O mais aborrecido e mais fundamental desses problemas é, simplesmente, saber até que ponto o aparato simbólico mediante o qual o poder do Estado se forma e se apresenta — aquele que estamos acostumados a chamar de seus adornos, como se fosse uma questão de pompa e ornamentação — é realmente importante. A simples feitura desse tipo de trabalho implica o abandono de uma visão da questão no estilo "esoterismo e artes mágicas", bem como das formas mais simples de reducionismo — militar, econômico, estrutural ou biológico — que costumam acompanhá-la. Os signos do poder e sua substância não são muito fáceis de separar. De nada adiantam *O mágico de Oz* ou *Quantos batalhões tem o papa*, nem tampouco as queixas sobre embustes e mistificações. No entanto, persiste e até se acentua a questão de saber exatamente o que são e que importância têm os efeitos desses banhos reais e dessas limaduras senhoriais dos dentes, dessas efígies majestosas e desses progressos imperiais (ou, aliás, das conferências de cúpula televisionadas e das audiências de impeachment no congresso). Como são eles adquiridos? Como não são? Que tipo de força tem o espetáculo?

Sean Wilentz, na introdução ao livro de Princeton, enfoca a questão como estando relacionada com "as limitações ... da interpretação simbólica, ... os limites da *verstehen* em qualquer iniciativa de estudo":

> Se ... todas as ordens políticas são regidas por ficções dominantes [como afirmaram os antropólogos], haverá algum sentido em tentar descobrir em que divergem a retórica histórica e a realidade histórica? Podem os historiadores do simbólico sequer falar numa "realidade" objetiva, exceto tal como era percebida pelos que são objeto do estudo, e que por isso é transformada em mais uma ficção? Uma vez que respeitemos as mistificações políticas como inevitáveis e dignas de estudo por si mesmas — uma vez que abandonemos as explicações cruas e arrogantes das origens da "falsa consciência" e nos ocupemos do estudo da percepção e da experiência —, haverá algum modo convincente de vinculá-las às características sociais e materiais de qualquer ordem hierárquica, sem recair nesta ou naquela forma de funcionalismo mecanicista? Alguns historiadores [ele cita E.P. Thompson, Eugene Genovese e Felix Gilbert] insistem em que ainda é possível — imperativo, a rigor — estabelecer essas ligações, e advertem contra a ascensão de um idealismo "antropologizado", que desrespeita os contextos históricos, no qual o novo fetiche da exposição elegante substitui o antigo fetiche da abstração sociológica e da prosa carregada. Outros [ele cita Natalie Davis, Car-

lo Ginsburg e Bernard Cohn] respondem que esses medos, embora justificados, não têm por que bloquear o estudo histórico da percepção e da cultura política de maneiras influenciadas pelas descobertas dos antropólogos.[40]

Deixando de lado a Prosa Carregada e a Exposição Elegante, por terríveis que de fato sejam esses crimes, a inquietação geral com a idéia de que, caso se preste demasiada atenção ao sentido, a realidade tenderá a desaparecer (entendendo-se por "sentido" as meras idéias e por "realidade" as munições e o açoite) atormenta realmente esse tipo de trabalho. O desejo antropológico de ver como as coisas se encaixam não se compatibiliza muito com o desejo histórico de ver de que modo elas surgem, e os velhos insultos oitocentistas de "idealista!" e "empirista!" entram mais uma vez em circulação. "Um mundo inteiramente desmistificado é um mundo inteiramente despolitizado", sente-se conclamado a proclamar um antropólogo colaborador, como se isso fosse uma espécie de revelação;[41] "o poder, afinal, é mais do que a manipulação de imagens",[42] é levado a nos garantir outro colaborador, um historiador, como se houvesse gente por aí pensando outra coisa.

Essa pergunta — como podemos colocar as articulações do poder e suas condições numa relação compreensível? — continua a atrapalhar as discussões da coletânea do grupo Past and Present, ainda mais dilaceradas internamente, sob certos aspectos.

David Cannadine, que apresenta o livro com um ensaio que parece mudar de rumo a cada parágrafo, considera que o problema surge da combinação de um reconhecimento geral, por parte de antropólogos e historiadores, de que "toda a idéia do poder como uma categoria estreita, separada e distinta [é] imprópria, ... a idéia de que o esplendor e o espetáculo são apenas ... um arranjo de vitrine ... [é] mal concebida", e da falta de alguma coisa que seja uma concepção mais adequada em qualquer desses campos. "Se as idéias convencionais do poder parecem insatisfatórias, que outra coisa melhor se pode colocar no lugar delas?" Precisamos, no dizer dele — e a maioria de seus colaboradores o acompanha —, formular perguntas como: "Por que, exatamente, as cerimônias impressionam?" "[Q]ue são os tijolos com que de fato se constroem [essas cerimônias]?" "[S]erá que o cerimonial converte sistemas de crença referentes às hierarquias celestes em afirmações de fato sobre hierarquias terrenas, ... [ou] será que o cerimonial converte afirmações de fato sobre o poder na Terra em afirmações de crença sobre o poder nos céus?" "Por que ... algumas sociedades parecem precisar mais do cerimonial do que outras?" "Como se afigura a pompa para os alienados ou os despossuídos?" "Qual é a ligação entre a derrubada da realeza e a derrubada dos rituais?" "Por que certos tipos de fausto se enraízam e 'funcionam', enquanto outros definham e morrem?"[43]

Excetuando-se o fato de que o problema talvez resida menos numa concepção demasiadamente estreita do poder do que numa concepção demasiadamente simplista do significado — um erro filosófico, e não de definição —, essas são, de fato, perguntas do tipo que essa curiosa junção de antropólogos semióticos e historiadores institucionais tem levantado. E, se o navegar por águas estranhas não provocar medos tão intensos de despencar do navio a ponto de inibir por completo o movimento, é até possível que, em certa medida, e por mais que sejam reformuladas para se tornarem menos maçantes, algumas delas sejam respondidas.

Com certeza, é provável que continuem a ser feitas. Um livro recente (de um antropólogo, mas que, hoje em dia, poderia facilmente ser de um historiador) sobre *Ritual, política e poder* discute, entre outras coisas, a visita de Ronald Reagan a Bitburg, as cerimônias fúnebres da morte de Indira Gandhi, as reuniões sobre o controle armamentista entre líderes soviéticos e norte-americanos, os ritos canibais do Estado asteca, a cerimônia de posse dos presidentes dos Estados Unidos, um desfile de membros da Ku Klux Klan na década de 1940, as atividades de grupos terroristas contemporâneos, as cerimônias "curativas" dos reis franceses e britânicos do século XVI e os desfiles do Dia do Trabalho em Moscou.[44] O que antes se afigurava um belo probleminha parece agora uma bela confusão — o que talvez seja o esperável, quando as duas iniciativas mais multifacetadas das ciências humanas juntam forças, não importa com que oportunismo ou com que nervosismo.

A onda recente de interesse dos antropólogos não apenas pelo passado (sempre nos interessamos por ele), mas pela maneira como os historiadores lhe dão um sentido atual, e do interesse dos historiadores não apenas pela estranheza cultural (coisa que Heródoto já exibia), mas também pelas maneiras como os antropólogos a trazem para perto de nós, não é um simples modismo; sobreviverá ao entusiasmo que gera, aos medos que desperta e às confusões que cria. Bem menos claro é a que levará essa onda, ao sobreviver.

É quase certo, porém, que não vá muito além de onde já foi, seja no sentido de uma amalgamação dos dois campos em uma terceira coisa, seja na encampação de um pelo outro. Sendo assim, boa parte da inquietação de ambas as partes acerca da desaparição do caráter erudito apropriado (que se costuma designar frouxamente por "rigor"), bem como a polêmica defensiva a que ela dá margem, são no mínimo equivocadas. Mais particularmente, do lado da História (que parece maior, talvez por haver mais Autoridades nela), a preocupação de que o intercâmbio com os antropólogos leve a uma perda da alma é ridícula, considerando-se a enorme discrepância no tamanho dos dois campos, para não falar em seu peso cultural. Qualquer junção, seja como convergência de discursos, seja como convergência da atenção, está fadada a ser um guisado de elefante com coelho ("pegue um elefante, um coelho..."), em relação ao qual o elefante não precisa preocupar-se demais com o realce de seu sabor. Quanto ao coelho, ele está acostumado com esses arranjos.

Para que venha a prosperar um trabalho dotado da originalidade, da força e do belo caráter subversivo do que examinei, e mais uma imensa quantidade dos que não examinei, vinda de todas as partes de cada um dos campos para todas as partes do outro (e levar adiante uma discussão como esta, sem mencionar os *Annales*, o estruturalismo, o marxismo, *A vida e morte dos Sênecas* ou Philippe Ariès, já é em si um esforço hercúleo), parece necessária uma sensibilidade mais aguçada para as condições — práticas, culturais, políticas e institucionais — em que ele ocorre. Em conluio ou não, o encontro de uma tradição erudita, vasta, venerável e culturalmente central, estreitamente ligada ao esforço do Ocidente de construir seu self coletivo, com uma tradição muito menor, mais jovem e culturalmente marginal, estreitamente ligada ao esforço do Ocidente de ampliar seu alcance, tem uma estrutura própria. No final das contas, talvez o progresso resida numa compreensão mais profunda do "e" no *accouplement* entre "História e Antropologia". Cuidando-se das conjunções, os substantivos saberão cuidar de si.

O "saber local" e seus limites: alguns obiter dicta

1. "Local" é, claramente, um termo "relativo". No sistema solar, a Terra é local (como ficou patente, no bom estilo antropológico, ao se sair dela, ao menos temporariamente, para fitá-la da Lua e de outras órbitas); na galáxia, o sistema solar é local (a *Voyager* deve ajudar nisso); e no universo, a galáxia é local (quanto a isso, talvez seja preciso esperarmos algum tempo). Para um físico nuclear, o mundo — ou o zoológico — das partículas é... bem, o mundo. É a partícula, um fiapo de vapor numa nuvem de gotículas, que é local.

2. Portanto, a oposição, se é que devemos ter alguma (e não estou convencido de que uma oposição — *outra* oposição — seja aquilo de que precisamos ou que devemos querer, em vez de um foco de particularidade mutável), não é entre o saber "local" e o "universal", mas entre um tipo de saber local (digamos, a neurologia) e outro (digamos, a etnografia). Assim como toda política, qualquer que seja seu peso, é local, o mesmo se dá com toda compreensão, por mais ambiciosa que seja. Ninguém sabe tudo, porque não há um tudo para se saber.

3. A incapacidade de enxergar essa verdade cristalina, por parte de pessoas que, afora isso, afiguram-se racionais, resulta parcialmente de uma confusão

endêmica nas ciências (ou nos cientistas) sociais (ou humanas) entre: (a) os *universais* ("todo o mundo tem o tabu do incesto", para citar um exemplo falso, ou, pelo menos, sumamente enganoso); (b) as *generalizações*, que podem ser probabilísticas, ter exceções ou contradições sem nenhuma fatalidade, ou ser apenas aproximações *ceteris paribus*, "via de regra", que têm uma utilidade instrumental ("As sociedades horticultoras são mais pacíficas do que as pastoris" — mas pensemos nos maias, olhemos para os lapões); e (c) as *leis*. (Na antropologia cultural, ou, a rigor, em qualquer parte das ciências humanas, é difícil produzir um exemplo — "do casamento grupal para a matrilinearidade para a patrilinearidade" — que não seja risível nem esteja superado. Talvez uma proposta de alguns anos atrás, que diz que os traços culturais se difundem — isto é, migram pelo globo — à razão média de mais ou menos três quilômetros por ano, transmita parte do efeito cômico implicado.)

4. Minha visão pessoal, apenas para indicá-la, já que não posso propriamente defendê-la num espaço pequeno, é que: ou (a) a maioria dos universais (ou todos, segundo podemos supor) é tão geral que não tem força ou interesse intelectual, é uma grande banalidade à qual faltam minuciosidade ou surpresa, exatidão ou revelação, e que, portanto, tem pouquíssima serventia ("Os povos de todas as regiões têm idéias sobre as diferenças entre os sexos"; "Todas as sociedades têm sistemas de hierarquia social"; "A impotência tende a corromper, e a impotência absoluta tende a corromper em termos absolutos" — este, que é obviamente uma transformação minha, exemplifica outra característica de muitos universais: como as capas de chuva de dupla face, eles podem ser usados de um lado ou do outro); ou (b) quando os universais de fato têm um certo grau de não trivialidade, pormenorização e originalidade, quando realmente afirmam algo suficientemente interessante para estar errado (como a ubiqüidade do complexo de Édipo, a necessidade funcional de as psiques e sociedades terem costumes ligados ao luto, a força produtora de solidariedade que existe na dádiva), eles são infundados. Em termos etnográficos, só estamos familiarizados com uma proporção muito pequena das sociedades que existiram até hoje; destas, apenas uma parcela ainda menor foi sistematicamente estudada, e as que foram sistematicamente estudadas não o foram por igual ou de maneira abrangente. Podemos ou não saber alguma coisa sobre as noções do Édipo nas ilhas Trobriand ou no Sri Lanka, mas não sei se alguém sequer pensou em examinar o assunto entre os Havasupai, ou, se porventura isso ocorreu a alguém (não verifiquei), entre os montenegrinos, os incas ou os cabilas. Há uma tremenda desigualdade, assim como uma tremenda instabilidade, na atenção antropológica. Nada é estudado em toda parte ou por muito tempo. Até pouco tempo atrás, não havia muita informação sobre o sistema de parentesco dos Navajo, embora o parentesco seja um de nossos temas mais obsessivamente in-

vestigados e os Navajo sejam um de nossos grupos mais minuciosamente pesquisados.

Isso não é remediável — não através da criação de projetos do tipo notas e perguntas, nem de programas padronizados de formação em pesquisa, ou seja lá o que for. Tampouco devemos, a meu ver, tentar remediá-lo dessa maneira. A busca de universais afasta-nos do que de fato se revelou genuinamente produtivo, pelo menos na etnografia (creio que não *apenas* na etnografia, mas deixarei que outros discutam os outros casos) — isto é, das obsessões "intelectuais" particulares (a de Malinowski com a troca, a de Lévi-Strauss com o simbolismo animal, a de Evans-Pritchard com a adivinhação) —, e nos leva para uma abrangência rala, implausível e predominantemente pouco instrutiva. Se você quiser uma *boa* generalização prática da antropologia, sugiro a seguinte: qualquer frase que comece por "Todas as sociedades têm..." é infundada ou banal.

5. É claro que as generalidades do tipo "no sul, não" podem ser aceitas, e é claro que podem ser úteis, porém mais como pontos de partida heurísticos para investigações locais mais aprofundadas do que como conclusões que possam ser bancadas em livros didáticos. ("Uma boa coisa para examinar são os ritos fúnebres, quando se está interessado nas concepções do self de um povo." "No Sudeste Asiático, a diferenciação do status tende a ser incomumente importante, mas o contraste entre os gêneros, não tanto; na África setentrional observa-se o inverso." "As práticas de criação dos filhos têm muito a ver com a personalidade dos adultos.") A maioria das mais valiosas entre essas são generalizações *conceituais*, do tipo "teste da receita": quando levam a algum lugar, ótimo; quando não levam, que se danem. As generalizações lingüísticas, novamente prestigiadas nos últimos tempos, em parte como resultado da revolução chomskyana (ou contra-revolução, a meu ver, mas deixemos isso de lado pelo preconceito que representa), tendem a ser assim: distinções entre substantivo e verbo, regularidades das formas marcadas etc. Elas realmente parecem ter aplicações amplas, mas afirmar que são universalmente aplicáveis é dogmático ou tautológico, ou constitui uma regressão às vacuidades que discuti há pouco. Como sinais superficiais de materiais que jazem mais no fundo, entretanto, são o xisto (espera-se) que cobre o campo petrolífero.

Nada disso equivale a dizer que a busca de generalidades amplas seja o caminho óbvio ou o melhor caminho a seguir, embora se deva admitir que há alguma coisa na antropologia — talvez seu movimento de estudo do homem a partir do macaco — que parece incentivá-lo. Dito de outra maneira, até as generalizações da chamada antropologia cognitiva — o trabalho da etnobotânica, o trabalho de Berlin e Kay sobre as cores (muitas vezes mal interpretados, até por seus autores, em termos "universais") — têm, com certeza, até certo ponto, uma natureza cosmopolita, embora nem sempre fique claro quão cosmopolitas são. Interpretá-las no mundo de maneira "realista", como parte da própria composição das coisas, é outra história, que também não posso examinar aqui, a não ser para dizer que julgo duvidosa essa proposição. As "espécies" são "reais", até onde o são, exatamente da mesma maneira que o "poder" (até onde ele é real).

6. Quanto às leis, já sugeri que não consigo pensar em nenhuma candidata séria em meu campo que eu possa debater. Uma das coisas mais irritantes em meu campo são as pessoas que dizem que não se está fazendo "ciência de verdade" quando não se formula nenhuma lei, com isso sugerindo que elas as formularam, mas sem nos dizer, na verdade, quais são essas leis. Nas raras ocasiões em que elas nos dão essa informação — 3,2 quilômetros por ano, o canibalismo e a escassez de proteínas —, a situação fica pior. O cientificismo — e, nesse caso, *quero* falar das ciências humanas em geral — é quase sempre um blefe. Uma coisa é invocar os espíritos das profundezas, outra, bem diferente, é fazê-los atender quando são chamados. Mas o que está implicado não é apenas a impostura: o utopismo induzido por uma visão equivocada da física anterior ao século XX (o mundo antes de Maxwell), que foi importado pelas ciências humanas, não levou aos portões da terra dos paradigmas, porém a uma grande quantidade de gestos inúteis e proclamações pretensiosas.

7. Chega de negativas. Quais são as virtudes de uma orientação do tipo "saber local"?

a. *Limites.* O título desta discussão parece presumir que a existência de limites é um argumento contrário a alguma coisa. (Por que não é ela chamada "O 'saber universal' e seus limites"? Possivelmente porque fazê-lo levantaria a possibilidade de que, sendo universal, ele não tivesse nenhum e, portanto, não fosse um saber.) Para minha mente limitada, o reconhecimento direto e franco dos limites — um dado observador, num certo momento e num dado lugar — é uma das coisas que mais recomendam todo esse estilo de realizar pesquisas. O reconhecimento do fato de que todos somos o que Renato Rosaldo chamou de "observadores posicionados (ou situados)" é uma de suas facetas mais atraentes e que mais conferem poder. A renúncia à autoridade proveniente das "visões que partem de lugar nenhum" ("Vi a realidade e ela é real") não constitui uma perda, mas um ganho; e não é um recuo, mas um avanço, a postura que diz: "Bem, eu, um norte-americano de classe média de meados do século XX, mais ou menos padrão, e do sexo masculino, fui a tal lugar, conversei com algumas pessoas que consegui induzir a falarem comigo, e acho que as coisas se passam com elas, por lá, mais ou menos de tal ou qual maneira." Talvez isso não seja excitante, mas tem uma certa franqueza (coisa escassa nas ciências humanas). (As visões que partem de lugar nenhum podem ser imaginativamente construídas, é claro. Quando bem-feitas, podem ser e têm sido, nas ciências naturais, de imensa utilidade. Mas, construídas desta maneira, são, na verdade, uma variedade particular das visões que partem de algum lugar — do estudo do filósofo, do computador do teórico.)

b. *Dados circunstanciados.* Ao menos podemos dizer alguma coisa (não que sempre o façamos, é claro) com certa concretude. Jamais consegui entender por que se supõe que certos comentários constituam críticas, tais como "suas conclusões, do modo como se apresentam, abrangem apenas dois milhões de pessoas [Bali], ou quinze milhões [Marrocos], ou sessenta e cinco milhões [Java], e só abarcam alguns anos ou séculos". É claro, podemos estar errados, e muitas vezes estamos. Mas "apenas" ou "meramente" tentar compreender o Japão, a China, o Zaire ou os esquimós centrais (ou melhor, algum aspecto da vida deles num pedaço de sua linhagem no mundo) não é uma ninharia, ainda que pareça menos impressionante do que as explicações, as teorias ou seja lá o que for que tenha como objeto a "História", a "Sociedade", o "Homem", a "Mulher", ou alguma outra entidade grandiosa e fugidia em letras maiúsculas.

c. Naturalmente, a comparação é possível e necessária, e é o que eu e outros de iguais convicções passamos a maior parte do tempo fazendo: vendo coisas particulares contra o pano de fundo de outras coisas particulares, com isso aprofundando a particularidade de ambas. Por se haverem discernido, ao que se espera, algumas diferenças reais, tem-se alguma coisa genuína para comparar. As similaridades encontradas, sejam quais forem, e mesmo que assumam a forma de contrastes ou incomparabilidades, são também genuínas, e não categorias abstratas, superpostas a dados "passivos", entregues à mente por "Deus", pela "realidade" ou pela "natureza". (De outro modo, o comentário de Santayana de que as pessoas tecem comparações quando não conseguem chegar à raiz das questões se tornaria muito verdadeiro.) A teoria, que também é possível e necessária, brota de circunstâncias particulares e, por mais abstrata que seja, é validada por sua capacidade de ordená-las em sua plena particularidade, e não por descartar essa particularidade. Deus pode não estar nos detalhes, mas "o mundo" — "tudo o que exemplifica a situação" — certamente está.

8. Mas a pergunta crucial implicada na tensão do local *versus* o universal nas "ciências humanas" (e já indiquei meu incômodo com essa maneira de enunciar as coisas — "versus" deveria ficar reservado às lutas profissionais de boxe, às eleições, às guerras e aos tribunais) é: que queremos dessas "ciências"? Que significa ou deve significar "ciência", nesse caso? Não tem grande serventia discutir se devemos envolver-nos com questões inextricáveis de "tal época ou tal lugar", ou se devemos olhar adiante dessas questões e perguntar o que é tudo, sempre e em todos os lugares, a menos que saibamos com clareza o que

esperamos ganhar ao adotar uma orientação ou a outra. A disputa, que me parece concernir ao valor de caminhos diferentes para chegar a um destino combinado, é, na verdade, sobre o valor de destinos alternativos, como quer que sejam atingidos. Somos menos divididos pelo método — a gente usa o que tem — do que pelo que pretendemos.

Aí está um contraste conhecido, mas nem por isso menos importante, entre os que acreditam que a tarefa das ciências humanas (embora estes tendam mais a chamá-las de "comportamentais") é descobrir fatos, dispô-los em estruturas proposicionais, deduzir leis, prever conseqüências e administrar racionalmente a vida social, e os que acreditam que a meta dessas ciências (embora às vezes não concordem em chamá-las de "ciências") é esclarecer o que, afinal, acontece com várias pessoas em várias épocas, e extrair algumas conclusões sobre as coerções, as causas, as esperanças e as possibilidades — os aspectos práticos da vida.

Se a primeira dessas visões, como disseram algumas pessoas, é como querer saber onde se vai morrer, para nunca chegar perto desse lugar, ou se a segunda, como disseram outras, é como apagar a vela e maldizer a escuridão, talvez seja menos importante (embora não irrelevante) do que saber qual a empreitada em que de fato nos vemos empenhados. Se o que se está procurando são avanços no controle técnico minucioso da vida social (o sonho de Bentham, o pesadelo de Foucault), a conversa sobre a universalidade, acho eu, é a coisa a ser falada. Quando se está à procura de aperfeiçoamentos na capacidade de levar uma vida que faça algum sentido e que, no cômputo geral, se possa aprovar (a esperança cética de Montaigne, a esperança desalentada de Weber) — aptidões morais, não manipuladoras —, parece haver necessidade de algo menos ambicioso.

Naturalmente, aqueles de nós que adotam a segunda postura (um número crescente, creio, agora que as ideologias do saber desencarnado foram meio abaladas) têm muito que esclarecer e mais ainda que tornar persuasivo. Mas estamos empenhados nisso e não há por que nos preocuparmos demais, a não ser, talvez, em termos políticos, com a idéia de ficarmos à altura de padrões provenientes da primeira postura, pescando outros peixes, talvez não comestíveis, noutros mares, talvez desabitados. O que Stephen Toulmin chamou de "recuperação da filosofia prática" tem seu projeto próprio e suas idéias de como promovê-lo. O que descreveu como "o retorno ao oral" (referindo-se, a rigor, à retórica, aos enunciados, aos atos de fala, ao discurso, à narrativa, à conversa e aos jogos de linguagem — não ao que é literalmente oral, mas ao lingüisticamente oral), ao "particular", ao "local" e ao "oportuno", é um movimento, não uma doutrina, e, como qualquer movimento, precisa de realizações, não de máximas para sustentá-lo. O que precisamos (para formular uma máxima) não é de reencenações contemporâneas de antigos debates nomotéticos e ideográficos, *erklären* e *verstehen*, mas de demonstrações, de um lado ou do outro, de uma tecnologia eficaz para controlar as direções gerais da vida social moderna, ou do desenvolvimento e da inculca de habilidades mais delicadas para navegarmos por ela, não importa que direção ela tome. E, em se tratando disso, sinto-me razoavelmente confiante sobre qual das posturas é mais desejável e tem maior probabilidade de ocorrer.

Quem conhece melhor o rio (para adotar uma imagem que vi numa resenha de livros sobre Heidegger, um dia desses): o hidrólogo ou o nadador? Formulada a pergunta dessa maneira, é claro que a resposta depende do que se pretenda dizer com "conhecer" e, como já indiquei, do que se espere realizar. Considerada como o tipo de conhecimento de que mais precisamos, o que queremos, e aquele que até certo ponto podemos vir a ter, pelo menos nas ciências humanas, a variedade local — aquela que o nadador tem, ou que pode desenvolver ao nadar — pode, para dizermos o mínimo, sustentar-se em oposição à variedade geral — aquela que o hidrólogo tem ou afirma que o método fornecerá, num futuro próximo. Não se trata, mais uma vez, da forma de nosso pensamento, mas de sua vocação.

Não sei se podemos dizer que isso é satisfatório como "resposta às reivindicações críticas de universalidade e autoridade" feitas contra o trabalho que emerge de "ponto(s) histórico(s) no tempo ou ... de ponto(s) geográfico(s) no espaço" (como diz a acusação feita a esta discussão), nem tampouco o que se poderia considerar "satisfatório" aqui. Mas, como todo "saber local", ele é substantivo, é de alguém e, por enquanto, serve.

6 O estranho estranhamento: Charles Taylor e as ciências naturais

Nos parágrafos iniciais da introdução de seus *Philosophical Papers*, Charles Taylor confessa-se tomado por uma obsessão.[1] Em suas palavras, ele é um ouriço, um monomaníaco que polemiza interminavelmente com uma única idéia — "a ambição de pautar o estudo do homem nas ciências naturais". Dá a essa idéia muitos nomes, quase sempre "naturalismo" ou "visão de mundo naturalista", e a vê em praticamente toda parte das ciências humanas. A invasão dessas ciências por modos de pensamento alheios e impróprios conduziu à destruição de sua singularidade, sua autonomia, sua eficácia e sua importância. Impelidos pelo enorme (e "compreensível") prestígio das ciências naturais em nossa cultura, temos sido continuamente levados a uma falsa concepção do que é explicar o comportamento humano.

O propósito dessa polêmica, à parte o desejo de livrar as ciências humanas de certas iniciativas "terrivelmente implausíveis", "estéreis", "cegas", "mal acabadas" e "desastrosas"[2] — o behaviorismo skinneriano, a psicologia computacional, a semântica condicionada à verdade e a teoria política da primazia do direito —, é abrir espaço nessas ciências para as abordagens "hermenêuticas" ou "interpretativistas" da explicação. A interpretação, "tentativa de dar sentido a um objeto de estudo" de um modo "confuso, incompleto, nebuloso ..., contraditório ..., sem clareza",[3] é uma parte irremovível de qualquer pretensa ciência das questões humanas. E é precisamente isso que "o modelo da ciência natural", com sua paixão pela *Wertfreiheit*, pela previsibilidade e pelos fatos brutos — bastante defensáveis em seu campo próprio — impede por completo.

Quem, como eu, considera inteiramente persuasiva a tese de que a maneira mais útil de conceber as ciências humanas é vê-las como esforços para tornar várias questões, aparentemente estranhas e intrigantes (crenças religiosas, práticas políticas, autodefinições), "não mais estranhas e intrigantes, porém explicadas",[4] e considera magistral a elaboração que lhe dá Taylor, talvez se descubra perturbado, no entanto, ao notar, depois de algum tempo, que o "ideal oposto"[5] com que essa visão é tão resolutamente contrastada, ou seja, a "ciência natural", é muito esquematicamente imaginado. Confrontamo-nos não com uma descrição articulada de uma instituição viva, que tenha muita história, uma vasta diversidade interna e um futuro promissor, mas com um estereótipo e um espantalho — uma cabeça de Górgona que faz a ação, o significado e a mente se transformarem em pedra.

As referências de Taylor à "ciência natural", apesar de extremamente numerosas, aparecendo em quase todos os ensaios dos *Philosophical Papers*, são marcadas, tanto nesse quanto noutros de seus trabalhos, por duas características: praticamente nunca são circunstanciadas, no sentido de que só descrevem exemplos reais de trabalhos da física, da química, da fisiologia, ou lá do que seja de forma passageira, e praticamente todas dizem respeito às etapas iniciais da revolução científica — Bacon, Galileu, Descartes, Newton, Boyle —, e não a nada que seja remotamente contemporâneo. Como muitos dos "Outros" que construímos hoje em dia para nos assombrarem com sua simples alteridade — Os Japoneses, Os Muçulmanos ou *L'Âge classique* —, seu antagonista para as ciências humanas de orientação interpretativa é caracterizado de maneira genérica e cristalizada no tempo. Um contraste que se presta para tudo.

É fácil ver as razões disso. Normalmente, com efeito, a concepção do que é ser "verdadeiramente científico" nas ciências humanas tem sido rígida e anacrônica, além de profundamente desinformada das realidades das "verdadeiras ciências" cujas virtudes deveriam ser importadas por essas empreitadas "menos exatas", "mais fracas" ou "menos maduras". Taylor não está errado ao achar que a versão skinneriana do behaviorismo ou a versão fodoriana do cognitivismo constituem menos a extensão de uma abordagem comprovada da explicação a novos campos do que paródias dela. Tampouco está errado ao considerar que a rejeição dessas paródias, e de outras similares, não condena as ciências humanas a um "subjetivismo de Humpty Dumpty",[6] no estilo "o mundo é o que digo que é", incapaz de formular uma hipótese decente ou de confrontar uma hipótese com provas autênticas. No entanto, é possível que a criação de um abismo completo, fixo e intransponível entre as ciências naturais e as ciências humanas seja um preço alto demais, além de desnecessário, a pagar para manter à distância essas confusões. Ela é simultaneamente obstrutiva ao progresso de ambas.

A idéia desse abismo, de uma dicotomia, em contraste com uma mera diferença (a qual ninguém encobriu e que, em sã consciência, ninguém quereria negar), remonta, é claro, à conceituação das *Geisteswissenschaften versus* as *Naturwissenschaften*, do *verstehen versus* o *erklären*, sob cuja égide, através de Dilthey, a hermenêutica moderna lançou-se definitivamente, e a qual, com Heidegger e Gadamer, Ricoeur e Habermas, "é muito sólida no fim do século XX".[7] E são poucas as dúvidas (eu, pelo menos, não tenho nenhuma) de que essa visão das coisas, no estilo "dai a César o que é de César", prestou excelentes serviços à defesa da integridade e vitalidade das ciências humanas — da sociologia, da história, da antropologia, um pouco menos da psicologia, e menos ainda da economia — ante as enormes pressões exercidas sobre elas no auge do positivismo, fosse este lógico ou de outra natureza. Sem ela, os piores pesadelos de Taylor bem poderiam ter-se tornado realidade, e todos seríamos sociobiólogos, teóricos da escolha racional ou criadores de axiomas de leis abrangentes. A questão é se uma distinção tão radicalmente formulada ainda é uma boa idéia, agora que já se esclareceu e tornou a esclarecer que as ciências humanas, por concernirem aos seres humanos, levantam problemas particulares e requerem soluções particulares, e que a idéia de uma "física social" parece uma fantasia exótica de tempos idos. Servirá tal distinção às ciências humanas ou às naturais? Será que a conversa através do *corpus callosum* de nossa cultura é inibida ou impedida por esse tipo de cirurgia comissural? É essa cirurgia desvantajosa para ambas, reduzindo a raciocínios com apenas metade do cérebro? Será que interessa a alguém uma eterna guerra civil metodológica dos Hermeneutas *versus* os Naturalistas?

Tais perguntas, é claro, são retóricas — para não dizer tendenciosas. A homogeneização da ciência natural, no tempo e nos diferentes campos, como um outro constante, um "ideal oposto", permanentemente distinguido de outras formas de pensamento "por um método especial [e] uma relação especial com a realidade", como disse Richard Rorty, é extremamente difícil de defender, quando se olha para a história ou para sua variedade interna com algum grau de minuciosidade.[8] O perigo de tomarmos o reducionismo objetivista como uma conseqüência inevitável de buscarmos estímulo nas ciências naturais para construir explicações do comportamento humano é enorme, caso não haja uma imagem, mais rica e mais diferenciada do que a reconhecida por Taylor até hoje, do que elas são (e o plural é essencial neste ponto), do que foram e daquilo em que parecem estar-se transformando. O mesmo se aplica ao perigo, possivelmente ainda maior, de isolarmos essas próprias ciências numa idéia muito ultrapassada de sua meta e essência (e num sentimento exagerado de seu valor), fora do alcance da consciência de si hermenêutica. A tendência à supersimplificação, que Taylor acertadamente deplora, parece vicejar tanto nas ciências humanas quanto nas naturais, precisamente na medida em que o trânsito intelectual entre elas é obstruído por noções artificiais de uma separação primordial.

Ambos os tipos de esquematização das ciências naturais — o que as vê como desprovidas de história, ou, pelo menos, como tendo uma história que consiste apenas no desenvolvimento, em graus cada vez maiores de complexidade, de um modelo epistemológico exposto no fim do século XVII, e o que as vê como uma massa apenas pragmaticamente diferenciada, definida em termos fundamentais por sua adesão àquele modelo — são essenciais à idéia de que elas compõem um mundo isolado e auto-suficiente. Sem um deles, e certamente sem os dois, essa idéia parece nitidamente menos óbvia.

A visão de que a história da ciência natural consiste no mero desenvolvimento de um ato fundante para todo o sempre ("[A] grande guinada ocorrida na cosmologia no século XVII, que passou da imagem de uma ordem mundial baseada nas idéias para a de uma ordem baseada no universo como um mecanismo, foi a objetificação fundante, a fonte e inspiração para o desenvolvimento contínuo de uma consciência moderna desengajada"[9]) não só despreza os textos historiográficos (dos quais o de Thomas Kuhn é, provavelmente, o mais famoso) que enfatizam as roturas, os desvios e as descontinuidades no avanço dessas ciências, como despreza as complicações impostas à idéia da "consciência desengajada" por teorizações de nível quântico — Heisenberg, Copenhagen e o gato de Schrödinger.[10] E, o que é mais importante, deixa de lado um fato que Gyorgy Markus, ao falar de "uma segunda revolução científica" ocorrida na segunda metade do século XIX, assinalou: os traços característicos das ciências naturais, que Taylor considera muito destrutivos ao serem importados pela psicologia e pela política, não são uma projeção direta de idéias renascentistas e iluministas em nossa época, porém uma transformação muito mais recente e bastante radical delas. "A ciência natural, como o gênero cultural que *nós* conhecemos, ... é produto de um avanço oitocentista no qual [sua] estrutura cognitiva, [sua] organização institucional, [suas] formas culturais de objetividade e ... [sua] função social global modificaram-se ao mesmo tempo."[11] O mundo anterior a Maxwell, na verdade, não é um modelo muito bom do "naturalismo" tal como é hoje entendido. Foi uma etapa num projeto (ou, para sermos mais exatos, num conjunto de projetos) que continua em andamento.

E, uma vez que continua em andamento e, pelo que parece para quem vê de fora, não está se tornando muito consensual em seus entendimentos de si mesmo, é possível que ela torne a se transformar; a menos que a história tenha realmente acabado, é quase certo que se transformará. Na verdade, há um bom número de sinais de que já está em processo de mudança: o florescimento da biologia (não só da genética e da microbiologia, mas da embriologia, imunologia e neurofisiologia) a um ponto em que ela ameaça o status da física como arquétipo da investigação científica; os problemas epistemológicos e ontológicos que atormentam a própria física ("não perguntem como isso pode ser assim, não pode ser assim"); a crescente dificuldade de a "grande" ciência, isto é, a ciência dispendiosa, isolar-se do escrutínio popular, bem como a crescente tenuidade dos argumentos práticos daí decorrentes para financiar boa parte dela; a volta da cosmologia como um interesse cultural geral; o surgimento da matemática experimental; o crescimento das "ciências da complexidade" mediadas pelos computadores (entropia negativa, fractais e atratores estranhos), todas essas questões, além de outras, sugerem que o retraimento das ciências naturais, nos últimos cento e vinte anos aproximadamente, afastando-se das ligações com qualquer discurso que não o delas, não é um estado de coisas permanente.[12]

Talvez não seja um estado de coisas permanente (a meu ver, é quase certo que não é) porque, ao lado dos imensos ganhos de poder cognitivo que o instauraram, houve também custos consideráveis, que hoje são suficientemente sérios para pôr em risco os benefícios. O mais grave deles, como assinalou Markus, é exatamente a extrema redução da importância cultural das ciências naturais, que Taylor, ansioso por impedi-las de interferirem em nossa conceituação das questões humanas, parece muito determinado a reforçar:

> A "filosofia natural" dos séculos XVII a XVIII ainda tinha um caráter acentuadamente multifuncional e, em geral, era transmitida com êxito a grupos de destinatários social e culturalmente divergentes. Até livros que apresentavam as mais extraordinárias dificuldades de compreensão, como os *Principia* de Newton, logo se convertiam não apenas em objeto de "popularizações" que tinham um vasto público leitor, mas também exerciam uma influência profunda em ... outras formas já culturalmente ... separadas de discurso: teológicas, propriamente filosóficas e até literárias. Por sua vez, essas discussões ocorridas em gêneros "estranhos" influenciavam seriamente o impacto mais estritamente científico dos livros em questão e, em geral, eram tidas como exercendo uma influência direta na questão de sua veracidade. ... Foi somente com a profunda transformação de toda a estrutura organizacional das atividades das ciências naturais ... que se estabeleceram a especialização e a profissionalização do público durante o século XIX ..., simultaneamente à profissionalização do próprio papel do cientista-autor. Foi nesse processo que a *république des savants* do século XVIII, que ainda unia frouxamente cientistas, filósofos, divulgadores e amadores cultos, transformou-se numa multiplicidade de *comunidades de pesquisa* separadas, formadas por especialistas profissionais de uma dada área, hoje postulados como o único público das objetificações científicas pertinentes.
>
> Esse processo histórico em que primeiro se formou o caráter monofuncional das ciências naturais contemporâneas significou, ao mesmo tempo, uma progressiva *redução de sua importância cultural*. ... Quando o fechamento cultural do discurso das ciências naturais sobre si mesmo torna-se um fato, ... o divórcio entre a investigação das ciências naturais e a cultura geral é também inevitável. ... [A]gora ele é tido como não tendo a menor importância para orientar a conduta dos homens no mundo em que vivem, nem sua compreensão desse próprio mun-

do vivido. Tenbruck deu a isso uma formulação oportuna: a visão da natureza fornecida pelas ciências não é mais uma visão de mundo.[13]

Isso talvez seja um certo exagero, mesmo em relação ao século XIX, quando as transações da "visão de mundo" entre as ciências tecnicamente definidas e o movimento geral da "cultura" não estavam inteiramente atenuadas, como mostram as angústias de Tennysón com a "espiral dos sulcos da mudança", ou as ressonâncias de Kelvin sobre a extinção do calor do universo. E, de qualquer modo, essa imagem de desligamento também se aplica bem mais às ciências físicas do que às biológicas; o papel desempenhado por Newton e pelo newtonismo no século XVIII foi desempenhado por Darwin e pelo darwinismo no século XIX. Mas a tendência geral é bem clara. O mesmo movimento histórico que desarticulou "a *république des savants*" numa "multiplicidade de comunidades de pesquisa separadas" produziu também a desvinculação cultural das ciências naturais, o entrincheiramento cultural das ciências humanas que Taylor opõe a elas e o constrangimento crescente das relações entre as duas.

O caminho para que esse constrangimento seja aliviado (apenas aliviado, dificilmente eliminado) e para que as ciências naturais voltem a ser incluídas na conversa da humanidade sobre si mesma, não será a reversão da história. Os dias da *république des savants*, se é que jamais existiram, já vão longe e não há como resgatá-los. A inacessibilidade do interior técnico da física das partículas, da neurofisiologia, da mecânica estatística ou da matemática da turbulência (ou do que vier a sucedê-las), para qualquer pessoa que esteja fora das comunidades de pesquisa profissionalmente envolvidas com as questões abordadas, é, hoje em dia, um simples fato da vida. Toda essa questão tem que ser abordada de outra maneira — uma maneira que, em vez de polarizar o mundo intelectual numa grande disjunção, procure identificar suas dependências obscurecidas.

Dir-se-ia que o começo dessa reformulação envolveria levar a sério a imagem (e a realidade) de uma reunião frouxa de comunidades de pesquisa com focos diferentes, muito voltadas para elas mesmas e com graus variáveis de superposição, *tanto* nas ciências humanas *quanto* nas ciências naturais — economia, embriologia, astronomia, antropologia — e, com isso, o abandono da concepção taylorista-diltheyana de duas empreitadas continentais, uma movida pelo ideal de uma consciência desengajada, olhando com segurança cognitiva para um mundo absoluto de fatos verificáveis, outra movida pelo ideal de um self engajado, lutando na incerteza com signos e expressões para dar um sentido compreensível à ação intencional. O que se tem, segundo parece, é bem mais um arquipélago entre cujas ilhas, grandes, pequenas e médias, as relações são complexas e ramificadas, e as ordenações possíveis aproximam-se muito do infindável. Perguntas do tipo (voltando a citar Rorty) "'que método é comum à paleontologia e à física das partículas?' ou 'qual é a relação com a realidade compartilhada pela topologia e pela entomologia?'" são pouco mais úteis do que (minhas invenções, não de Rorty) "a sociologia está mais próxima da física do que da crítica literária?" ou "será que a ciência política é mais hermenêutica do que a microbiologia, e a química é mais explicativa do que a psicologia?".[14] Precisamos libertar-nos para estabelecer entre os campos de investigação as vinculações e desvinculações que parecerem apropriadas e produtivas, sem prejulgar o que se pode aprender com o quê, o que pode manter um intercâmbio com o quê, ou o quê, sempre e em toda parte, tem que provir, inevitavelmente — "naturalismo reducionista" —, de tentativas de romper linhas metodológicas supostamente impossíveis de romper.

Aliás, há alguns indícios, provenientes das próprias ciências naturais, de que sua imagem continental de bloco indiviso, unido em seu compromisso com os métodos galileanos, a consciência desengajada e a visão que parte de lugar nenhum, vem sofrendo uma certa pressão. Num capítulo de seu livro *Bright Air, Brilliant Fire: On the Matter of Mind*, intitulado "Repondo a mente na natureza", o neurofisiologista e imunologista Gerald Edelman chega quase a lembrar Taylor em sua resistência obstinada à dominação desses pressupostos e pré-concepções em seu próprio campo de investigação, que é o desenvolvimento e evolução do cérebro humano:

> [Como] observou Whitehead oportunamente, a mente foi reposta na natureza [de onde a física a havia retirado] com a ascensão da fisiologia e da psicologia fisiológica, no final do século XIX. Desde então, temos passado por embaraços para saber o que fazer com ela. Assim como há algo de especial na relatividade e na mecânica quântica, há algo de especial nos problemas suscitados por esses fenômenos fisiológicos. Será que os próprios observadores são "coisas", como o restante dos objetos de seu mundo? Como explicar a curiosa capacidade dos observadores ... de se referirem a coisas do mundo, enquanto as próprias coisas do mundo nunca podem fazer essas referências? Quando nós mesmos observamos os observadores, essa propriedade da intencionalidade é inevitável. Alinhando-nos com a física, porventura devemos impor uma restrição a todos os traços psicológicos de que falamos na vida cotidiana: consciência, pensamento, crenças, desejos? Devemos adotar os complexos regimes sanitários do behaviorismo? ... Ou negamos a existência do que experimentamos antes de nos "tornarmos cientistas" (por exemplo, nossa própria consciência), ou declaramos que a ciência (leia-se "ciência física") não é capaz de lidar com essas questões.[15]

E não é só frente ao "behaviorismo" que Edelman, cientista natural, soa como Taylor, cientista humano, ao esbravejar contra modelos de análise estéreis, cegos e desastrosos, retirados de lugares célebres, mas impróprios; ele o faz também com respeito à psicologia cognitiva que estabelece analogias com os computadores — inteligência artificial e tudo o mais. Chega até a usar o mesmo termo insultuoso em relação a ela:

> A palavra "objetivismo" tem sido usada para caracterizar uma visão de mundo que, à primeira vista, afigura-se irrepreensível em termos científicos e do senso comum. ... O objetivismo pressupõe ... que o mundo tem uma estrutura definida, feita de entidades e propriedades e das relações entre elas. ... O mundo dispõe-se de tal modo que pode ser completamente modelado segundo ... modelos teóricos fixos...
>
> Em virtude da correspondência singular e bem definida entre símbolos teóricos fixos e coisas definidas pela categorização clássica, pode-se presumir, segundo essa visão, que as relações lógicas entre as coisas do mundo existem *objetivamente*. Assim, supõe-se que esse sistema de símbolos represente a realidade, e as representações mentais devem ser verdadeiras ou falsas conforme espelhem a realidade correta ou incorretamente ...
>
> O ... desenvolvimento do computador ... reforçou as idéias de eficiência e rigor e o sabor dedutivo que ... já caracterizava grande parte da ciência física. O "elegante" suporte formal dedutivo dos computadores, a ligação com a física matemática e o sucesso das ciências exatas pareciam poder estender-se de maneira interminável ...
>
> A visão computacional ou representativista é uma visão da natureza pelos olhos de Deus. É imponente e *parece* permitir um mapa encantador entre a mente e a natureza. Mas esse mapa só é encantador desde que se desvie o olhar da questão de como a mente de fato se revela nos seres humanos dotados de corpos. Quando aplicada à mente *in situ* [isto é, no cérebro], essa visão [objetivista] torna-se insustentável.[16]

Decerto é mais fácil ver as insuficiências de uma formulação puramente oposicionista ao "grande divisor" das relações entre as ciências "humanas" e as ciências "naturais" num livro como o de Edelman, que versa sobre o desenvolvimento e funcionamento de nosso sistema nervoso, e talvez na biologia em geral, do que, digamos, num trabalho sobre as transições de fase ou o momento angular, no qual as visões divinas parecem menos problemáticas e os espelhamentos representativistas afiguram-se mais apropriados. Mas, ainda que o sejam (o que, em si, torna-se ao menos questionável, à medida que "coisas" como as funções ondulatórias e a não localidade vão entrando na teoria física), a perda de detalhe produzida por essa visão tão excessivamente contrastante obscurece outras maneiras de mapear a paisagem do conhecimento, outros modos de atar entre si ou separar umas das outras as ilhas disciplinares da investigação empírica. "Quando não se sabe falar russo", escreveu o físico matemático David Ruelle, "todos os livros nessa língua parecem exatamente iguais."

> De maneira similar, a menos que se tenha a formação apropriada, não se percebe muita diferença entre os vários campos da física teórica: na totalidade dos casos, o que se vê são textos abstrusos, com pomposas palavras gregas, entremeados de fórmulas e símbolos técnicos. Tomemos, por exemplo, a relatividade especial. É um belo assunto, mas já não tem mistério para nós; sentimos saber sobre ele tudo o que gostaríamos de saber. A mecânica estatística, ao contrário, preserva seus segredos imponentes: tudo aponta para o fato de que só compreendemos uma pequena parte do que há por compreender.[17]

Deixando de lado o juízo específico formulado nesse trecho (o qual, é claro, sou incompetente para avaliar, tal como não sei aquilatar os pontos fortes e fracos da neurologia de Edelman), a desagregação das "ciências naturais" realmente parece essencial ao tipo de visão não taylorista, mas também não reducionista e não "naturalista", que tem outro físico matemático, Richard Feynman — numa passagem usada por Edelman como epígrafe de seu livro — sobre o projeto geral da compreensão humana:

> Qual destes fins está mais próximo de Deus, se posso usar uma metáfora religiosa: a beleza e a esperança, ou as leis fundamentais? Creio que ... temos de examinar ... toda a interligação estrutural da coisa; e creio que todas as ciências, e não somente as ciências, mas todos os esforços de tipo intelectual, são um esforço para enxergar as ligações das hierarquias, para ligar a beleza à história, para ligar a história à psicologia humana, a psicologia humana ao funcionamento do cérebro, o cérebro ao impulso nervoso, o impulso nervoso à química, e assim sucessivamente, para cima e para baixo, nos dois sentidos. ... E não creio que qualquer desses fins esteja mais próximo de Deus.[18]

Mas não é apenas do lado da ciência natural — aliás, nem é principalmente desse lado — que estão vindo os questionamentos das imagens fortemente binárias de "toda a interligação estrutural da coisa", e sim, precisamente, do lado hermenêutico, intencionalista, centrado no agente e extasiado com a linguagem que Taylor, assim como eu, está tão determinado a defender do objetivismo fugidio. A investigação histórica, social, cultural e psicológica das ciências como tais — o que ficou conhecido, resumidamente, como "estudos da ciência" — não apenas cresceu com extrema rapidez nos últimos vinte ou vinte e poucos anos, como também começou a redesenhar, de maneiras mais variadas, mutáveis e particularizadas, as linhas entre a "multiplicidade de comunidades de pesquisa separadas" de que fala Markus. Olhar a "ciência" de uma perspectiva interpretativista começou, por si só, a substituir ou, para dizer o mínimo, a complicar a imagem diltheyana que nos manteve cativos por tanto tempo.[19]

De todos os tipos de trabalho realizados sob a rubrica geral de ciências humanas, os que se dedicam a esclarecer as formas de vida vividas (para usarmos alguns exemplos reais) no contexto de aceleradores lineares, laboratórios de endocrinologia, salões de demonstração da Royal Society, observações astronômicas, estações de biologia marinha, ou comissões de planejamento da NASA, são os que têm menos probabilidade de conceber sua missão como restringindo-se a compreender os mundos intersubjetivos das pessoas. As máquinas, objetos, ferramentas, artefatos e instrumentos estão por demais à mão para serem considerados externos ao que acontece; é muito equipamento liberto do sentido. Essas meras "coisas" têm que ser incorporadas na história e, quando o são, a história assume uma forma heteróclita — agentes humanos e não humanos, unidos em narrativas interpretativas.

A construção dessas narrativas, que abarcam os mundos supostamente imiscíveis da cultura e da natureza, da ação humana e do processo físico, da intencionalidade e do mecanicismo, tem demorado a ser feita, até mesmo nos estudos da ciência, onde se diria serem inevitáveis. ("*Où sont les Mounier des machines, les Lévinas des Bêtes, les Ricoeur des faits?*",* talvez exclamasse o mais ardoroso defensor desse abarcamento, o antropólogo da ciência Bruno Latour.)[20] Essas questões foram evitadas, ou, para sermos mais exatos, nunca foram abordadas pelas incursões iniciais nos estudos da ciência, então chamados de sociologia da ciência e muito destacadamente associados ao nome de Robert Merton, os quais se restringiam a questões "externalistas", como o contexto social da ciência, o sistema de recompensas que a impulsiona e, muito particularmente, as normas culturais que a regem. As questões "internalistas", aquelas que têm a ver com o conteúdo e a prática da ciência como tal, foram deixadas fora do âmbito da investigação. Os trabalhos posteriores, mais influenciados pela sociologia do conhecimento, tentaram abordar as operações da ciência de maneira mais direta, estudando temas como a evolução das disputas teóricas e a replicação dos experimentos, porém em termos não menos objetivistas — "apoiar-se nas coisas sociais" (em geral, resumidas de maneira muito vaga como "interesses") "para explicar as coisas naturais". Só muito recentemente é

---

* "Onde estão os Mounier das máquinas, os Lévinas dos animais, os Ricoeur das realidades?". Dos três filósofos franceses citados, Emmanuel Mounier difundiu a doutrina do "personalismo comunitário", Emmanuel Lévinas especializou-se em Husserl e Heidegger, e Paul Ricoeur foi o fundador da hermenêutica moderna. (N.T.)

que uma orientação interpretativista, que tenta ver a ciência como a interação concertada* do pensamento e das coisas, começou a se impor.[21]

Por serem muito recentes, essas abordagens interpretativistas são mal formadas e variáveis, como incertas sondas de abertura numa investigação aparentemente interminável e, pelo menos por enquanto, mal delimitada. Existem análises da retórica do discurso científico oral e escrito; existem descrições de agentes humanos e não humanos como nós centrais coativos de redes ramificadas de sentido e poder; existem estudos etnográficos e etnometodológicos da "construção dos fatos" e dos "processos de explicação"; existem investigações do planejamento de pesquisas, da construção de instrumentos e da prática laboratorial. Mas, por menos desenvolvidos que sejam, todos eles abordam a ciência não como um precipitado social opaco, mas como uma ação social provida de sentido: "Nunca estivemos interessados em dar uma explicação social de coisa alguma... queremos explicar a sociedade, da qual ... as coisas, os fatos e os artefatos são componentes fundamentais."[22] Isso mal chega a se parecer com o "naturalismo" objetivista e sem agente do qual, com justa razão, Taylor desconfia. Por mais diferentes que sejam, as ciências naturais e as ciências humanas talvez não sejam tão radicalmente outras, e seu congresso intelectual pode não ser tão inevitavelmente estéril.

As ciências, sejam físicas, biológicas, humanas ou lá o que forem, modificam-se não apenas em seu conteúdo ou seu impacto social (embora o façam, é claro, e maciçamente), mas também em seu caráter enquanto forma de vida, maneira de estar no mundo, sistema significativo da ação humana, história particular sobre como estão as coisas. Como todas essas maneiras, formas, sistemas e histórias — naturezas-mortas, digamos, ou o direito criminal —, elas são construídas no tempo (e, apesar de sua busca da universalidade, também no espaço, num grau importante) e, sendo assim, qualquer imagem delas que permaneça estável, durante todo o seu curso e passando por toda a sua gama de atividades e interesses, está fadada a se transformar num mito encobridor. Esse mito realmente existe e, como demonstrou Taylor, teve efeitos destrutivos nas tentativas daqueles que o acataram para explicar a política, a linguagem, a individualidade e a mente. Mas teve também, como Taylor não parece perceber com muita clareza, efeitos não menos perniciosos na própria idéia da ciência em si, para tomarmos emprestado o empréstimo que Woolgar tomou do slogan de Davidson.[23]

---

* Essa é uma tradução aproximada da forma adjetiva do termo inglês *consilience*, que designa a coincidência de generalizações de classes separadas de fatos nas induções lógicas, de tal modo que um conjunto de leis indutivas revela-se concorde a outro conjunto, de derivação diferente. Ver a nota 21 do Autor. (N.T.)

Na verdade, a resistência de Taylor à intromissão do "modelo da ciência natural" nas ciências humanas parece aceitar a visão de seus adversários de que existe tal modelo, unitário, bem definido e historicamente imóvel, regendo as investigações contemporâneas sobre as coisas e as materialidades; o problema estaria meramente em confiná-lo a sua esfera própria — estrelas, pedras, rins e ondas — e em mantê-lo bem longe das questões em que "ter importância" é importante.[24] Essa divisão do campo, que muito nos faz lembrar a maneira como alguns teólogos do século XIX (e alguns físicos devotos) tentaram "solucionar" a questão da religião *versus* ciência — "vocês podem ficar com os mecanismos, nós ficaremos com os significados" —, garante, supostamente, que as idéias não invadam a seara alheia. O que ela garante, na verdade, é a presunção simétrica e o esvaziamento das questões.

Como praticamente todos se apercebem, ao menos vagamente, há grandes transformações em andamento nos estudos que se convencionou agrupar sob a categoria bastante frouxa de ciências naturais (será que a matemática faz parte delas? e a psicofarmacologia?), transformações estas que são a um tempo sociais, técnicas e epistemológicas, e que tornam canhestra, pálida e inexata não apenas a imagem seiscentista delas, mas também as imagens do fim do século XIX e início do século XX. O preço de manter as ciências humanas radicalmente separadas desses estudos vem mantendo tais estudos radicalmente separados das ciências humanas — deixadas à mercê de seus próprios recursos.

Esses recursos não bastam. O resultado desse estranhamento artificial e desnecessário é, ao mesmo tempo, a perpetuação, nas diversas ciências naturais, de autoconcepções ultrapassadas, de histórias globais que falseiam sua prática efetiva, de imitações "estéreis", "mal acabadas" e "implausíveis", induzidas por essas concepções fora de moda e por essas histórias falsas nos cientistas humanos que desconhecem no que consistem, de fato, a física, a química, a fisiologia e coisas similares como ação significativa, e ainda, o que talvez seja pior do que tudo, a produção de vários tipos de irracionalismos da Nova Era — a física zen, a cosmologia dos *maharishis*, a parapsicologia —, que supostamente unificam tudo e todos em algum nível mais alto, mais profundo ou mais amplo.[25]

Combater a "naturalização" das ciências humanas é uma iniciativa necessária, para a qual Taylor contribuiu de maneira vigorosa; e devemos ser-lhe gratos pelo destemor de seus esforços nesse aspecto, e por sua precisão. Tomado, ele mesmo, por algumas fórmulas empoeiradas, Taylor, para prejuízo de todos nós, não contribuiu da mesma forma para a iniciativa não menos necessária de religar as ciências naturais a suas raízes humanas e, desse modo, combater a naturalização *delas*. É uma grande lástima que alguns dos fenômenos de maior peso na cultura contemporânea estejam ocorrendo fora da atenção de um dos mais profundos estudiosos dessa cultura.

7 *O legado de Thomas Kuhn: O texto certo na hora certa*

A morte de Thomas Kuhn — "Tom", para todos os que o conheciam, e que (considerando sua recusa, por princípio, a desempenhar o papel de grande celebridade intelectual que ele indiscutivelmente era) somavam um número extraordinário de pessoas — parece estar a caminho de ser vista, tal como sua vida profissional em geral nestes tempos de pós-modernistas e guerras culturais, como apenas mais um apêndice, nota de rodapé ou adendo a sua *Estrutura das revoluções científicas*, obra escrita nos anos cinqüenta e publicada em 1962.[1] Apesar de ele haver produzido vários outros livros importantes — inclusive *A tensão essencial* (1977), pelo menos tão original quanto o primeiro e bem mais cuidadoso, e *A teoria do buraco negro e a descontinuidade quântica, 1894-1912* (1978),[2] meticulosamente pesquisado, e cuja recepção morna pela comunidade da física, sempre enciumada de seus mitos de origem, foi-lhe muito dolorosa —, foi *A estrutura*, como o próprio Tom sempre se referia ao texto, que o definiu aos olhos do mundo e, reativamente, a seus próprios olhos. Angustiado e passional, ele viveu à sombra do livro por quase trinta e cinco anos. Seus obituários, que foram numerosos, concentraram-se quase exclusivamente nesse trabalho, inclusive um necrológio singularmente desagradável, obtuso e insincero, publicado no periódico londrino *The Economist*, que terminou com uma piada de mau gosto sobre a idéia de que Kuhn estava passando por uma mudança de paradigma. E já que, nos dias finais de sua batalha contra o câncer de pulmão, ele enfim levou praticamente a termo, para ser publicado, seu tão esperado e tão previsto segundo exame do assunto — como se modificam as ciências —, sua reputação será alimentada por esse livro por muitos anos.

Assim, surge uma pergunta: por que a *Estrutura* teve esse impacto imenso? Por que todo o mundo, desde especialistas em física das partículas e filósofos até sociólogos, historiadores, críticos literários e cientistas políticos, para não falar nos publicitários, nos divulgadores culturais e nos ignorantes da contracultura, encontrou nele alguma coisa a colocar animadamente a serviço de seus próprios interesses, ou à qual reagir, com igual animação? Não pode ser apenas porque o livro é ousado, inovador, incisivo e maravilhosamente bem escrito. Ele é tudo isso, além de erudito e de profunda sensibilidade. Mas há outros livros, na história da ciência e fora dela, com essas virtudes. A excelência e a importância, por mais reais que sejam, não garantem a fama nem a repercussão — afinal, quantas pessoas prestaram atenção a *Feeling and Form*, de Suzanne Langer? De algum modo misterioso e indefinido, misterioso e indefinido até para o próprio Kuhn, que nunca deixou de ficar surpreso, intrigado e seriamente preocupado com a recepção dada a seu livro, a *Estrutura* foi o texto certo na hora certa.

Desde aproximadamente os anos 20 (e sobretudo depois de publicado *Ideologie und Utopie*, de Karl Mannheim, em 1929), o que ficou conhecido como "sociologia do conhecimento" foi aplicado a um campo após outro da atividade intelectual. A religião, a história, a filosofia, a economia, a arte, a literatura, o direito, o pensamento político e até a própria sociologia foram submetidos a uma forma de análise que procurava expor as ligações que os uniam ao contexto social em que eles existiam, e que os via como construções humanas, historicamente desenvolvidas, culturalmente localizadas e coletivamente produzidas. Parte dessa análise foi tosca e determinista: um reducionismo marxista ou um historicismo hegeliano. Parte foi sutil e hesitante: um levantamento pormenorizado de avanços locais, uma sugestão pertinente de relações específicas. Mas, tosca ou sutil, impetuosa ou relutante, ela não foi aplicada, salvo algumas exceções que se mantiveram como tais, ao que já se havia tornado a mais prestigiosa, mais ameaçadora e, em meados do século, mais importante atividade intelectual de todas — as ciências naturais.

Separadas num mundo de pensamento autopropulsado, a física, a química, as ciências da Terra e até a biologia não foram conspurcadas pela sociologia, ou, pelo menos, pela sociologia do conhecimento. A história que havia era sobretudo uma história de praticantes, exageradamente monumental e antiquada: uma narrativa de realizações que haviam constituído marcos, conduzindo, uma após outra, à verdade, à explicação e à situação atual. A sociologia que havia, fosse a de Max Weber ou a de Robert Merton, continuava predominantemente "externalista", interessada nos efeitos sociais da ciência, nas normas institucionais que a regem, ou na origem social dos cientistas. As chamadas questões internalistas — como e por que as teorias e práticas dos cientistas assumem as formas que assumem, despertam os interesses que despertam e desenvolvem a influência que desenvolvem — ficavam fora de seu alcance, sendo explicáveis, se tanto, pelas energias da razão, pelos mistérios da genialidade, ou pela simples natureza das coisas a se imprimir na mente capacitada.

Foi essa linha aparentemente inquestionável e supostamente intransponível, que separa a ciência como forma de atividade intelectual, como modo de saber, da ciência como fenômeno social, como modo de agir, que Kuhn questionou pela primeira vez na *Estrutura*, e em seguida transpôs. É claro que ele não foi o único a fazê-lo. Figuras muito diversas, como Norwood Russell Hanson, Michael Polanyi, Paul Feyerabend, Mary Hesse, Imre Lakatos e, mais tarde, Michel Foucault e Ian Hacking, algumas delas críticas de certas teses específicas de Kuhn, outras rivais, outras simplesmente em trajetórias próprias, também cruzaram a linha, a partir dos anos cinqüenta. Mais do que qualquer uma delas, no entanto, Kuhn e a *Estrutura* prepararam o terreno e, como nem sempre é prudente ou cômodo estar na linha de frente de um pelotão de ataque, atraíram o canhoneio dos Antigos Fiéis. Uma vez que o livro, originalmente concebido como um verbete independente da *International Encyclopedia of Unified Science*, de Neurath, Carnap e Morris, de inspiração positivista, era muito esquemático, abrangente, confiante e intransigente, por si só ele estabeleceu os termos do debate. Tornou-se a imagem mesma do estudo da ciência como iniciativa mundana; tornou-se, para cunharmos uma expressão, seu paradigma dominante, pronto para ser imitado, ampliado, desdenhado ou derrubado.

É desnecessário — e impossível, de qualquer maneira — rever aqui as centenas de argumentos pró e contra as teses propostas na *Estrutura*: a de que a mudança científica é descontínua, alternando-se entre longos períodos de estabilidade "normal" e pequenos surtos de convulsão "revolucionária"; a de que a pesquisa científica "normal" é regida por modelos estabelecidos — os famosos paradigmas —, que constituem modelos de solução de quebra-cabeças para a comunidade pertinente; a de que esses paradigmas são "incomensuráveis" e de que os cientistas que trabalham com paradigmas diferentes só apreendem parcialmente as idéias uns dos outros, na melhor das hipóteses; a de que a "escolha da teoria", o movimento de um paradigma para outro, é mais adequadamente descrita como uma questão de "conversão" intelectual por mudança da Gestalt do que como um confronto gradativo, ponto a ponto, entre a visão abandonada e a aceita; e a de que o grau em que os paradigmas se cristalizam numa ciência é uma medida de sua maturidade, de sua "exatidão" ou "inexatidão", e de sua distância e diferença das iniciativas não científicas. Algumas dessas formulações foram modificadas pelo próprio Kuhn, numa série de apêndices, reformulações, respostas e "reconsiderações". Muitas ele julgou serem distorcidas e mal interpretadas, ou mesmo mal utilizadas, tanto por seus críticos quanto por seus defensores. Algumas, em especial a afirmação de que a mudança científica não consiste numa aproximação resoluta de uma verdade que está à espera de ser descoberta, mas nas calmarias e tormentas das comunidades disciplinares, ele defendeu de todos os ataques, vindos de todos os lados.

De fato, foi esta última e mais influente de suas proposições que tornou revolucionária a própria *Estrutura* — uma convocação às armas, para os que viam a ciência como o último baluarte do privilégio epistêmico, ou um atentado à razão, para os que a viam como a estrada por excelência para o realmente real. Quer as descontinuidades teóricas sejam ou não tão destacadas em outros campos quanto supostamente são na física; quer as mudanças de Gestalt e a incomensurabilidade sejam ou não a norma na mudança teórica, ou em algum momento sejam completas; e quer a teoria e a afirmação generalizada, os esquemas conceituais e as visões de mundo sejam ou não realmente o xis da questão, para começo de conversa, tudo isso pode esperar para ser debatido no próprio tipo de estudo que a *Estrutura* exemplifica e convoca. O que resta do legado de Kuhn, o que enfurece seus adversários mais intransigentes e confunde seus seguidores mais acríticos, é sua insistência apaixonada em que a história da ciência é a história do crescimento e da substituição de comunidades científicas auto-recrutadoras, normativamente definidas, dirigidas de maneiras variadas e, muitas vezes, claramente competitivas. Ou, para finalmente citar a *Estrutura*, em vez de apenas aludir a ela: "A ciência normal e as revoluções são ... atividades baseadas na comunidade. Para descobri-las e analisá-las, primeiro é preciso desenredar a estrutura comunitária mutável das ciências ao longo do tempo. Um paradigma não rege ... um assunto, mas um grupo de praticantes. Qualquer estudo das pesquisas norteadas por paradigmas ou destruidoras de paradigmas deve começar pela localização do grupo ou grupos responsáveis."[3]

Com esse firme posicionamento "das ciências" no mundo em que se desenvolvem programas de trabalho e se fazem carreiras, em que se formam alianças e se desenvolvem teorias, no mundo dos esforços grupais, dos choques entre grupos e dos compromissos de grupos — em suma, no mundo em que todos vivemos —, a *Estrutura* escancarou as portas, tanto quanto era possível, para a irrupção da sociologia do conhecimento no estudo dessas ciências. Como a própria sociologia do conhecimento, no caso, era repleta de debates, dissidências e uma multiplicidade de visões (bem como, em alguns de seus praticantes mais exuberantes, de um tom oposicionista que era a conta certa para fazer a ordem estabelecida ranger os dentes), seu embate com as ciências foi e continua a ser mais fértil do que o foi com a literatura, a história ou o pensamento político, fazendo lembrar, na verdade, suas rixas prolongadas e venenosas com a religião. Entretanto, uma vez disparada essa aplicação das categorias, raciocínios, métodos e objetivos característicos das ciências humanas às práticas das ciências tendenciosamente chamadas de "reais", agora não se pode mais revertê-la, nem mesmo pelas contramedidas mais desesperadas. Apesar das acusações de "subjetivismo", "irracionalismo", "psicologia da turba" e, é claro, "relativismo" — execração predileta dos que se plantam nas trincheiras, hoje em dia —, todas as quais foram repetidamente gritadas contra a *Estrutura* (e contra "Kuhn", que foi acusado, por pessoas de quem se esperaria um nível de argumentação bem mais elevado, de descrer da existência de um mundo externo), a proposta do livro, seja qual for o destino de suas afirmações particulares, veio para ficar. A submissão das ciências à atenção — continuada ou superficial, esclarecida ou ignorante — de historiadores, sociólogos, antropólogos, economistas e até autores científicos e professores de inglês que não se dispõem a parar nas fronteiras da autoridade disciplinar, ou a se curvar à solenidade dos agraciados com o Prêmio Nobel, cresce a passos largos. Uma vez fora da garrafa, esse gênio, em particular, não pode ser novamente enfiado lá dentro, por mais assustador ou mal comportado que seja — ou para quem o seja.

Está bastante claro que, ao publicar a *Estrutura*, Kuhn não tinha plena consciência de quão indisciplinado o gênio viria a ser. A grande explosão de estudos sócio-históricos da ciência — Edimburgo, Paris, Bielefeld, Boston, Jerusalém, San Diego etc. —, assim como a grande explosão de jeremiadas contra eles, foram predominantemente posteriores ao que o próprio Kuhn caracterizou, nas páginas iniciais do livro, como um ensaio de reflexão sobre algumas coisas que o incomodavam desde seus tempos errantes de estudante de pós-graduação e de membro da Harvard Society of Fellows. As causas de toda essa crítica e contracrítica, que não tardariam a se estender também aos campos não científicos (ou pretensamente científicos), são diversas, mal entendidas e muito discutidas. O lugar mutável das ciências (e dos cientistas) na cultura contemporânea, as inquietações morais advindas de suas aplicações militares e seu crescente distanciamento da inteligibilidade geral, todos foram propostos como candidatos a causas. Também o foram o ceticismo crescente quanto à possibilidade de existirem pesquisas isentas de juízos de valor, a ambivalência cada vez mais profunda ante a mudança tecnológica acelerada e as explosões universitárias do fim dos anos sessenta. Para outros, o culpado é o fim da modernidade, o misticismo da Nova Era, o feminismo, a desconstrução, o declínio da hegemonia ocidental, a política de financiamento das pesquisas, ou alguma combinação deles.

Embora tivesse conhecimento da maioria dessas questões, o próprio Kuhn estava menos interessado nelas do que em compreender como a ciência havia passado de Aristóteles a Newton, de Newton a Maxwell e de Maxwell a Einstein, e, consideradas as contingências do mundo, quais teriam sido as razões de seu sucesso improvável ao fazê-lo. Deixando de lado o debate sobre "a bomba", para o qual, ao que eu saiba, ele jamais se voltou publicamente, tais razões não chegavam a ser proeminentes, muito menos centrais, no mundo apreensivo mas ainda circunspecto do fim dos anos cinqüenta e início dos sessenta. Elas ganharam esse destaque independentemente, depois do lançamento da *Estru-*

tura, e foram então polemicamente associadas ao livro por seu público imenso, inesperado e não pretendido — em termos positivos, como uma desmistificação da autoridade científica e como sua reinclusão no tempo e na sociedade; e, em termos negativos, como uma revolta contra ela, um repúdio da objetividade, do desprendimento, da lógica e da verdade. Kuhn havia semeado vento, e colheu uma tempestade.

Qualquer que fosse sua atitude perante os livros, metalivros e metametalivros que se acumularam em torno da *Estrutura* depois do fim dos anos sessenta — e, decididamente, era uma atitude ambivalente —, Kuhn viu-se na situação de ter que afirmar repetidamente suas idéias, sob várias formas e em vários tipos de foros. Não é que essas idéias fossem obscuras ou menos do que diretas e francas em sua expressão inicial. Se tanto, talvez fossem um pouco claras demais. Porém teriam que abrir caminho num meio intelectual muito diferente daquele em que se haviam formado originalmente. Havendo começado como um físico "normal" e se tornado um historiador "normal" (sua historiografia centrada em casos, aparentemente aprendida com James Bryant Conant, era tão convencional quanto foram heterodoxas as suas teses), Kuhn estava longe de se sentir à vontade com doutrinas que questionassem a possibilidade do saber autêntico ou a realidade dos verdadeiros avanços obtidos nele. E, apesar de toda a sua ênfase nas considerações sociológicas para se chegar a uma compreensão da mudança das teorias, ele nunca fez menos do que desdenhar da idéia de que tais considerações afetassem o valor de verdade das teorias da propagação da luz ou do movimento dos planetas.

Kuhn não foi a primeira pessoa, logo em início de carreira, a fazer alguma coisa que atrapalhou os planos de muita gente, e a ter que se haver com suas vastas implicações, algumas mais do que intragáveis, quando ela se transformou, por sua vez, num saber comum. Decerto foi esse o caso de Gödel, que diríamos ter desejado que sua prova tivesse dado o resultado inverso, e que passou boa parte do resto de sua vida tentando estabelecer por outros meios a integridade da razão. E deve ter sido também o caso de Einstein, perturbado com a brecha introduzida na teoria física por sua concepção quântica da luz, e desde então procurando voltar a fechá-la, de algum modo. Viver os efeitos posteriores ao abalo, num terremoto em cuja causação se desempenhou um papel importante, pode ser tão difícil e tão cheio de repercussões quanto produzir o tremor original. Há que se ter uma convicção serena e uma ironia imperturbável a respeito de si mesmo para conseguir esse feito. A revolução desencadeada por Kuhn (que pendurara em casa um lema bordado com os dizeres "Deus Salve este Paradigma") ainda perturbará por muito tempo as nossas certezas, como perturbou as dele.

8 O beliscão do destino: A religião como experiência, sentido, identidade e poder

Quando, no último capítulo de *As variedades da experiência religiosa* — aquele a que deu o nome, com certo constrangimento, de "Conclusões", anexando-lhe imediatamente um pós-escrito corretivo, que não perdeu tempo em renegar —, William James voltou os olhos para trás e observou o que fizera em quase quinhentas páginas densamente cobertas de texto, ele se confessou meio surpreso com o sentimentalismo daquilo tudo. "Ao reler meu manuscrito, quase me estarrece o tanto de emoção que encontro nele. ... Estivemos literalmente banhados em sentimentos."[1] Fora tudo uma questão de "individualidades secretas", disse ele, e de "documentos palpitantes" — autobiografias fragmentadas, relato deste ou daquele episódio interno, perturbador e evanescente. "Não sei quanto tempo durou esse estado nem quando foi que adormeci", dissera um desses relatos, "mas, ao acordar de manhã, *eu estava bem.*"[2] "Não importa o que fizesse e onde quer que fosse", dissera outro, "eu continuava numa tempestade."[3] "[A]quilo parecia apoderar-se de mim em ondas", dissera um terceiro, "abanar-me como asas imensas."[4] E assim por diante, em página após página de confissões. A religião, disse James, com a proverbial concisão que usou para se salvar da copiosa riqueza de sua própria prosa, era "o beliscão individual do destino", tal como o indivíduo o sentia. "[Os] recônditos dos sentimentos, as camadas mais obscuras e mais cegas do caráter", escreveu ele, "são os únicos lugares do mundo em que podemos flagrar a produção de um fato real ... perceber diretamente como se dão os acontecimentos ... como é feito o trabalho."[5] O resto era notação: estava para a realidade da coisa como o cardápio está para a refeição, como o quadro de uma locomotiva em disparada está para sua energia e sua velocidade, ou talvez, embora ele não tenha conseguido propriamente chegar a dizê-lo, como está a ciência para a vida.

Essa maneira de caracterizar a "religião" e "o religioso" — o individualismo radical ("Se um Emerson fosse obrigado a ser um Wesley, ou um Moody fosse forçado a ser um Whitman, toda a consciência humana do divino sofreria"[6]), a atração pelas paragens mais agrestes do sentimento ("Tomei esses exemplos mais extremados por serem os que geram informações mais profundas"[7]), e, acima dc tudo, a desconfiança dos projetos e esquemas (James os chamou, inclusive os seus, de "pálidos", "empobrecidos", "incorpóreos" e "mortos") — confere às *Variedades*, quando voltamos os olhos para trás, de onde quer que estejamos agora, um aspecto curiosamente duplo. Ao mesmo tempo, o livro parece ultracontemporâneo, como se tivesse sido escrito ontem sobre a Nova Era e sobre este ou aquele tipo de rebuliços pós-modernos, e inusitadamente distante, imerso no clima da época, como *Os bostonianos*, "Autoconfiança" ou *Ciência e saúde*.

A sensação de contemporaneidade é basicamente uma ilusão — as perturbações do último *fin-de-siècle* são bem diferentes das deste, como o são também nossas maneiras de lidar com elas. Mas a percepção de que o grande livro de James, num sentido não pejorativo (se é que existe um sentido não pejorativo), é datado tem muito mais substância. Vemos a religião em termos diferentes dos de James, não por conhecermos mais do que ele sobre o assunto (não conhecemos), nem porque o que ele descobriu já não nos interesse ou não nos pareça importante (parece), nem tampouco porque a própria religião tenha mudado (ela mudou e não mudou). Nós a vemos em outros termos porque o solo se moveu sob nossos pés; temos outros extremos a examinar, outros destinos a prevenir. O beliscão continua a existir, contundente e incômodo. Mas, por alguma razão, sua sensação é um tanto diferente. Menos particular, talvez, ou mais difícil de localizar, mais difícil de pôr o dedo exatamente em cima; não é, com a mesma certeza, um indicador fidedigno ou um sinal revelador, nem é tão seguramente uma dor metafísica.

É que o que mais parece distanciar-nos de James, separar da dele a nossa espiritualidade, se é que essa palavra ainda pode significar alguma coisa, excetuada a pretensão moral, é o termo que excluí cuidadosamente de seu brilhante lema, ao adotá-lo como meu título: "individual" — "o beliscão *individual* do destino". A "religião" ou a "religiosidade", nas páginas e no mundo de James — a Nova Inglaterra transcendentalista em seus estertores —, é uma questão radicalmente pessoal, uma profunda experiência particular e subjetiva de um "estado de fé" (como ele o chama), que resiste com inflexibilidade às pretensões do público, do social e do cotidiano "de serem os ditadores únicos e máximos daquilo em que podemos acreditar".[8] Havendo crescido na época de James, quando os Estados Unidos começavam não só a ser poderosos, mas a se sentir dessa maneira, essas pretensões, em nossa época, tornaram-se absolutamente esmagadoras. De algum modo, demarcar um espaço para a "religião" num campo chamado "experiência" — "as camadas mais obscuras e mais cegas do caráter" — já não parece uma coisa muito sensata e natural para se tentar fazer. Há coisas demais a que se quer dar o nome de "religiosas" — quase tudo o que acontece fora do self, como às vezes parece.

Quando a expressão "luta religiosa", como tantas vezes acontece hoje em dia, surge nos meios de comunicação, nos textos eruditos e até nos sermões e homilias eclesiásticos, ela tende a não se referir aos embates particulares com demônios internos. As mensagens provenientes das ameias da alma ficam predominantemente reservadas aos programas televisivos de entrevistas e às autobiografias de celebridades em recuperação. A expressão não mais se refere com freqüência, tampouco, ao esforço que tanto se destacou, na virada do último século — quando as igrejas pareciam esvaziadas e em processo de atrofia e o endeusamento da riqueza avançava —, para proteger a autoridade enfraquecida da convicção religiosa, através de sua transposição para um campo autônomo, fora do alcance das seduções promíscuas da vida secular — o lugar de criação de Auden, no qual os executivos jamais quereriam mexer. Hoje em dia, a "luta religiosa" refere-se quase sempre a ocorrências bastante externas, a processos ao ar livre que acontecem em praça pública — choques em vielas, audiências em tribunais superiores. Iugoslávia, Argélia, Índia e Irlanda. Políticas de imigração, problemas das minorias, currículos escolares, observância do sabá, xales para cobrir a cabeça e debates sobre o aborto. Tumultos, terrorismo, *fatwas*, Verdade Suprema (*Aum Shinri Kyo*), Kach, Waco, *Santería* e a invasão do Templo Dourado. Monges politizados no Sri Lanka, mediadores políticos convertidos nos Estados Unidos, santos guerreiros no Afeganistão. Desmond Tutu, um ganhador anglicano do Prêmio Nobel, trabalhando para levar os sul-africanos a confrontarem seu passado; Carlos Ximenes Belo, um ganhador católico romano do Prêmio Nobel, trabalhando para estimular os timorenses do leste a resistirem a seu presente. O Dalai Lama percorrendo as capitais do mundo para manter viva a causa tibetana. Não há nisso nada de particularmente privado — encoberto, talvez, ou sub-reptício, mas dificilmente privado.

Na época de James, a religião parecia estar ficando cada vez mais subjetivada; parecia, pela própria natureza, estar-se enfraquecendo como força social, para se tornar uma questão inteiramente ligada aos afetos do coração. Os secularistas acolhiam essa suposta realidade como um sinal de progresso, modernidade e liberdade de consciência; os fiéis resignavam-se a ela como o preço necessário por essas coisas. (James, como lhe era característico, tinha as duas posturas.) Para ambos, a religião parecia estar gravitando para seu lugar apropriado, longe da articulação das preocupações temporais. Só que não foi assim que as coisas aconteceram. Os eventos dos cem anos decorridos desde que James fez suas palestras — duas guerras mundiais, o genocídio, a descolonização, a disseminação do populismo e a integração tecnológica do mundo — menos contribuíram para impelir a fé para dentro, para as comoções da alma, do que para impulsioná-la para fora, para as comoções da sociedade, do Estado e desse tema complexo a que chamamos cultura.

A "experiência", por mais que seja impossível erradicá-la de qualquer discurso sobre a fé que seja receptivo a suas pretensões de regeneração (ponto a que pretendo voltar no final, quando tentar resgatar James de minha própria crítica), já não parece adequada para moldar, por si mesma, nossa compreensão das paixões e atos que, sob tal ou qual descrição, queremos chamar de religiosos. É preciso empregar termos mais firmes, mais decididos, mais transpessoais, mais extrovertidos — "Sentido", digamos, ou "Identidade", ou "Poder" — para captar as tonalidades da devoção em nossa época. Num momento em que, enquanto escrevo, é concebível que um católico romano se torne primeiro-ministro da Índia, se cair o atual governo hinduísta, em que o islamismo, pelo menos de fato, é a segunda religião da França, em que literalistas bíblicos procuram minar a legitimidade do presidente dos Estados Unidos, em que mistagogos budistas mandam políticos budistas pelos ares em Colombo, em que padres adeptos da teologia da libertação instigam camponeses maias à revolta social, em que um mulá egípcio dirige, de uma prisão norte-americana, uma seita reformadora do mundo, e em que caçadores de bruxas sul-africanos ministram a justiça em *shabeens* [bares] da vizinhança, falar de religião como "*os sentimentos, atos e experiências de homens individuais em sua solidão, na medida em que eles se apreendem como estando relacionados com o que possam considerar o divino*" (para citar a "Circunscrição do Tema", grifada pelo próprio James) parece passar por cima de uma multiplicidade de coisas que vêm acontecendo nos corações e mentes dos devotos de hoje.[9]

Tampouco se trata de uma questão meramente vocacional, da voz do psicólogo, fascinado pelas profundezas afetivas, contra a voz do antropólogo, deslumbrado com as superfícies sociais. James não era individualista por ser psicólogo; era psicólogo por ser individualista. É esta última idéia, a de que cremos, quando cremos (ou descremos, quando descremos), na solidão, postando-nos sozinhos no que concerne a nosso destino, a nosso beliscão particular, que talvez precise de uma certa reconsideração, dadas as guerras e distúrbios que hoje nos cercam.

O "Sentido", na badalada acepção de "o Sentido da Vida", ou "o Sentido da Existência" — o "Sentido" do Sofrimento, do Mal, do Acaso ou da Ordem —, tem sido um esteio das discussões doutas da religião pelo menos desde o século

XVIII, quando esses debates começaram a ser formulados em termos mais empíricos do que apologéticos. Mas foi somente com a tentativa de Max Weber (cuja ousadia ainda causa assombro) de demonstrar que os ideais religiosos e as atividades práticas avançam juntos, aos tropeços, à medida que se deslocam pela história, constituindo, a rigor, um processo inseparável, que o "Sentido" começou a ser visto como algo mais, ou como algo diferente de um verniz convencional, aplicado sobre uma realidade estável.

Havido esse reconhecimento, quando olhamos agora para nosso mundo sintonizado na mídia, para tentar ver o que há nele de "religioso", segundo alguma compreensão sensata desse termo, não vemos, como via James com seus convertidos absortos, seus solitários em êxtase e suas almas adoecidas, uma luminosa linha divisória entre as preocupações com o eterno e as do cotidiano; aliás, praticamente não vemos linha divisória alguma. Ao que parece, o longo bramido do mar de fé que se afasta das praias esbranquiçadas da vida corriqueira, do qual nos falou Arnold, mostra-se bastante calmo por enquanto; a maré subiu e está enchendo. O sentido (presumindo-se que algum dia tenha estado realmente longe, fora do sul da Inglaterra) está de volta. O único problema é que é dificílimo saber o que isso significa.

Em quase todos os lugares (Cingapura talvez ainda esteja excluída, embora, mesmo lá, haja alvoroços evangelizadores), vemos concepções de cunho religioso sobre o que é tudo, sempre e em toda parte, sendo impelidas para o centro da atenção cultural. Da África setentrional e ocidental, passando pelo Oriente Médio e pela Ásia central, até o sul e o sudeste asiáticos, uma vasta e variegada coleção de ideologias, movimentos, partidos, programas, visões, personalidades e conspirações que se anunciam como autenticamente islâmicos entrou na concorrência pela hegemonia social — ou, em alguns casos (Irã, Afeganistão e talvez o Sudão), mais ou menos acabou com ela. No subcontinente indiano, lugar para o qual se poderia ter inventado a palavra "miríade", nacionalismos, subnacionalismos e sub-subnacionalismos religiosos manobram numa competição renhida, no estilo "um milhão de motins agora", para obter o controle, a dominação e o direito de prescrever a moral pública. Os iugoslavos, que se assemelham em tudo, menos em suas lembranças, agarram-se a diferenças religiosas não enfatizadas no passado, para justificar seus ódios opacos. O papado se globaliza, procurando moldar a sociedade leiga na África, no Leste Europeu e na América hispânica. A ortodoxia é revivida, para devolver a Rússia a seu caráter russo; o apreço pelas Escrituras proféticas é revivido, para devolver a América a seu caráter americano. Existem, é claro, lugares em que as concepções religiosas, aceitas ou renovadas, parecem desempenhar um papel reduzido nas questões públicas (a China, talvez, ou Ruanda-Burundi, também talvez). Porém é mais do que suficiente o número de lugares em que elas desempenham um papel destacado para que consideremos esse fato como um sinal de nossos tempos.

Interpretar esse sinal, desembrulhar seu sentido ou explicá-lo de algum outro modo, determinando por que ele é o que é e como foi que ficou assim, e o que nos diz sobre como andam as coisas entre nós na atualidade, é uma coisa completamente diferente, sem dúvida. Dada a longa e veneranda tradição das ciências sociais de buscar em toda parte a explicação dos fenômenos religiosos, exceto nesses próprios fenômenos — uma tradição que nem Weber parece ter tido força suficiente para romper —, tem havido, nas últimas duas ou três décadas (é provável que a Revolução Iraniana, em 1979, tenha marcado a volta da religião a um lugar importante em nossa agenda profissional, embora questões como a partilha, as revoltas de Kuala Lumpur, o Concílio Vaticano II, Martin Luther King e o recrudescimento dos conflitos irlandeses devessem ter-nos alertado para isso há mais tempo), um grande extravasamento de teorias e explicações que invocam circunstâncias políticas e econômicas, sociológicas e históricas, e, em alguns casos, até psicológicas, das "massas enlouquecidas", como as forças subjacentes que impelem, determinam, causam, moldam, movem ou estimulam — todas essas coisas que as "forças" fazem — os fenômenos religiosos. A "religião" é a variável dependente favorita de todo o mundo.

Em si, não há nada de muito errado nisso. Apesar do incentivo que dá ao pecado renitente dos estudos sociológicos — a análise da causa favorita ("tudo se resume"... na personalidade dos líderes, nas tensões da modernização, na memória histórica, na pobreza das massas, no rompimento das tradições, na desigualdade, na geopolítica, no imperialismo ocidental etc.) —, essa postura tem levado a interpretações sugestivas de alguns casos particulares e, com menos freqüência, do fenômeno em geral. Não há dúvida de que homens como Milosevic, Karadzic, Tudjman e Izetbegovic, para não dizer nada dos bandos de facínoras que mataram em nome deles, foram e são personalidades manipuladoras, muito mais movidas pelas vaidades da glória terrena, pela ambição, calculismo, inveja e auto-admiração narcísica do que por entusiasmos religiosos, ou sequer etno-religiosos. Do mesmo modo, está perfeitamente claro que o "islamismo político", como passou a ser enganosamente chamado — quer sob a forma do radicalismo argelino, do clericalismo egípcio, do militarismo paquistanês ou do tradicionalismo malaio, quer sob a forma dos movimentos progressistas atormentados e dispersos que, de algum modo, conseguem persistir praticamente em toda parte —, alimenta-se da estagnação e da pobreza, e representa um esforço dos muçulmanos para finalmente enfrentar as exigências e as energias do mundo moderno. E a maré crescente de conflitos comunitários na Índia, na Nigéria, no Sri Lanka e na Indonésia é, numa parcela significativa, com certeza uma resposta às tentativas de construção de Estados nacionais fortes e centralizados nesses países poliglotas, policulturais e poli-religiosos.

Tudo isso está muito bem. Mas, ao mesmo tempo, Karadzic não teria conseguido mobilizar os temores do que chamou, com despreocupado anacronismo, de "os turcos" de Sarajevo, nem Tudjman teria podido mobilizar os croatas contra a grande minoria sérvia de Zagreb, cobrindo a cidade de cartazes com os dizeres "Deus protege a Croácia", se já não houvesse alguma coisa a ser mobilizada, mesmo nesses locais (então) cosmopolitas, descontraídos e, em geral, secularizados. Sem um sentimento muito difundido, nas massas da cidade do Cairo ou de Karachi, de um islamismo aviltado e negligenciado, com a Profecia desrespeitada e o Profeta rebaixado, os movimentos para restaurá-lo, purificá-lo e destruir seus inimigos teriam poucos atrativos. E, sem preocupações, em toda sorte de grupos, de toda sorte de tamanhos e com toda sorte de credos — uma antologia de devoções —, com a exclusão, a repressão, a marginalização e até a eliminação espirituais impostas pela política, a construção do Estado seria pouco propensa, por si só, a acarretar tumultos comunitários. Deixar a religião fora disso tudo, exceto como sintoma ou índice da dinâmica "real" "subjacente", é menos encenar a peça sem o príncipe do que encená-la sem a trama. O mundo não funciona apenas com crenças. Mas dificilmente consegue funcionar sem elas.

Contudo, há um problema em invocar, como acabo de fazer para chamar a atenção dos leitores, exemplos que implicam a violência das massas — os "casos mais extremos" de James, que "geram as informações mais profundas" (um princípio duvidoso, a meu ver). A confiança nesses exemplos célebres obscurece o caráter geral e difundido, a mera normalidade do que acontece, confundindo a afirmação religiosa, que é marcante, disseminada e bastante intensa, com a fúria religiosa, que é concentrada, geralmente esporádica e, não raro, filha do acaso. Nem todo lugar é a Argélia ou o Sri Lanka, Beirute ou Vukovar, Caxemira ou Ulster. Vinte milhões de muçulmanos que emigraram para a União Européia, no correr de várias décadas, causaram uma tensão considerável, mas, pelo menos até agora, apenas uma brutalidade ocasional. Houve cristãos, hindus e muçulmanos em convívio estreito e pacífico na Indonésia durante cinqüenta anos (eles assassinavam uns aos outros por outras razões), ainda que, agora, talvez isso esteja finalmente acabando. A Etiópia, desde o fim do imperador, primeiro, e do dergue, depois, parece vir conseguindo, mais recentemente, administrar sua diversidade religiosa ao menos com sucesso razoável. A concentração na violência — tumultos, assassinatos, rebeliões e guerra civil —, que em si é valiosa para entender como essas coisas acontecem e o que pode ser feito para impedi-las de acontecer, bem como para mostrar os infernos fumegantes para os quais nossas almas cegas podem ser desviadas, dá uma imagem enganosa do conflito religioso, representando-o em suas formas mais patológicas. Existem questões mais profundas em ação do que a mera desrazão, à qual, afinal de contas, todas as iniciativas humanas estão sujeitas, e não apenas as que dizem respeito ao Sentido de Tudo.

Entre essas questões mais profundas encontra-se, com certeza, o que passou a ser chamado de "busca da identidade". Como "política da identidade", "crises de identidade", "perda da identidade" ou "construção da identidade", o termo "identidade" decerto tem sido muito aviltado nos últimos tempos, sendo obrigado a ficar a serviço desta ou daquela causa, desta ou daquela teoria, desta ou daquela desculpa. Mas, em si mesmo, isso corrobora o fato de que, apesar de toda a criação de jargões e da circulação de slogans, e a despeito de todas as opiniões preconcebidas, há algo de importante surgindo. Alguma coisa, alguma coisa muito geral, está acontecendo com a maneira como as pessoas pensam em quem são, em quem são os outros, e em como querem ser retratadas, denominadas, compreendidas e situadas pelo mundo em geral. "A representação do self na vida cotidiana", para evocar a célebre expressão de Erving Goffman, também se tornou uma questão menos individual, um projeto menos pessoal, mais coletivo, talvez até político. Existem hoje, praticamente em toda parte, esforços organizados, sustentados e assíduos, e às vezes bem mais do que isso, no sentido de promover o destino mundano desta ou daquela variedade de individualidade pública. O que temos aqui é um concurso de espécies.

Mais uma vez, nem todas essas espécies são "religiosas", nem mesmo no sentido mais lato do termo. Quando se pergunta a alguém "quem" ele é, ou, mais exatamente, "o que" é, a resposta tem tanta probabilidade de ser étnica ("sérvio"), nacional ("australiano"), supranacional ("africano"), lingüística ("francófono"), ou mesmo racial ("branco") ou tribal ("navajo"), além de toda sorte de combinações destas ("queniano negro de língua lue"), quanto de ser religiosa — "batista", "sikh", "lubavitchano", "bahai", "mórmon", "budista" ou "rastafari". Também mais uma vez, no entanto, não apenas as identificações religiosas do self (e dos outros) vão ganhando cada vez mais destaque no discurso "secular" da praça pública, como algumas identificações extraordinariamente poderosas — como "hindu" ou "xiita" — só muito recentemente ganharam uma circulação política mundial agressiva.

A pergunta é: por que as espécies religiosas e as tensões entre elas passaram a ter tamanho destaque? Por que as comunidades de fé tornaram-se, em tantos casos, os eixos em torno dos quais gira a luta pelo poder — pelo poder local, nacional e até, em certa medida, internacional? Não existe, é claro, uma resposta única para essa pergunta, que sirva igualmente bem para os Estados Unidos, a Turquia, Israel, a Malásia, o Peru, o Líbano e a África do Sul, e a competição entre as chamadas Novas Religiões (isto é, pós-Meiji) do Japão constitui um fenômeno em si. Mas é possível oferecer algumas sugestões e observações provisórias, à guisa de prefácio a discussões mais rigorosas e mais abrangentes do que só podemos chamar de reconfiguração religiosa da política do poder, que ainda estão por ser desenvolvidas.

A primeira dessas observações é que, como acabamos de assinalar, não foram apenas as identidades religiosas, mas também as étnicas, lingüísticas, raciais e difusamente culturais, que ganharam maior destaque político nos anos decorridos desde que a descolonização destroçou os impérios de além-mar e, mais especialmente, nos cerca de dez anos decorridos desde que a queda do Muro de Berlim, o colapso da União Soviética e o fim da Guerra Fria destroçaram as grandes relações de poder instauradas desde os tempos de Teerã e Potsdam. O alinhamento dos equilíbrios de poder internacionais entre Oriente e Ocidente, um alinhamento fortemente binário, para não dizer maniqueísta, e os avassaladores efeitos colaterais que ele teve por toda parte, do Zaire até a Somália, o Chile e Cuba, e tanto dentro das nações quanto entre elas (basta pensarmos nas Filipinas, em Angola, ou, infelizmente, na Coréia e no Vietnã), praticamente se dissolveram, deixando quase todo o mundo em dúvida quanto ao que combina e ao que não combina com o quê — onde ficam as demarcações cruciais, e o que é que as torna cruciais. Essa desmontagem do mundo pós-muro de Berlim, sua dispersão em pedaços e restos, trouxe para o primeiro plano formas mais particulares e mais particularistas de auto-representação coletiva — e não somente na Iugoslávia ou na Tchecoslováquia, por exemplo, onde o efeito é claro e direto, porém em geral. A proliferação de entidades políticas autônomas, tão dessemelhantes em sua índole quanto em sua escala — "um mundo em pedaços", como o chamo mais adiante, no capítulo XI —, estimula identidades públicas circunscritas, intensamente específicas e intensamente sentidas, ao mesmo tempo que essas identidades, por sua vez, fraturam as formas aceitas de ordem política que tentam contê-las, muito particularmente nestes tempos do Estado-nação. A projeção de grupos e lealdades religiosamente definidos em todos os aspectos da vida coletiva, partindo da família e do bairro para fora, faz parte, portanto, de um movimento geral que é muito maior do que ela própria: a substituição de um mundo construído com uns poucos tijolos análogos, enormes e mal encaixados, por um mundo não mais uniformemente nem menos completamente construído com muitos tijolos menores, mais diversificados e mais irregulares.

Isso, é claro, não chega nem perto de ser tudo. Não apenas existem forças contrárias em ação (a globalização econômica é ritualmente invocada como uma delas, mas a recente desordem na orla asiática, a aceleração dos problemas da América Latina e as atrapalhações da União Européia talvez estejam começando a deixar claro que interdependência decididamente não é o mesmo que integração), como há também muito mais coisas acontecendo do que uma mera grilagem dentro de identidades encasteladas. Existe uma mobilidade maior: há turcos na Baviera, filipinos no Kuwait e russos nas praias de Brighton. Já não é fácil evitar o contato com pessoas com tipos de crenças diferentes daquelas com que se cresceu — nem mesmo no meio-oeste norte-americano, onde é bem possível que você tenha um médico hindu, ou na *France profonde*, onde é quase certo que seu lixeiro seja muçulmano.

Portanto, as distinções religiosas vão-se tornando, em muitos lugares, não apenas mais tensas, como também mais imediatas. Num mundo sem fronteiras — de que servem as raízes, como disse certa vez Gertrude Stein, se não podemos levá-las conosco? —, a separação física simples, no estilo "cada um no seu canto", já não funciona muito bem. Temos enorme dificuldade, hoje em dia, de ficar fora do caminho uns dos outros: observe-se o enredamento britânico com o caso Rushdie, observem-se os processos judiciais norte-americanos sobre os contratos de casamento de crianças, o sacrifício de animais, as creches municipais ou a clitoridectomia ritualística. As diferenças de crenças, às vezes muito radicais, são mais diretamente visíveis, com freqüência crescente, e mais diretamente encontradas: prontas para a suspeita, a preocupação, a repugnância e a altercação. Ou, suponho eu, para a tolerância e a reconciliação, ou até para a atração e a conversão — ainda que estas, no momento, não sejam exatamente comuns.

Como costumo dizer, poderíamos seguir por esse caminho, listando os possíveis fatores que contribuem para a proeminência das identidades religiosas na estrutura política dispersa e semi-ordenada que, pelo menos por ora, substituiu a magnífica simplicidade da Guerra Fria. Existe a tese de que "nada mais funcionou": a desilusão sucessiva com as narrativas ideológicas mestras — o liberalismo, o socialismo, o nacionalismo — como arcabouços da identidade coletiva, especialmente nos países mais novos, deixou apenas a religião como "uma coisa que ainda não falhou", segundo diz o slogan. Existe a tese dos "males da modernização": a disseminação dos meios de comunicação de massa, as devastações do desenvolvimento, do comércio e do consumismo e, de modo geral, a confusão moral da vida contemporânea fizeram as pessoas voltarem-se para idéias e valores mais conhecidos, mais profundamente arraigados e mais familiares.

E por aí vai. Mas, à parte a validade destas e de outras idéias semelhantes (e, em sua maioria, elas continuam a ser sugestões não pesquisadas), há uma questão mais fundamental a ser abordada, se quisermos apreender o que está acontecendo com a vida espiritual no fim do que alguns chamaram, não sem comprovação, de o pior século que já houve até hoje. E isso nos leva de volta, como presumo que seria inevitável, à preocupação de James, se não, necessariamente, a sua maneira de formulá-la: que está acontecendo, para citá-lo mais uma vez, nos "recônditos do sentimento, nas camadas mais obscuras e mais cegas do caráter" dos que são apanhados nas lutas — religiosamente concebidas e religiosamente expressas — pelo sentido, pela identidade e pelo poder? Que houve com "o beliscão do destino", agora que ele parece estar tão presente no mundo? A "experiência", atirada porta afora como um "estado de fé" radicalmente subjetivo e individualizado, volta pela janela, como sensibilidade comunal de um ator social que se afirma em termos religiosos.

Comunal, mas pessoal. A religião, sem interioridade, sem uma sensação "banhada em sentimento" de que a crença importa, e importa tremendamente, de que a fé sustenta, cura, consola, corrige as injustiças, melhora a sorte, garante recompensas, explica, impõe obrigações, abençoa, esclarece, reconcilia, regenera, redime ou salva, mal chega a ser digna desse nome. É claro que existe por aí uma grande dose de puro convencionalismo. A hipocrisia, a santimônia, a impostura e o egoísmo — para não falar da fraude e da simples maluquice — estão sempre entre nós. E resta, suponho, a torturante questão de saber se algum credo, por mais profundo que seja, chega perto de ser suficiente para seus fins. Mas a visão que parece subjazer a inúmeras análises da expressão religiosa, nestes nossos tempos neo-nietzschianos de vontade de poder, qual seja, a de que as paixões que nos movem são puramente políticas ou político-econômicas, e de que a religião não passa de uma máscara e uma mistificação, um encobrimento ideológico de ambições perfeitamente seculares e mais ou menos egoístas, simplesmente não é plausível. As pessoas não incendeiam uma mesquita mongol que julgam estar localizada na terra natal do deus Rama, não tentam revivificar os rituais pré-colombianos nos *pueblos* maias, não se opõem ao ensino da evolução no Texas e no Kansas, nem usam turbantes na *école primaire* simplesmente para chegar a algum objetivo material pragmático e externo. Reformulando e talvez utilizando mal o célebre título wittgensteiniano de Stanley Cavell, elas querem dizer o que estão dizendo.

Mas o problema é que, se as dimensões comunitárias da mudança religiosa, aquelas sobre as quais (às vezes) podemos ler nos jornais, são pouco pesquisadas, as dimensões pessoais, aquelas sobre as quais (geralmente) temos de falar com pessoas vivas, se quisermos encontrá-las, mal chegam a ser investigadas. Simplesmente não sabemos grande coisa sobre o que está acontecendo, neste momento, no obscuro mundo jamesoniano das asas imensas e das tempestades de que não se pode escapar. E, como resultado, a articulação weberiana das convicções religiosas com as ações práticas, a inseparabilidade entre a crença e o comportamento, tende a se perder de vista: as duas voltam a ser separadas, como "fatores", "variáveis", "determinantes" ou seja lá o que for. Toda a imensa variedade de experiências pessoais — ou, falando com mais critério, de representações da experiência pessoal — que James explorou tão primorosamente, por um lado, e que, por outro, barrou resolutamente dos "ditadores daquilo em que podemos crer", do público, do social e do cotidiano, não apenas torna a ser isolada das circunvoluções da história, como passa inteiramente despercebida.

Ou quase. A título de exemplo (um exemplo pequeno e preliminar, que só posso relatar aqui em termos esquemáticos) do tipo de trabalho que ainda se está por fazer nessa área, e do tipo de compreensão que se poderá extrair dele, quero voltar-me para um estudo recente de uma jovem antropóloga, Suzanne Brenner, sobre as reações exibidas por algumas javanesas, também jovens, depois de elas haverem subitamente adotado uma forma enfática de traje "islâmico", chamado *jilbab*, baseado no vocábulo árabe que designa a roupa tradicional das mulheres.[10]

Faz muito tempo que a Indonésia em geral, e Java em particular, têm um grau extraordinário de diversificação religiosa. Depois de quase um milênio de influência indiana, especialmente em Java, onde surgiram grandes e poderosos Estados hindus, budistas e hindo-budistas a partir do século IV, ela sofreu, mais ou menos de 1300 em diante, também sobretudo através da Ásia meridional, uma forte incursão do credo islâmico, a princípio sufista e, com o passar do tempo e o desenvolvimento das ligações com o Oriente Médio através da peregrinação e de outros meios, sunita ortodoxa. Por último, ou, pelo menos, por último até agora (quem sabe o que virá depois?), a partir do século XVII, quando chegaram os holandeses, ela foi submetida ao trabalho missionário cristão, tanto de católicos quanto dos vários tipos de protestantes que a Holanda sempre foi fértil em produzir. O resultado, por ocasião da Independência, em 1950, foi, também particularmente em Java, onde vivem 70% da população, a presença conjunta de todos esses credos, somados a uma dispersão de credos locais, diferencialmente distribuídos numa estrutura social complexa. Sendo oitenta ou noventa por cento muçulmana, nominalmente — ou, como dizem com ironia os javaneses, *estatisticamente muçulmana* —, a ilha era, na verdade, uma densa floresta de crenças.

No fim da década de 1970 e aumentando sua força durante os anos oitenta (a situação atual, como muita coisa que acontece neste momento na Indonésia, não está inteiramente clara), uma seriedade intensificada, que equivale a um novo rigorismo, começou a surgir entre alguns dos javaneses mais conscientemente muçulmanos — "um ressurgimento islâmico", como passou a ser conhecido —, sob o estímulo, até certo ponto, do chamado retorno do islamismo em geral no mundo inteiro, porém, em sua maior parte, criada em casa, internamente impulsionada e localmente focalizada. Houve diversas expressões dessa seriedade intensificada — a proliferação de novas organizações de fiéis, a expansão do ensino da religião, a publicação de livros, revistas e jornais, o aparecimento de uma classe de artistas, intelectuais e políticos de orientação islâmica associados a eles, muitas vezes educados no exterior, além da reavaliação e reinterpretação críticas das tradições locais do ponto de vista do Alcorão, e assim por diante. Uma das mais impressionantes e controvertidas dessas expressões, no entanto, foi a adoção, por um número crescente de mulheres, sobretudo as jovens instruídas, do estilo de vestuário do Oriente Médio: um manto monocromático longo e solto, que chega até os tornozelos, destinado a esconder as formas do corpo, e uma estola comprida e enrolada, em geral branca, destinada a esconder o cabelo e o pescoço.

Vez por outra, esse traje (o *jilbab* que mencionamos há pouco) era encontrado antes, sobretudo entre as mulheres devotas mais velhas, em especial no interior. Mas sua adoção por mulheres urbanas mais moças — em nítido contraste com a blusa decotada e colante, o sarongue justo e o cabelo cuidadosamente penteado que a maioria das javanesas exibe, tradicionalmente — despertou oposição, desconfiança, perplexidade e raiva. Pretendendo ser uma afirmação, ele foi entendido como tal. As mulheres viram-se criticadas como "fanáticas" ou "fundamentalistas", muitas vezes por sua própria família e pelos amigos mais íntimos, alguns dos quais fizeram grandes esforços para dissuadi-las dessa mudança. ("Por que você também não traz o seu camelo?", perguntou um pai enfurecido a sua filha.) Elas foram alvo de mexericos, chamadas de beatas, hipócritas e magicamente maléficas. Vez por outra, foram discriminadas no mercado de trabalho, e o país da "Nova Ordem" de Suharto instituiu um código de normas sobre o vestuário (ou tentou fazê-lo, ante manifestações enraivecidas), que se destinava a desestimulá-las. Em algumas ocasiões, elas chegaram a ser fisicamente agredidas e apedrejadas, tendo os xales arrancados da cabeça. A decisão de usar o *jilbab*, no dizer de Brenner, não era uma decisão leviana:

> Os comentários das mulheres sobre os obstáculos psicológicos e práticos com que elas deparavam para [adotar o *jilbab*] indicaram que essa era uma decisão que exigia um profundo exame de consciência, muita determinação e até obstinação por parte delas. [Usar o *jilbab*] distingue a mulher como "diferente" em Java, onde as normas de comportamento são muito rígidas e onde desafiar as convenções tem repercussões imediatas nas relações do indivíduo com os demais. Vestir o *jilbab* leva, muitas vezes, a uma mudança acentuada na identidade social e pessoal da moça, bem como a um rompimento potencial dos vínculos sociais com que ela contava até então.[11]

Brenner entrevistou vinte mulheres que tinham feito o que ela chamou de "conversão" ao *jilbab*. A maioria era de alunas universitárias ou recém-formadas, na casa dos vinte anos. Todas residiam nas grandes cidades centrais javanesas, Jogyakarta e Surakarta, onde a diversidade religiosa e até o sincretismo sempre foram particularmente acentuados. A maioria provinha da classe média ou da baixa classe média. Muitas haviam crescido em famílias de pouca observância religiosa. Todas eram atuantes em organizações e grupos religiosos ligados ao "ressurgimento islâmico".

"As mulheres que conversaram comigo", escreveu Brenner,

> eram pessoas inteligentes e decididas, que lutavam de maneira consciente e intelectual com as contradições da vida cotidiana, e tinham suas próprias razões, sumamente pessoais, para optar pelos caminhos que haviam escolhido. A maioria das mulheres optou [por usar o *jilbab*], em parte, por uma convicção religiosa, insistindo em que [ele] era uma exigência ... do islamismo. Afora isso, porém, suas narrativas exibiam certos temas que mostravam que a adesão à doutrina religiosa não era o único impulso. ... Suas motivações ... eram simultaneamente pessoais, religiosas e políticas. ... [Até] as histórias de conversão ao *jilbab* mais pessoais e mais carregadas de emoção continham elementos de uma história mais ampla, que abarca o movimento islâmico indonésio contemporâneo.[12]

Brenner teve muito a dizer sobre a ligação disso tudo com os acontecimentos políticos indonésios, com a modernização, com o movimento mais amplo de revigorar o islamismo, com a revisão das definições e expectativas de gênero, e com a busca da identidade pessoal e coletiva num mundo em rápida transformação. Para nós, entretanto, o que mais interessa é o tipo de respostas que ela recebeu quando começou a formular a essas jovens perguntas no estilo de James, indagando o que significava em termos pessoais passar a usar o *jilbab*, e como era isso como coisa vivida, sofrida, "experimentada". A intensificação da consciência de si, o medo da morte, a vigilância panóptica de Deus, a sensação de renascimento, a recuperação do autodomínio, todas as inflexões familiares do beliscão do destino — quem sou eu? que devo fazer? que acontecerá comigo? onde está a finalidade? — apareceram, como que respondendo prontamente a um chamado.

"Cada uma das mulheres ... indicou que essa mudança de seu vestuário", escreveu Brenner, "havia modificado seus sentimentos a respeito de si mesma e de seus atos."

> Para diversas mulheres, a decisão ... havia sido precipitada por uma profunda angústia; essa angústia depois cedera lugar a um sentimento de relativa calma e a uma sensação de renovação, uma vez tendo começado a usar o *jilbab*. A causa

imediata da angústia ... tinha sido um medo avassalador de morrer e ... do que a morte poderia significar para elas, se houvessem deixado de cumprir as exigências do islamismo. A nova consciência do pecado que elas haviam adquirido levara-as a uma profunda aflição sobre o que poderiam sofrer na vida após a morte, em conseqüência de seus pecados. ... Elas experimentaram uma confusão profunda, dúvidas a respeito de si mesmas e a sensação de estarem fora de controle. Vestir o *jilbab* ... aliviou suas angústias sobre a morte e lhes [deu] um novo sentimento de controle sobre o futuro, nesta vida e na outra.[13]

E Brenner citou, extraindo-as de uma revista popular, as palavras inspiradoras de uma jovem atriz de cinema, às vésperas de dar à luz: "Eu estava apavorada. Estava realmente com medo de morrer. Porque, se eu morresse, qual seria o preço de todos os meus pecados?" Surgiram diante de seus olhos imagens do passado, de ficar bêbeda, vagar pelas noites, freqüentar discotecas ou aparecer nua na tela. Foi, em suas palavras, "como se [ela] ouvisse 'o sussurro do céu' naquele momento".[14]

Isso talvez pareça bastante formulaico, como aliás são muitos, se não a maioria, dos relatos de renovação espiritual narrados por James, pois, mais uma vez, não estamos lidando aqui com a experiência *simpliciter*, seja isso o que for, mas com representações dela, oferecidas ao self e aos outros — com histórias sobre ela.[15] E, tal como acontece com os relatos de James, as histórias se repetem, vez após outra:

Um dia, Naniek [uma das informantes de Brenner, que vinha resistindo às pressões das amigas para usar o *jilbab*] foi subitamente tomada pelo medo de morrer, embora não estivesse doente. Percebeu que havia ensinamentos do islamismo que ainda não havia observado, inclusive a exigência de usar o *jilbab*. ... Acordou no meio da noite, aterrorizada, pensando: "Que posso fazer? Não tenho nenhuma roupa [islâmica]."

Confidenciou isso ao irmão, que lhe comprou o tecido, e, dias depois (lembrava-se da data exata), começou a usar o *jilbab*. Assim que o aceitou, usar roupas islâmicas tornou-se fácil para ela, e "as roupas simplesmente apareciam", embora Naniek tivesse pouco dinheiro. O medo da morte desapareceu.[16]

E uma outra comentarista, escrevendo num livro em língua indonésia para o mercado de massa, chamado *As mulheres muçulmanas no alvorecer do ano 2000*, aparentemente destinado a instruir tais mulheres sobre o que sentir, invocou explicitamente a imagem do renascimento:

A pergunta ... mais importante para a mulher consciente de hoje é "quem sou eu?" Com essa pergunta, ela tenta compreender com plena consciência que não pode continuar como está. ... Ela deseja sua autodeterminação. ... Quer desenvolver-se. Sempre almeja renascer. Nesse renascimento, quer ser sua própria parteira.[17]

Brenner tem outros depoimentos sobre os correlatos emocionais dessa mudança de vestuário, que é uma mudança na maneira de ser/estar no mundo: preocupações sobre estar à altura das exigências do novo traje, intensificação das preocupações com as pequenas transgressões, e o sentimento de estar constantemente sob uma vigilância moral rigorosa, não apenas por parte de Deus e da consciência, mas de todas as pessoas ao redor, buscando avidamente falhas e lapsos. Mas, talvez já tenhamos dito o suficiente para deixar clara a mensagem: no que gostamos de chamar de vida real, o "sentido", a "identidade", o "poder" e a "experiência" estão inextricavelmente emaranhados, implicando-se mutuamente, e é tão impossível fundamentar ou reduzir a "religião" a esta última, a "experiência", quanto a qualquer dos demais. Não é na solidão que se constrói a fé.

Outros bichos, é claro, outros costumes. As respostas que Brenner obteve dessas jovens javanesas que tentavam tornar-se mais muçulmanas dificilmente seriam as obteníveis de hindus indianos, budistas birmaneses, católicos franceses, ou até de outros tipos de muçulmanos. No Marrocos, onde também trabalhei, as respostas indonésias seriam vistas como contrárias às Escrituras, sentimentais, antinomianas ou coisa pior. Os homens, e não mulheres, os idosos, e não os jovens, os camponeses sem instrução, e não os cidadãos urbanos educados, os africanos, os nativos do Leste Asiático, os americanos, os latinos ou os europeus, e não os nativos do Sudeste Asiático, decerto produziriam imagens muito diferentes — muito diferentes por serem construídas de maneira muito diferente, em situações muito diferentes, e a partir de materiais muito diferentes. O movimento das identidades religiosas e das questões religiosas em direção ao centro da vida social, política e até econômica talvez esteja disseminado e crescendo, tanto em escala quanto em importância. Mas não é um fenômeno unitário, a ser uniformemente descrito. Existem tantas variedades de "experiência religiosa", ou, se quisermos, expressões da experiência religiosa, quantas sempre existiram. Ou talvez mais.

Isso nos devolve à questão da utilidade que James tem hoje para nós: ao duplo sentido, como assinalei no começo, de as *Variedades* parecerem simultaneamente obsoletas e exemplares, repletas de um clima de época, mas sendo também um modelo do tipo de trabalho que, como o de Brenner, parece ser de vanguarda, e o que há de mais necessário. É um chavão (mas, como muitos chavões, é verdade) que os grandes pensadores, assim como os grandes artistas, são completamente inseridos em sua época — profundamente situados, como diríamos hoje — e transcendentais a essa época, claramente vivos em outros momentos, e que esses dois fatos têm uma ligação interna. Sem dúvida isso se aplica a James. O conceito de religião e religiosidade a que o levaram sua posição de herdeiro do intuicionismo da Nova Inglaterra e seus próprios encontros com o beliscão do destino, um conceito radicalmente individualista e subjetivista, como uma "percepção bruta", foi complementado pela atenção intensa, maravilhosamente observadora e quase patologicamente sensível às nuanças e sutilezas do pensamento e da emoção a que eles também o levaram.

É desses relatos circunstanciados das inflexões pessoais do compromisso religioso, que vão muito além do pessoal e penetram nos conflitos e dilemas de nossa época, que precisamos agora. E, para isso, precisamos de James, por mais diferentes que hoje nos pareçam sua época ou seu temperamento. Ou, pelo menos, precisamos do tipo de investigação em que ele foi pioneiro, do tipo de talentos que ele possuía, e do tipo de abertura para o estrangeiro e o desconhecido, o particular e o acidental, até o extremo e o doentio, que ele exibia.

Tivemos antes mudanças maciças, continentais, na sensibilidade religiosa, cujo impacto na vida humana, como vemos agora, apesar do caráter maltrapilho que elas tiveram, foi radical e profundo, constituindo uma vasta reformulação do julgamento e da paixão. Seria uma pena estarmos vivendo em meio a esse evento sísmico e nem sequer saber que ele está acontecendo.

9 *Um ato desequilibrador: A psicologia cultural de Jerome Bruner*

O que se está dizendo ao se dizer "psicologia": James, Wundt, Binet ou Pavlov? Freud, Lashley, Skinner ou Vygotsky? Kohler, Lewin, Lévy-Bruhl ou Bateson? Chomsky ou Piaget? Daniel Dennett ou Oliver Sacks? Herbert Simon? Desde que foi realmente lançada como disciplina e profissão na segunda metade do século XIX, sobretudo pelos alemães, a autoproclamada "ciência da mente" não foi perturbada apenas por uma proliferação de teorias, métodos, teses e técnicas. Isso afinal era de se esperar. Foi também impelida por caminhos fantasticamente diferentes, em função de idéias fantasticamente diferentes sobre aquilo a que "se refere", como costumamos dizer — o tipo de conhecimento, o tipo de realidade e o tipo de objetivo que se espera que ela alcance. Vista de fora, pelo menos, a psicologia não parece um campo único, dividido em escolas e especialidades da maneira habitual. Parece um sortimento de investigações díspares e desconexas, reunidas numa mesma classe pelo fato de todas se referirem, de um modo ou de outro, a tal ou qual coisa a que se chama "funcionamento mental". Dezenas de personagens à procura de um texto.

Vista de dentro, sem dúvida ela parece um pouco mais ordeira, nem que seja pela estrutura acadêmica bizantina que cresceu a seu redor (a Associação Americana de Psicologia tem 49 divisões), mas decerto não menos multíplice. As amplas oscilações entre as concepções do assunto — behavioristas, psicométricas, cognitivistas, da psicologia profunda, topológicas, desenvolvimentistas, neurológicas, evolucionistas e culturalistas — transformaram a atividade do psicólogo numa ocupação inquietante, sujeita não apenas à moda, como todas as ciências humanas, mas também a súbitas e freqüentes mudanças de rumo. Os paradigmas, modos inteiramente novos de proceder em relação às coisas, surgem não a cada século, mas a cada década; às vezes, chega a parecer que surgem a cada mês. É preciso um indivíduo sobrenaturalmente concentrado e dogmático, capaz de barrar quaisquer idéias senão as suas, ou um indivíduo volátil e incorrigivelmente inquisitivo, capaz de manter dezenas delas em operação ao mesmo tempo, para conseguir manter-se de pé em meio a essa trambolhada de projetos, promessas e proclamações.

Na psicologia, existe um número muito maior de pessoas decididas e implacáveis, no gênero *esprit de système* (Pavlov, Freud, Skinner, Piaget, Chomsky), do que do tipo ágil e adaptável, com *esprit de finesse* (James, Bateson, Sacks). Mas é a estas últimas que claramente pertence Jerome Bruner, autor ou co-autor de mais de vinte livros e Deus sabe quantos artigos, sobre um número quase idêntico de assuntos. Numa carreira agitada e cheia de guinadas, mas, de algum modo, profundamente conseqüente, que abarca quase sessenta anos, Bruner esbarrou em quase todas as linhas de pensamento na psicologia e transformou algumas delas.

Essa carreira começou em Harvard, na década de 1940, durante o auge do behaviorismo, das corridas de ratos nos labirintos, da repetição de sílabas sem sentido, da discriminação de diferenças sensoriais e da medição de respostas galvânicas. Mas, insatisfeito com a acumulação de "dados" experimentais sobre questões periféricas (o primeiro estudo profissional de Bruner envolveu o condicionamento do "desamparo" num rato preso numa grade eletrificada), ele não tardou a se juntar ao bando crescente de colegas igualmente irrequietos, dentro e fora da psicologia, transformando-se num dos líderes da chamada Revolução Cognitiva.

No fim da década de 1950, essa revolução já estava em andamento, e "trazer a mente de volta" tornou-se o grito de guerra de toda uma geração de psicólogos, lingüistas, modeladores do cérebro, etnólogos e cientistas da informática, além de alguns filósofos de orientação empirista. Para eles, os objetos primordiais de estudo não eram a força dos estímulos e os padrões de resposta, mas os atos mentais — atentar, pensar, compreender, imaginar, lembrar, sentir e conhecer. Com um colega de idéias semelhantes, Bruner lançou uma série famosa de experimentos de percepção baseados na "Nova Visão", para demonstrar o poder da seletividade mental ao ver, ouvir e reconhecer algo. As crianças mais pobres vêem uma mesma moeda como sendo maior do que a vêem as ricas; os alunos universitários são muito mais lentos ("defensivos") ou muito mais rápidos ("vigilantes") no reconhecimento de palavras ameaçadoras do que no das não ameaçadoras. Com dois de seus alunos, Bruner realizou um estudo do raciocínio abstrato que foi um marco. De que modo as pessoas testam na prática, e não na lógica, suas hipóteses? Como decidem o que é pertinente a uma explicação e o que não é? E, em 1960, ele e o psicolingüista George Miller, outro espírito irrequieto, fundaram em Harvard o Centro de Estudos Cognitivos, de caráter interdisciplinar, pelo qual passaram, num ou noutro momento, praticamente todas as figuras de proa desse campo, já estabelecidas ou em processo de se estabelecer, e que desencadeou uma explosão de centros similares e trabalhos similares nos Estados Unidos e no exterior. "Certamente geramos um ponto de vista e até um ou dois modismos", escreveu Bruner sobre seu trabalho e o de seus colegas nesse período, em sua autobiografia (que aliás revelou-se prematura) de 1983, *In Search of Mind*. "Sobre as idéias, como é que se pode saber?"[1]

Passado algum tempo, o próprio Bruner desencantou-se com a Revolução Cognitiva, ou, pelo menos, com aquilo em que ela se havia transformado. "Essa revolução", escreveu ele no início de *Acts of Meaning*, de 1990, que foi uma proclamação de uma nova direção como "adeus àquilo tudo",

> pretendeu reintroduzir a "mente" nas ciências humanas, depois de um longo e tenebroso inverno de objetivismo. ... [Agora, porém,] desviou-se para questões que são marginais ao impulso que lhe deu origem. Na verdade, tornou-se técnica a tal ponto que chega a solapar esse impulso original. O que não quer dizer que tenha fracassado: longe disso, pois a ciência cognitiva por certo deve estar entre as ações mais valorizadas da bolsa acadêmica. É possível, ao contrário, que tenha sido desvirtuada pelo sucesso, um sucesso cujo virtuosismo tecnológico custou um preço alto. Alguns críticos ... chegam a afirmar que a nova ciência cognitiva, filha da revolução, conquistou seus sucessos técnicos ao preço de desumanizar o próprio conceito de mente que havia procurado restabelecer na psicologia, e que por isso afastou grande parte da psicologia das outras ciências humanas e das humanidades.[2]

Ao salvar a Revolução Cognitiva de si mesma, distanciando-a do reducionismo de alta tecnologia (o cérebro é o computador, a mente é o aplicativo, o pensar é o aplicativo processando a informação digitada no computador), Bruner levantou mais uma bandeira, aproximadamente nos últimos dez anos, anunciando mais uma direção: a "Psicologia Cultural". O que se coloca agora no centro da atenção é o engajamento do indivíduo nos sistemas estabelecidos de significados compartilhados, nas crenças, valores e entendimentos dos que já estão instalados na sociedade em que o indivíduo é lançado. Para Bruner, o "quadro de testagem" crucial desse ponto de vista é a educação — o campo das práticas em que se efetua o engajamento, antes de mais nada. Em vez de uma psicologia que vê a mente como um mecanismo programável, precisamos de uma que a veja como uma conquista social. A educação "não é simplesmente uma questão técnica de processamento bem administrado de informações, nem tampouco uma simples questão de empregar 'teorias de aprendizagem' na sala de aula, ou de usar os resultados de 'testes de aproveitamento' centrados no sujeito. É a busca complexa da adequação de uma cultura às necessidades de seus integrantes, e dos modos de conhecer desses integrantes às necessidades da cultura".[3]

A preocupação de Bruner com a educação e a política educacional data dos estudos do desenvolvimento mental em bebês e crianças muito pequenas que, em sua resistência crescente ao cognitivismo maquinal, ele começou a fazer em meados dos anos sessenta, justamente — assim funciona o *Zeitgeist* — no momento em que o programa *Head Start*, com as fanfarras da Grande Sociedade, entrava grandiosamente em cena. Esses estudos o levaram a uma visão "externa-interna" desse desenvolvimento, uma visão que se interessa pelo "tipo de mundo necessário para possibilitar o uso eficaz da mente (ou do coração!) — quais os tipos de sistemas de símbolos, quais os tipos de narrativas do passado, quais artes e ciências".[4] O desdobramento dos aspectos críticos do pensamento humano, a atenção, juntamente com os outros, para com os objetos e ações, a atribuição de crenças, desejos e emoções a terceiros, a apreensão da importância geral das situações, o sentimento de individualidade — aquilo a que Bruner chama "entrada no sentido" —, tudo isso começa muito cedo no processo de desenvolvimento, antes não apenas da escolarização formal, mas antes da marcha e da aquisição da linguagem. "Os bebês, como se constatou, eram muito mais inteligentes, mais dotados de iniciativa do que reativos em termos de cognição, e mais atentos ao mundo social imediato a seu redor do que se suspeitara anteriormente. Decididamente, *não* habitavam num mundo de 'confusão alvoroçada e florescente': pareciam estar à procura de estabilidade preditiva desde o início."[5]

O programa *Head Start* começou com uma visão bem diferente — complementar, sob certos aspectos, contrastante, em outros — do desenvolvimento primário, baseada num conjunto bem diferente de investigações científicas: as que mostravam que os animais de laboratório criados em "ambientes empobrecidos", com poucos desafios e redução dos estímulos, não se saíam tão bem quanto os "normais" em tarefas padronizadas de aprendizagem e resolução de problemas, tais como correr em labirintos e encontrar alimento. Transferido, em termos mais metafóricos do que experimentais, para a escolarização e as crianças em idade escolar, isso levou à chamada hipótese da privação cultural. As crianças criadas em meios culturais "empobrecidos", no gueto ou lá onde fosse, não se sairiam muito bem na escola, por essa razão. Daí a necessidade de uma medida corretiva, para enriquecer desde cedo seu ambiente, antes que o mal fosse feito. Daí o *Head Start*.

À parte o fato de que a idéia de corrigir a "privação cultural" depende de saber em que consiste essa privação (na maioria das vezes, tem-se considerado que ela consiste num desvio dos padrões de uma cultura norte-americana idealizada, de classe média), essa abordagem parece presumir que o "enriquecimento cultural" é um bem a ser fornecido às crianças desfavorecidas pela sociedade mais ampla, como uma refeição quente ou uma vacina contra a varíola. Considera-se que falta algo à criança, e não que ela está à procura de algo; ela é vista como recebendo a cultura de outro lugar, e não como a construindo *in situ*, com o material e as interações que lhe estão imediatamente à mão. Bruner foi consultor do *Head Start* por algum tempo e ainda defende seus sucessos muito reais e suas possibilidades de ampliação e reforma (afinal, ele é um programa "externo-interno"). Mas afirma que os resultados de seu tipo de pesquisa do desenvolvimento mental das crianças — que, a esta altura, transformou-se num campo próprio, que produz mais e mais provas da capacidade conceitual das crianças — torna obsoleta a abordagem da "privação". Considerar até o bebê e a criança pré-escolar como agentes ativos, determinados a dominar uma forma particular de vida, a desenvolver um modo operacional de ser/estar no mundo, exige que se repense todo o processo educacional. Trata-se menos de dar à criança algo que lhe falta do que de facilitar algo que ela já tem: o desejo de dar sentido ao self e aos outros, o impulso de compreender que diabo está acontecendo.

Para Bruner, o fator facilitador crucial, aquilo que concentra a mente, é a cultura — "o modo de viver e pensar que construímos, negociamos, institucionalizamos e, por fim (depois de tudo acertado), acabamos chamando de 'realidade', para nos consolarmos".[6] Qualquer teoria da educação que tenha a esperança de reformá-la (e praticamente não existe nenhum outro tipo) precisa treinar sua atenção na produção social do sentido. Os termos em que a sociedade e a criança — a "realidade" já presente e o intelecto ágil que é fisicamente atirado nela — implicam uma à outra são elaborados, em boa parte, na sala de aula, ou pelo menos o são em nossa sociedade voltada para a escola. É lá que a mentalidade é mais deliberadamente moldada, que a subjetividade é mais sistematicamente produzida e que a intersubjetividade — a capacidade de "ler outras mentes" — é mais cuidadosamente cultivada. Pelo menos nos casos favoráveis, que talvez não sejam inteiramente comuns, a criança, "vista como um epistemólogo e como um aprendiz", desloca-se para uma comunidade permanente de adultos discursadores e crianças tagarelas, onde "aos poucos ela reconhece que não está agindo diretamente *no* 'mundo', mas em crenças que tem *sobre* esse mundo".[7]

Essa guinada para o interesse pelas maneiras como os entendimentos externos da sociedade mais ampla são usados pela criança em idade escolar, para tomar pé, para construir um sentido interno de quem ela é, do que os outros pretendem, do que tende a acontecer e do que é possível fazer a respeito das coisas, abre a "psicologia cultural" de Bruner para uma multiplicidade de questões que normalmente são abordadas por outras disciplinas — a história, a literatura, o direito, a filosofia, a lingüística e, muito especialmente, essa outra ciência desoladoramente multíplice e inconstante, a antropologia. Tal psicologia, nisso se assemelhando muito à antropologia, incorpora diretamente uma perspectiva eclética e uma vasta ambição. Parece tomar por objeto toda a experiência e recorrer a toda a erudição para encontrar seus meios. Com tantas portas por abrir e tantas chaves com que abri-las, seria um desatino tentar abri-las todas de uma vez. Por esse caminho, sabe-se cada vez menos sobre cada vez mais. A porta que Bruner, sensível como sempre aos aspectos práticos da pesquisa, quer abrir — o que não chega propriamente a surpreender, dados os recentes avanços da "teoria do discurso", da "análise dos atos de fala", da "interpretação das culturas" e da "hermenêutica da vida cotidiana" — é a narrativa.

Contar histórias, sobre nós mesmos e sobre os outros, a nós mesmos e aos outros, é "a maneira mais natural e mais precoce de organizarmos nossa experiência e nosso conhecimento".[8] Mas dificilmente se imaginaria isso a partir da teoria educacional padronizada, adestrada como é em testes e receitas:

> A convenção da maioria das escolas tem sido a de tratar a arte da narrativa — as canções, o drama, a ficção, o teatro, seja lá o que for — mais como uma "decoração" do que como uma necessidade, como algo com que enfeitar o lazer, ou, às vezes, até como algo moralmente exemplar. Apesar disso, formulamos os relatos de nossas origens culturais e das crenças que nos são mais caras sob a forma de histórias, e não é apenas o "conteúdo" dessas histórias que nos atrai, mas seu artifício narrativo. Nossa experiência imediata, o que aconteceu ontem ou anteontem, é formulado dessa mesma maneira historicizada. O que impressiona ainda mais é que representamos nossa vida (para nós mesmos e para os outros) sob a forma de uma narrativa. Não é de surpreender que os psicanalistas reconheçam agora que a identidade implica a narrativa, sendo a "neurose" um reflexo de uma história insuficiente, incompleta ou imprópria sobre o próprio sujeito. Lembremo-nos de que, quando Peter Pan pede a Wendy que volte com ele para a Terra do Nunca, a razão que fornece é que ela poderia ensinar os Meninos Perdidos de lá a contarem histórias. Se soubessem contá-las, os Meninos Perdidos poderiam crescer.[9]

Crescer entre narrativas — as próprias, as dos professores, colegas, pais, zeladores e vários outros tipos daquilo que Saul Bellow chamou, certa vez, sarcasticamente, de "professores de realidade" — é o palco essencial da educação: "vivemos num mar de histórias".[10] Aprender a nadar nesse mar, a construir histórias, entender histórias, classificar histórias, verificar histórias, perceber o verdadeiro sentido das histórias e usar as histórias para descobrir como funcionam as coisas e o que elas são, é nisso que consiste, no fundo, a escola, e além dela, toda a "cultura da educação". O xis da questão, o que o aprendiz aprende, não importa o que o professor ensine, é "que os seres humanos dão sentido ao mundo contando histórias sobre ele — usando o modo narrativo para construir a realidade".[11] As histórias são ferramentas, "instrumento[s] da mente em prol da criação do sentido".[12]

O trabalho mais recente de Bruner, portanto, dedica-se a levantar as implicações dessa visão da narrativa como "um modo de pensar e uma expressão da visão de mundo de uma cultura".[13] Ele deu início a investigações sobre o ensino da ciência, a "pedagogia popular", a natureza cooperativa da aprendizagem e a construção infantil de uma "teoria da mente" para explicar e compreender outras mentes. O autismo como incapacidade de elaborar essa teoria, os aspectos formais da narrativa, a cultura como práxis e as abordagens educacionais de Vygotsky, Piaget e Pierre Bourdieu, relacionadas com a de Bruner, mas numa certa tensão com ela, tudo isso tem sido discutido, pelo menos de passagem. O mesmo tem acontecido com as descobertas recentes da primatologia, os estudos comparativos da educação em culturas diferentes, os testes de QI, a "metacognição" ("pensar sobre o próprio pensamento"), o relativismo e os usos da neurologia. Está tudo em movimento; uma massa assombrosa vai passando, numa velocidade assombrosa.

Isso não é uma falha muito grave, se é que chega a constituir uma falha, no que ainda é uma série de incursões que mais se destinam a desbravar um território do que a mapeá-lo e povoá-lo. Mas deixa até os críticos simpatizantes meio perdidos, em se tratando de saber para onde vai tudo isso, o que vem a ser a "psicologia cultural" como um campo entre outros, como uma empreitada contínua, com um estoque de questões e um plano para enfrentá-las. Pode-se ter uma idéia disso, é claro, examinando as dezenas e dezenas de investigações técnicas de Bruner, ou perseguindo suas citações ainda mais numerosas de estudos de colegas sobre toda sorte de coisas, desde "a compreensão do número pela criança" e "versões orais da experiência pessoal" até a "análise custo-benefício da educação pré-escolar" e o "prejuízo no reconhecimento da emoção na expressão facial, em decorrência da lesão bilateral da amígdala humana".

Mas, como a maior parte dessa "literatura", envolta em estatísticas e aprisionada em protocolos, dispersa-se pelas publicações especializadas e pelos simpósios disciplinares, é pouco provável que outras pessoas, além dos especialistas, tenham paciência para essa tarefa. Alguns verdadeiros tratados mais resumidos, e, portanto, mais acessíveis, obras de síntese elaboradas por discípulos, colaboradores e seguidores de Bruner, começam a ser lançados em quantidade crescente, e por eles se pode ter uma idéia um pouco mais clara de onde se encontra neste momento toda essa empreitada, e do progresso que ela vem obtendo.[14] E, na parte final de seu livro mais recente, uma parte denominada, com uma certeza hesitante, de "O próximo capítulo da psicologia", o próprio Bruner trata de expor as direções em que a psicologia cultural deverá mover-se e procura descrever como deverá ser sua relação com outras abordagens do "estudo da mente".

Como de praxe, sua atitude é conciliadora, eclética, vigorosa e otimista:

> Pode uma psicologia cultural ... isolar-se do tipo de psicologia que conhecemos no passado, enraizada na biologia, orientada para o indivíduo e dominada pelo laboratório? Deve o estudo mais situado da mente-na-cultura, de espírito mais interpretativamente antropológico, jogar fora tudo o que aprendemos antes? Alguns autores ... propõem que nosso passado foi um erro, um equívoco sobre aquilo em que consiste a psicologia. ... [Mas] eu gostaria de exortar ao final de [uma] abordagem "ou isto, ou aquilo" da questão do que deve ser a psicologia no futuro, se inteiramente biológica, exclusivamente computacional ou monopolisticamente cultural.

Bruner quer mostrar que

> a psicologia pode, dedicando sua atenção a certos temas cruciais, ... ilustrar a interação das descobertas biológicas, evolutivas, psicológicas individuais e culturais, para nos ajudar a apreender a natureza do funcionamento mental humano. [O] "próximo capítulo" da psicologia [dirá respeito] à "intersubjetividade" — a como as pessoas vêm a saber o que as outras têm em mente e como se ajustam a isso ... um conjunto de temas ... [que é] central para qualquer concepção viável de uma psicologia cultural. Mas não se pode entendê-la sem referência à evolução dos primatas, ao funcionamento neurológico e à capacidade de processamento de informações da mente.[15]

Tudo isso está muito bom, e é o tipo de abordagem equilibrada e sensata que atenua os contrastes, desarma os inimigos, contorna as dificuldades e se esquiva das decisões difíceis. Mas fica a sensação de que Bruner subestima o caráter explosivo de suas próprias idéias. Dizer que a cultura é social e historicamente construída, que a narrativa é um modo de conhecimento primário, talvez o modo de conhecimento primário dos seres humanos, que montamos as individualidades em que vivemos com o material que existe na sociedade a nosso redor e criamos "uma teoria da mente" para compreender a individualidade dos outros, que não agimos diretamente sobre o mundo, mas sobre crenças que alimentamos a respeito do mundo, que todos somos, desde o nascimento, "criadores de sentido", ativos e apaixonados, à procura de histórias plausíveis, e que "a mente não pode ser considerada 'natural' ou nua em nenhum sentido, pensando-se na cultura como um acréscimo", toda essa visão corresponde a bem mais do que uma correção do curso no meio do caminho.[16] Considerada em conjunto, ela equivale a adotar uma postura que bem pode ser chamada de radical, para não dizer subversiva. Parece muito duvidoso que essas idéias, assim como outras que lhes estão ligadas — o perspectivismo, o instrumentalismo, o contextualismo, o anti-reducionismo —, possam ser absorvidas pelas tradições correntes da pesquisa psicológica (ou, a rigor, pelas ciências humanas em geral) sem causar uma boa dose de rebuliço e sublevação. Se a "psicologia cultural" vier a ganhar ascendência, ou mesmo uma parcela significativa do mercado, irá perturbar bem mais do que a pedagogia.

Pois acontece que, na verdade, não apenas a psicologia cultural está evoluindo rapidamente, ganhando força e acumulando dados, como crescendo estão também suas duas rivais (ou alternativas, pelo menos) mais importantes — o cognitivismo do processamento de informações e o reducionismo neurobiológico. A introdução, no cognitivismo, do processamento paralelo distributivo (que Bruner descarta, a certa altura, como não passando de uma "versão velada" do associacionismo behaviorista) e do experimentalismo mediado por computadores deu-lhe uma espécie de alento renovado. A súbita profusão de pesquisas sobre o cérebro, impulsionadas pela tecnologia, a extensão da teoria evolucionista a tudo, desde a moral até a consciência, o surgimento de toda uma gama de filosofias pós-cartesianas da mente e, o que talvez seja o mais importante, o alvorecer da era do gene absoluto fizeram o mesmo pelo biologismo. Diante disso tudo e das questões morais e práticas que estão em jogo, a divisão cortês do território, no estilo "cada um com o seu pedaço", não parece estar prevista nas cartas.

"O próximo capítulo da psicologia" tende mais a ser tumultuado do que sereno, à medida que as abordagens computacional, biológica e cultural forem ganhando poder e sofisticação suficientes para lhes assegurar um impacto transformador umas sobre as outras. A simples afirmação de que a biologia impõe "restrições" à cultura, como acontece, e de que a ciência cognitiva baseada na informática é incompetente para lidar com "a bagunça da criação do sentido", o que ela é, dificilmente bastará para resolver as questões profundas que, por sua própria presença, a psicologia cultural tornará inevitáveis. Introduzir um camelo tão grande e desajeitado como a antropologia na tenda da psicologia contribuirá mais para desarrumar as coisas do que para arrumá-las ordeiramente. No auge do que é decerto uma das carreiras mais extraordinárias e produtivas nas ciências humanas, uma carreira de originalidade contínua e exploração incansável, Bruner parece estar em meio à produção de uma revolução mais revolucionária do que ele mesmo chega a perceber.

Na antropologia, a clareza, a pertinência, o poder de análise e até o status moral do conceito de cultura foram muito discutidos nos últimos anos, sem nenhuma conclusão muito segura, exceto que, para que a cultura não seja descartada como uma relíquia imperialista, uma manobra ideológica ou uma palavra de efeito, como sugerem variadamente seus diversos críticos, é preciso repensá-la seriamente. Dar-lhe um papel central no "próximo capítulo da psicologia", como sugere Bruner, deve contribuir bastante para esse repensar, além de estender um questionamento semelhante ao conceito não menos debatido de mente, ao qual ele deseja ligá-la. Aos enigmas permanentes que afligem a psicologia — natureza e criação, de cima para baixo e de baixo para cima, razão e paixão, consciente e inconsciente, competência e desempenho, privacidade e intersubjetividade, experiência e comportamento, aprendizagem e esquecimento — virá somar-se uma multiplicidade de outros quebra-cabeças: sentido e ação, causalidade social e intenção pessoal, relativismo e universalismo e, o que talvez seja mais fundamental, diferença e traços comuns. Se há uma coisa que obceca a antropologia, é a diferença que a diferença faz.

Não existe resposta simples para essa pergunta, no que concerne às diferenças culturais (embora não raro se forneçam respostas simples, em geral em caráter extremado). Na antropologia, existe simplesmente a questão em si, formulada e reformulada a cada situação. Atirar uma ciência tão particularizadora no meio de outras tão decididamente generalizadoras, como a genética, o processamento de informações, a psicologia do desenvolvimento, a gramática gerativa, a neurologia, a teoria das decisões e o neodarwinismo, é procurar a confusão terminal num campo — o estudo da atividade mental — já bastante obscurecido por projetos imperialistas, visões de mundo antagônicas e uma proliferação de métodos. O que chamaríamos de "projeto" de Bruner, nos tempos de Sartre, implica bem mais do que acrescentar a "cultura" (ou o "sentido", ou a "narrativa") a essa mistura — uma outra variável de que se teve notícia. Implica, como disse o próprio Bruner, enfrentar o mundo como um campo de diferenças, "ajuizando as diferentes interpretações da realidade que são inevitáveis em qualquer sociedade variada".[17]

Ou em qualquer investigação autêntica. Tentar reunir, ou, mais cuidadosamente, relacionar tudo de maneira produtiva — desde os "universais psíquicos" e o "contar histórias" até os "modelos neurais" e os "chimpanzés aculturados", desde Vygotsky, Goodman e Bartlett até Edelman, Simon e Premack (para não falar de Geertz e Lévi-Strauss!) —, obviamente implica tanto mobilizar diferenças quanto dissolvê-las, "ajuizando" os contrastes (o que talvez não seja a melhor palavra), em vez de passar por cima deles ou de encaixá-los à força num pálido todo ecumênico, daqueles que trazem uma sensação de bem-estar. É bem possível que o mais imediatamente necessário não seja reconciliar diversas abordagens do estudo da mente, num ecletismo tranqüilizador, mas jogá-las umas contra as outras de maneira eficaz. Se esse repolho milagroso que é o cérebro parece-nos agora mais adequadamente compreendido, em termos dos processos separados que atuam simultaneamente, talvez o mesmo se aplique à mente com que os biologizadores tantas vezes o confundem. A história, a cultura, o corpo e o funcionamento do mundo físico realmente determinam o caráter da vida mental de qualquer pessoa — moldam-na, estabilizam-na e a enchem de conteúdo — mas eles o fazem de modo independente, partitivo, cooperativo e diferenciado. Não desaparecem simplesmente numa resultante, como um punhado de vetores integrantes, nem se reúnem numa concórdia lindamente equilibrada e sem atritos.

A visão de que a compreensão proveitosa de como conseguimos pensar deve ser uma compreensão em que as formas simbólicas, as tradições históricas, os artefatos culturais, os códigos neurológicos, as pressões ambientais, as inscrições genéticas e coisas similares atuam agindo em conjunto, não raro até agonisticamente, parece estar lutando por obter uma expressão mais exata nos trabalhos recentes, estimulados, ao menos em parte, pelo de Bruner. *Being There*, de Andy Clark, é dedicado a nada menos do que "reunir novamente o cérebro, o corpo e o mundo". *Vygotsky and Cognitive Science*, de William Frawley, procura "mostrar que a mente humana tanto é um constructo social e um dispositivo computacional quanto se opõe a um ou ao outro".[18] No que concerne à cultura ("os sistemas simbólicos [utilizados] pelos indivíduos na construção do sentido"), aquilo que Clark chama de "imagem da mente como inextricavelmente entremeada com o corpo, o mundo e a ação" e Frawley de "a mente no mundo [e] o mundo ... na mente" torna impossível continuar a encará-la como externa e complementar aos poderes residentes do intelecto humano, como um instrumento ou uma prótese. Ela é um ingrediente desses poderes.[19]

O trajeto de nossa compreensão da mente não consiste numa marcha decidida em direção a um ponto ômega em que tudo enfim se encaixa alegremente; consiste na exposição repetida de investigações distintas, de tal modo que, vez após outra, de maneira aparentemente interminável, elas imponham reconsiderações profundas umas das outras. Construir uma "psicologia cultural" poderosa (ou uma antropologia psicológica poderosa, o que não é exatamente a mesma coisa) é menos uma questão de criar disciplinas híbridas, de pôr hífens entre elas, do que de desequilibrá-las reciprocamente. Numa época em que as concepções monomaníacas do funcionamento mental, no estilo "teoria de tudo", estimuladas pelos avanços isolados da neurologia, da genética, da primatologia, da teoria literária, da semiótica, da teoria dos sistemas, da robótica ou seja lá do que for, ficam cada vez mais na moda, o que parece necessário é o desenvolvimento de estratégias que permitam às "diferentes construções da realidade [mental]", nas palavras de Bruner, confrontar, decompor, energizar e desprovincializar umas às outras, assim levando a empreitada erraticamente adiante. Nem tudo o que surge precisa convergir: tem apenas que tirar o melhor proveito possível de sua incorrigível diversidade.

As maneiras de fazer isso, de transformar visões díspares e até conflitantes do que é a mente, de como funciona e qual é a melhor maneira de estudá-la, em corretivos úteis das certezas umas das outras, são, é claro, elas mesmas múltiplas — extremamente difíceis de conceber, extremamente difíceis de instaurar, uma vez concebidas, e extremamente susceptíveis, uma vez instauradas, de acarretar uma versão acadêmica da guerra hobbesiana. Mais uma vez, no que concerne à antropologia, o que mais a situa na posição de contribuir para essa tarefa e de evitar seus efeitos patológicos não são suas descobertas particulares sobre a feitiçaria africana ou as trocas melanésias, e certamente não as teorias que ela possa ter desenvolvido sobre as necessidades universais e a lógica inata da vida social, mas seu longo e íntimo compromisso com a diferença cultural e com o funcionamento concreto dessa diferença na vida social. Afinal, investigar contrastes, levantar suas implicações e permitir que, de algum modo, eles tenham algo a dizer às questões gerais é seu ofício.

Administrar a diferença, ou, caso isso soe demasiadamente manipulador, navegar nela, é o cerne da questão. Como acontece com todas essas iniciativas, há muito mais maneiras de errar do que de acertar, e uma das maneiras mais comuns de errar é nos convencermos de que acertamos — a consciência explicada, o modo como a mente funciona, a máquina da razão, a última palavra. Whitehead comentou, certa vez, que devemos construir nossos sistemas e mantê-los abertos, mas, dada a sua própria paixão pela completude, pela certeza e pela síntese totalizadora, esqueceu-se de acrescentar que é muito mais fácil fazer a primeira que a segunda dessas coisas. A doença do ouriço e a da raposa — o fechamento prematuro e o medo obsessivo dele, amarrando tudo e deixando tudo pendente — podem ser igualmente obstrutivas para a movimentação nas ciências humanas. Mas, "na natureza", como costumavam dizer os positivistas, encontra-se o primeiro com muito mais freqüência do que o segundo, especialmente nestes dias de visão estreita de alta tecnologia.

Uma coisa é certa, se é que existe algo certo quando se trata de falar de coisas como sentido, consciência, pensamento e sentimento: "o próximo capítulo" da psicologia e da antropologia não será um tipo de discurso ordeiro e bem formado, com os começos e meios caprichadamente ligados aos fins. Isolar as abordagens rivais da compreensão da mente e da cultura em comunidades fechadas ("psicologia evolutiva", "antropologia simbólica") ou fundi-las num todo inclusivo ("ciência cognitiva", "semiótica") não é, a longo prazo, ou até a médio prazo, realmente exeqüível — de um lado porque reifica a diferença e a enaltece, de outro porque subestima sua ubiqüidade, sua inerradicabilidade e sua força.

A razão de o jargão jurídico "ajuizar" não ser a melhor palavra para apontar a alternativa a essas maneiras de evitar as questões é que ele sugere um "ajuizador", algo (ou alguém) que separe as coisas, concilie as abordagens, ordene-as hierarquicamente ou escolha entre elas. Mas, seja qual for a ordem que emerge na mente ou na cultura, ela não é produzida por um processo central reinante ou por uma estrutura diretiva; é produzida pela interação... bem, do que quer que esteja interagindo no caso. O futuro da psicologia cultural dependerá da habilidade de seus praticantes de tirar proveito de uma situação muito turbulenta e deselegante — uma situação em que são singularmente adequadas a franqueza, a receptividade, a adaptabilidade, a inventividade e a inquietação intelectual, para não falar no otimismo, que caracterizaram o trabalho de Bruner desde seus primórdios. A visão e o exemplo dele parecem propensos a vicejar, seja quem for que dê continuidade à narrativa, e o que quer que ela venha a dizer.

10 *Cultura, mente, cérebro / Cérebro, mente, cultura*

A antropologia e a psicologia escolheram entre si dois dos objetos mais improváveis em torno dos quais tentar construir uma ciência positiva: Cultura e Mente, *Kultur und Geist, Culture et Esprit.* Ambos são heranças de filosofias extintas, ambos têm histórias variegadas de inflação ideológica e abuso retórico, e ambos têm usos cotidianos amplos e múltiplos, que interferem em qualquer esforço de estabilizar seu sentido ou transformá-los em espécies naturais. Foram repetidamente condenados como místicos ou metafísicos, repetidamente banidos dos recintos disciplinados da investigação séria, e repetidamente se recusaram a ir embora.

Quando eles se aliam, as dificuldades não fazem simplesmente somar-se, mas explodem. Ou se propõem e elaboram reduções mais ou menos complicadas e igualmente implausíveis do primeiro ao segundo ou do segundo ao primeiro, ou se descreve entre eles algum sistema de interação teoricamente intrincado, que deixa sua possibilidade de separação sem questionamento e seu peso indeterminado. Mais recentemente, à medida que se desenvolveram as ciências cognitivas, houve uma tendência a fugir desses termos, mais ou menos completamente, e, em vez deles, a falar em circuitos neurais e processamento computacional, sistemas programáveis artificialmente instruídos — tática que torna intocadas e intocáveis as questões da habitação social do pensamento e das bases pessoais da significação.

No que concerne à antropologia, essas duplas questões, mal formuladas ou evitadas — a natureza mental da cultura, a natureza cultural da mente —, têm-na atormentado desde seus primórdios. Das ruminações de Tylor sobre as insuficiências cognitivas da religião primitiva, na década de 1870, passando pelas de Lévy-Bruhl sobre as participações simpáticas e o pensamento pré-lógico, na década de 1920, até as de Lévi-Strauss sobre a *bricolage*, os mitemas e *la pensée sauvage*, na década de 1960, a questão da "mentalidade primitiva" — o grau em que os chamados nativos pensam de maneira diferente dos (também chamados) civilizados, avançados, racionais e científicos — tem dividido e confundido a teoria etnográfica. Boas, em *A mente do homem primitivo*, Malinowski, em *Magia, ciência e religião*, e Douglas, em *Pureza e perigo*, todos entraram em luta com o mesmo anjo: colocar numa relação inteligível, como dizem variadamente eles e seus seguidores, o interno e o externo, o privado e o público, o pessoal e o social, o psicológico e o histórico, o vivencial e o comportamental.

Mas talvez seja exatamente essa suposição — a de que o que está em pauta e precisa ser determinado é uma espécie de ligação que estabeleça uma ponte entre o mundo dentro do crânio e o mundo fora dele — que cria o problema, antes de mais nada. Desde que Wittgenstein demoliu a própria idéia de uma linguagem privada e da conseqüente socialização da fala e do sentido, a localização da mente na cabeça e da cultura fora dela já não parece ser senão um óbvio e incontroverso senso comum. O que está dentro da cabeça é o cérebro, e mais umas outras coisas biológicas. O que está fora são os repolhos, os reis e uma porção de outras coisas. A pergunta subversiva do filósofo cognitivo Andy Clark, "Onde termina a mente e começa o resto do mundo?", é tão pouco passível de resposta quanto sua correlata igualmente exasperante, "Onde termina a cultura e começa o resto do self?"[1]

Boa parte dos trabalhos recentes do que passou a ser conhecido como "psicologia cultural" tem consistido em tentativas — algumas impressionantes, outras bem menos, e todas manuseando confusamente o material de diversas disciplinas — de navegar em torno desse duplo dilema, tornando a conceber a mentalidade e o sentido em termos menos incisivos, isto é isto, aquilo é aquilo. Os próprios títulos dos estudos desse gênero emergente — *A cultura na mente, Mentes reais e mundos possíveis, Pensando através das culturas, A mente discursiva, A vida interna: a mente externa, Como pensam as instituições, Passos para uma ecologia da mente* e *Maneiras de construir o mundo* — sugerem seu alcance crescente e sua apreensão insegura.[2] "Tornar a reunir", para citar novamente Clark, desta vez em *seu* título, "o cérebro, o corpo e o mundo" é uma senhora tarefa, difusa e ambiciosa. Mas é uma tarefa que enfim foi iniciada para valer. Ou que recomeçou, como sugere o título do levantamento recente que Michael Cole fez desse assunto variegado: *Psicologia cultural: a ciência de um dia e do futuro.*[3]

Como muitas vezes acontece com os desvios necessários dos métodos conhecidos, o primeiro passo, nesse esforço de relacionar o que os psicólogos, voltados para dentro, aprenderam sobre como os seres humanos raciocinam, sentem, recordam, imaginam e decidem com o que os antropólogos, voltados para fora, aprenderam sobre como o sentido é construído, aprendido, imposto e transformado, tem sido óbvio há algum tempo, mas é curiosamente difícil para qualquer desses tipos de investigadores. Trata-se do abandono da idéia de que o cérebro do *Homo sapiens* é capaz de um funcionamento autônomo, capaz de operar com eficácia, ou simplesmente sequer de operar, como um sistema endogenamente acionado e independente do contexto. Pelo menos desde a descrição pormenorizada dos estágios incipientes e pré-lingüísticos da hominização (crânios pequenos, estatura ereta, utensílios planejados), iniciada há cerca de meio século com a descoberta de fósseis pré-pitecantropóides e sítios do início do pleistoceno, o fato de o cérebro e a cultura terem evoluído juntos, numa dependência recíproca para sua própria realização, tornou insustentável a concepção do funcionamento mental humano como um processo intracerebral intrinsecamente determinado, que seria ornamentado e ampliado, mas dificilmente gerado, por recursos culturais — a linguagem, o rito, a tecnologia, o ensino e o tabu do incesto. Nosso cérebro não se encontra num tonel, mas em nosso corpo. Nossa mente não se encontra em nosso corpo, mas no mundo. E, quanto ao mundo, ele não está em nosso cérebro, nosso corpo ou nossa mente: estes é que, junto com os deuses, os verbos, as pedras e a política, estão nele.

Tudo isso — a evolução coetânea do corpo e da cultura, o caráter funcionalmente incompleto do sistema nervoso humano, o fato de o sentido ser um componente do pensamento e de o pensamento ser um componente da prática — sugere que o caminho para uma melhor compreensão do biológico, do psicológico e do sociocultural não passa pela disposição deles numa espécie de hierarquia da cadeia do ser, estendendo-se do físico e do biológico até o social e o semiótico, com cada nível emergindo e dependendo do que lhe está mais abaixo (e, com sorte, sendo redutível a ele). Tampouco passa por tratá-los como realidades descontínuas e soberanas, como campos fechados e isolados, externamente ligados uns aos outros ("numa interface" uns com os outros, como diz o jargão) através de forças, fatores, quantidades e causas vagos e acidentais. Constituindo uns aos outros e reciprocamente construtivos, eles devem ser tratados como tais — como complementos, não níveis; como aspectos, não entidades; como paisagens, não domínios.

Isso talvez seja discutível. Sem dúvida, é muito discutido. O que parece menos discutível é que, à medida que avança nossa compreensão do cérebro, do processamento da informação, do desenvolvimento individual, da comunicação social e do comportamento coletivo, da percepção, da emoção, da fantasia, da memória e da formação de conceitos, e também da referência, do sentido, da representação e do discurso, e avança de maneiras diversas, numa espécie de consciência cautelosa e oblíqua uns dos outros, vistos pelo canto do olho, a possibilidade de reduzir todos eles a um só, de separá-los em compartimentos estanques, ou de reuni-los numa síntese abrangente, como uma teoria de tudo, vai ficando cada vez mais remota. Ao que parece, não estamos avançando em direção a um fim predeterminado onde tudo se junta, a Babel se desfaz e o Self se une à Sociedade.

Ao contrário, estamos assistindo a uma proliferação cada vez mais rápida, a uma investida, na verdade, do que Thomas Kuhn chamou de matrizes disciplinares — montagens soltas de técnicas, vocabulários, pressupostos, instrumentos e realizações exemplares que, apesar de sua especificidade e originalidade, ou até de sua incomensurabilidade grandiosa, influem com força sempre mais intensa e com uma precisão crescente sobre a velocidade, a direção e os pormenores do desenvolvimento uns dos outros. Temos e continuaremos a ter, no futuro previsível, um campo cada vez mais diferenciado de disciplinas semi-independentes e semi-interativas, ou de matrizes disciplinares (e de comunidades de pesquisa que as respaldam, celebram, criticam e ampliam), dedicadas a tal ou qual abordagem do estudo de como pensamos e com o que pensamos. E é dentro desse campo, disperso, díspar e em contínua mudança, que devemos, de diversas maneiras, aprender a tocar não um projeto comum — já que Sigmund Freud e Noam Chomsky, Marshall Sahlins e E.O. Wilson, Gerald Edelman e Patricia Churchland, Charles Taylor e Daniel Dennett nunca se aproximarão o bastante uns dos outros para permitir que isso aconteça —, mas uma coleção semi-ordenada e policêntrica de projetos mutuamente condicionados.

Isso, por sua vez, sugere que alguém que esteja tentando, como faço aqui, não relatar descobertas específicas ou avaliar propostas específicas, mas descrever a situação geral, fará bem em tentar examinar sinopticamente o campo inteiro, ainda que ele seja disperso, irregular e resistente à síntese como é. Nos últimos anos, acostumamo-nos cada vez mais a lidar com sistemas distributivos, parcialmente ligados e autonomamente organizados, especialmente na engenharia e na biologia, e nas simulações de tudo em computador, desde formigueiros e montagens de neurônios até o desenvolvimento embrionário e a percepção de objetos. Mas ainda não estamos habituados a olhar dessa maneira para matrizes disciplinares ou para a interação de matrizes disciplinares. Parece aconselhável que um campo (antigo ou futuro) como a "psicologia cultural", interessado exatamente nessa interação entre abordagens dessemelhantes, apaixonadas e até ciumentas e incompatíveis de "como pensamos nós, os nativos", e também entre os partidários ardorosos que as levam competitivamente adiante, acostume-se a fazê-lo. O que vamos encontrar aqui não é uma coordenação rigorosa nem uma disputa displicente de divergências, na base do cada um por si. O que encontraremos e estamos encontrando é uma argumentação rigorosa, que se aguça e se aprofunda. E, se você acha que as coisas andam turbulentas, espere só para ver o que vem por aí.

Para tornar tudo isso um pouco mais concreto, em vez de meramente programático e exortatório, permitam-me, à guisa de um breve exemplo, tomar algumas discussões recentes, na antropologia, na psicologia e na neurologia, sobre essa particularidade sumamente esquiva e variegada de nossa vida imediata, aquela de que Hume achava que a razão era e devia ser escrava em toda parte, ou seja, a "paixão" — "emoção", "sentimento", "afeto", "atitude", "estado de ânimo", "desejo" ou "temperamento".

Também essas palavras definem um espaço, não uma entidade. Elas se superpõem, diferem e contrastam, juntando-se apenas em termos oblíquos de uma semelhança familiar — politeticamente, como se costuma dizer; o problema está menos em fixar seus referentes (coisa notoriamente difícil de fazer — onde fica a "inveja", que é a "saudade"?) do que em delinear seu alcance e aplicação. Começarei pela antropologia, não só porque conheço o material com mais exatidão, mas porque eu mesmo fui meio envolvido nessa história — acusado, na verdade, de haver "ajudado a obter permissão para que os antropólogos cultural-simbólicos desenvolvam uma antropologia do self e do sentimento", coisa aparentemente lamentável.[4] O que quero discutir aqui, entretanto, não é meu próprio trabalho, que nesse aspecto foi mais de assessoria que de autorização (uma palavra ao pé do ouvido, e não uma espécie de bênção ou licença para praticar), e sim o dos chamados teóricos culturalistas, ou da ação simbólica, da paixão e do sentimento.

Esses teóricos (e pesquisadores de campo, como é a maioria deles, basicamente), dos quais Michelle Rosaldo, Catherine Lutz, Jean Briggs, Richard Shweder, Robert Levy e Anna Wierzbicka são, *inter alia* e de maneiras variadas, exemplos representativos, adotam uma abordagem essencialmente semiótica das emoções — uma abordagem que as vê em termos dos instrumentos de significação e das práticas de construção através dos quais elas recebem forma, sentido e circulação.[5] As palavras, imagens, gestos, marcas corporais e terminologias, assim como as histórias, ritos, costumes, sermões, melodias e conversas, não são meros veículos de sentimentos alojados noutro lugar, como um punhado de reflexos, sintomas e transpirações. São o *locus* e a maquinaria da coisa em si.

"[Se] temos a esperança", escreve Rosaldo, com a inaptidão hesitante que esse tipo de visão tende a produzir, dado o cartesianismo arraigado de nossa linguagem psicológica, "de aprender *como* as canções, as desfeitas ou as matanças podem agitar os corações humanos, temos de instrumentar a interpretação com uma apreensão da relação entre as formas expressivas e os sentimentos, que estão ligados à cultura e derivam sua significação do lugar que ocupam na experiência de vida de pessoas particulares, em sociedades particulares." Como quer que se pareça seu aspecto geral e por mais útil que seja compará-las, a ira-*mēnis* de Aquiles e a fúria-*liget* dos caçadores de cabeças que Rosaldo encontrou nas Filipinas extraem sua substância específica, diz a autora, de "contextos distintos e ... forma[s] distinta[s] de vida". São "modelo[s] [locais] de apreensão, mediada por formas culturais e por uma lógica social [locais]".[6]

Partindo desse tipo de plataforma geral, a pesquisa pode tomar diversas direções, a maioria das quais foi pelo menos provisoriamente explorada. Existem estudos sobre o "vocabulário da emoção", destinados a deslindar o sentido de termos culturalmente específicos para designar sentimentos, atitudes e estados de espírito, como fez Rosaldo com o *liget* dos Ilongot. (Na verdade, essa palavra é impropriamente traduzida por "fúria". Aproxima-se mais de "energia" ou "força vital", mas nem essas traduções servem. Há necessidade, como em relação ao *mēnis* da *Ilíada*, de glosas extensas, exemplos de uso, discriminações contextuais, implicações comportamentais e termos alternativos.) Toda uma gama de antropólogos, inclusive eu mesmo, tem prestado serviços semelhantes a palavras que são, etnocêntrica, tendenciosa ou apenas preguiçosamente, traduzidas desta ou daquela língua para o inglês como os clichês afetivos "culpa" e "vergonha". A lingüista culturalista Anna Wierzbicka — observando que palavras japonesas "como *enryo* (aproximadamente 'moderação interpessoal'), *on* (aproximadamente 'dívida de gratidão') e *omoiyari* (aproximadamente 'empatia benevolente') ... podem levar-nos ao centro de todo um complexo de valores e atitudes culturais, ... revelando toda uma rede... de roteiros específicos da cultura" — não apenas demonstra esse fato em relação ao japonês, mas também em relação ao russo (*toska*, "melancolia com anseio"), ao alemão (*Heimatliebe*, "amor à pátria") e ao que ela chama de "o grande adjetivo australiano", *bloody*. Outros fizeram desdobramentos comparáveis do samoano *alofa* ("amor ou empatia... voltado em linha ascendente pelos de status inferior para os de status superior"), do árabe *niya* ("decidido"... "desejo"... "franco"... "não diluído"... "sincero") e do javanês *rasa* ("percepção-sentimento-gosto-significação-sentido").[7]

Além desses estudos dos sistemas vocabulares, tem havido uma ampla gama de outros tipos de pesquisa destinados a examinar os sentidos das emoções e, tanto quanto possível, mapear o espaço conceitual que eles abrangem. Existem estudos etnomédicos sobre os conceitos nativos de doença, sofrimento, dor, cura e bem-estar. Há estudos etnometafóricos de regimes figurativos — possessão por espíritos, feitiçaria, ritos de passagem — para gravar sentimentos de... bem, invertendo o método tarskiano habitual, "possessão", "bruxaria" e "passagem". Há estudos etnopsicológicos sobre a importância das diferentes emoções nas diferentes sociedades, e sobre a maneira como as crianças aprendem a senti-las. E há estudos etno-estéticos sobre a mitologia, a música, a arte, e a tonalidade e o ambiente da vida cotidiana. Cada um desses estudos ou tipos de estudo é provisório e sugestivo — difícil de confirmar, difícil de reproduzir. E alguns deles mais fazem confundir do que esclarecer as coisas. Mas, no geral, por sua variedade, pela gama de materiais em que tocam e, especialmente, por sua sutileza sempre crescente de observação, parece que eles deixam bem clara, pelo menos para mim, a constituição cultural da emoção.

Como quer que seja, os desafios mais vigorosos e desenvolvidos às teorias culturalistas e da ação simbólica sobre a emoção, o sentimento e a paixão não aparecem, na verdade, sob a forma de dúvidas acerca de sua adequação empírica como tal — o que não passa, afinal de contas, de uma questão interpretativa, que só a observação adicional e mais exata é capaz de resolver. Eles surgem, antes, sob a forma de acusações de uma deficiência mais fundamental, mais profundamente lesiva, até fatal: seu suposto descaso para com a dinâmica "intrapsíquica" e, portanto, sua desatenção (também suposta) e sua incapacidade de lidar com o agente, a individualidade e a subjetividade pessoal. Essas descrições, escreve a psicanalista Nancy Chodorow, que é particularmente treinada no assunto,

> são incapazes de conceber teoricamente, mesmo que descrevam etnograficamente, os processos psicológicos individuais de criação pessoal do sentido. Desconhecem os modos idiossincráticos e divergentes pelos quais as emoções se desenvolvem e são experimentadas. ... Onde é, podemos indagar, que a criança adquire a capacidade, a habilidade ou o hábito de "ler" os corpos culturais, para começo de conversa, senão em partes internas ou psicobiológicas de seu ser?[8]

Como analista, e bastante ortodoxa, seguidora de Melanie Klein, Hans Loewald e D.W. Winnicott, Chodorow tem uma concepção fortemente pautada na "vida íntima", lá no fundo do inconsciente, sobre como os bebês alucinatórios transformam-se em adultos movidos pela fantasia. Além do cultural e do biológico, diz ela, existe "um terceiro campo" que não pode ser efetivamente entendido (e ela cita Rosaldo, que, junto comigo, é seu alvo principal nesse ponto) "com referência aos enredos culturais e às associações que eles evocam" ou a "cenas culturais associadas com determinadas emoções".

> O que falta [escreve ela] na abordagem de fazer coisas com palavras da emoção é um entendimento do que existe entre a instintividade humana universal, ou a cultura pan-humana, e a particularidade cultural universal, e de como essa área de interseção se desenvolve e é vivenciada em contextos interpessoais e intrapsíquicos específicos, aos quais a projeção e a introjeção, a transferência e a contratransferência dão um sentido pessoal. ... [O] registro psicológico [é] um registro separado, *sui generis*.[9]

Mas não é apenas nessa disciplina, notoriamente auto-suficiente e absorta em si mesma, sobre cujas reivindicações de autoridade absoluta e supremacia e sobre cujo modo peremptório de ver as coisas é compreensível que até um espectador simpatizante tenha certas reservas, que surge esse tipo de crítica. Qualquer um que se interesse pelo desenvolvimento individual, desde Jean Piaget e Lev Vygotsky até Jerome Bruner e Rom Harré, tende a manifestar inquietações semelhantes sobre qualquer concepção das paixões que não indague sobre sua história ontogenética. A questão não é que as análises culturais das emoções não expliquem, como Chodorow parece querer dizer ("um registro separado", "essa área de interseção", "*sui generis*"), como é realmente para alguém, de verdade, lá dentro, no âmago da sua intimidade, sentir esta ou aquela emoção. Formulada dessa maneira, a pergunta é impossível de responder; como a dor (ou a "dor"), ela é sentida como é sentida. A questão é como essas emoções — *mēnis, liget, ira* ou *fúria, toska* ou *Heimatliebe, on, enryo* ou *omoiyari* (ou, já que estamos no assunto, *bloody*) — passam a ter a força, a pertinência e o efeito que têm.

Mais uma vez, pesquisas recentes, sobretudo de psicólogos do desenvolvimento e comparativos (Bruner, Janet Astington, David Premack), mas também, vez por outra, de lingüistas e antropólogos de orientação psicológica (George Lakoff, Carol Feldman, William Frawley, Roy D'Andrade), têm avançado nesse assunto com certa rapidez.[10] E, o que é mais notável, surgiu uma concepção seriamente modificada da mente infantil — não uma confusão alvoroçada e florescente, não uma fantasia voraz, girando em desamparo num desejo cego, nem tampouco algoritmos inatos gerando uma profusão de categorias sintáticas e conceitos prontos para ser usados, mas uma mente criando sentido, buscando sentido, preservando sentido e usando sentido; numa palavra — a palavra de Nelson Goodman —, construtora do mundo.[11] Os estudos sobre a capacidade e a propensão das crianças a construir modelos da sociedade, dos outros, da natureza, do self, do pensamento como tal (e, é claro, dos sentimentos), e a usá-los para se haver com o que acontece a seu redor, têm proliferado e assumido um cunho prático. Estudos do autismo como uma impossibilidade (seja por que razão for) de a criança elaborar uma teoria viável sobre as "outras mentes", estudos sobre a imaginação da realidade e a instrução da realidade através da narrativa e do relato de histórias, sobre a construção de si e a atribuição dos agentes como iniciativa social, e sobre a subjetividade como conquistada intersubjetivamente, e portanto, contextualmente, e portanto, culturalmente, vêm-nos dando uma imagem do surgimento de nossa mente na qual "fazer coisas com palavras da emoção" e a "criação pessoal do sentido" não se parecem muito com "registros separados". "O desenvolvimento do pensamento da criança", escreveu há setenta anos Vygotsky, o patrono desse tipo de trabalho, "depende de seu domínio dos meios sociais do pensar. ... O uso de signos leva os seres humanos a uma estrutura específica de comportamento, que rompe com o desenvolvimento biológico e cria novas formas de um processo psicológico baseado na cultura."[12]

Portanto, é assim que os sentimentos acontecem: "entre uma lesão literal e um tropo literário", como observou Richard Shweder, "há muito espaço para um coração partido." Mas, como também comentou, "os nervos em frangalhos, o sangue enregelado, a cabeça explodindo e o coração partido [são] metonímias do sofrimento; dão ... expressão, por meio de metáforas com partes do corpo, a formas de experiência incorporada do sofrimento, através das partes do corpo usadas para expressá-las. ... [Mas] as cabeças explodindo não explodem, os corações partidos não se partem, o sangue enregelado continua a circular com a mesma velocidade e os nervos em frangalhos não exibem nenhuma patologia estrutural".[13]

Mas outros estados emocionais as exibem, às vezes, ou, pelo menos, envolvem deturpações observáveis (e perceptíveis) de processos somáticos. O recurso às imagens de partes do corpo para caracterizar não só o sofrimento, mas a emoção em geral (se os corações se partem de desespero, também explodem de alegria), faz-nos lembrar que, como quer que sejam caracterizados e como quer que se venha a tê-los, os sentimentos são *sentidos*. As maçãs do rosto enrubescem e ficam aquecidas, ou se esfriam e empalidecem, os estômagos se revolvem ou se contraem, as palmas das mãos transpiram, a respiração fica entrecortada e os queixos caem, para não falar das complicadas intumescências e perturbações trazidas por Eros. Até as lesões literais, quando são as lesões de alguém, no cérebro de alguém, alterando a vida de alguém, e não deuses extraculturais vindos de uma máquina cerebral, são dignas de exame.

Os neurologistas, é claro, investigam há muito tempo as implicações trazidas para o funcionamento mental por lesões situadas numa ou noutra área do cérebro. Mas, até recentemente, o grosso desses trabalhos dizia respeito ao processamento cognitivo, no sentido intelectivo mais restrito — defeitos e déficits de percepção, lingüísticos, mnêmicos ou motores; deficiências de Wernicke no reconhecimento, deficiências de Broca na produção. As alterações emocionais, talvez por terem forma menos definida e serem mais difíceis de medir (além, talvez, de não serem prontamente caracterizáveis em termos de deficiência), desde William James até Oliver Sacks, foram mais relatadas em termos fenomenológicos, ainda que brilhantes, do que somaticamente deslindadas.

Também isso começou a mudar e, para exemplificá-lo, podemos examinar, num resumo apressado, o livro *O erro de Descartes: emoção, razão e o cérebro humano*, de Antonio Damasio, que é apenas uma dentre várias investigações recentes sobre o que passou a ser chamado de "o cérebro incorporado".[14] Damasio relata seu trabalho com pessoas — nominalmente identificadas, descritas, particularizadas e culturalmente situadas — com lesões no lobo frontal (uma ponta de ferro que perfurou a testa, um meningioma extirpado, um derrame cerebral, uma leucotomia), e discorre sobre as inferências que podem ser feitas a partir da luta, da subjetividade, da personalidade e do destino delas no tocante ao papel do sentimento na construção da vida humana: "Os sentimentos nos permitem vislumbrar o organismo em plena atividade biológica, como um reflexo dos mecanismos da própria vida em funcionamento. Não fosse pela possibilidade de sentir os estados corporais, ... não haveria sofrimento ou êxtase, anseio ou misericórdia, tragédia ou glória na condição humana."[15]

Nem tampouco sentido. O estado apresentado por seus casos de lesão frontal — um operário ferroviário da Nova Inglaterra do século XIX, um contador profissional, um corretor de valores, um homem que sofreu uma lesão ao nascer e nunca se recuperou, cerca de uma dúzia, ao todo — é uma certa falta de afeto, um superficialismo, desapego e indecisão, uma irregularidade de objetivos, uma incapacidade de escolher um caminho, prever conseqüências ou aprender com os erros, de seguir as convenções, planejar o futuro ou reagir adequadamente aos outros, tudo isso acompanhado por aptidões motoras, lingüísticas, perceptivas e intelectuais normais, ou até superiores.

A "matriz de Gage", como a chamou Damasio, inspirando-se em seu caso típico — o pobre operário de ferrovia com um buraco no prosencéfalo, chamado Phineas P. Gage —, é, fundamentalmente, um distúrbio afetivo, uma atenuação da capacidade emocional que, ao mesmo tempo, bloqueia o juízo, a vontade e a sensibilidade social:

> As deficiências do comportamento social e do processo decisório [, na matriz de Gage, são] compatíveis com uma base normal de conhecimento social e com a preservação de funções neuropsicológicas superiores, como a memória convencional, a linguagem, a atenção básica, a memória funcional básica e o raciocínio básico, ... [mas são] acompanhados por uma redução da reatividade emocional e dos sentimentos. ... [E essa redução] da emoção e do sentimento não [é] um espectador inocente ao lado da deficiência no comportamento social. [O] sangue-frio do raciocínio dos [pacientes com Gage] impede [que eles] atribuam valores diferentes a opções diferentes e [torna] desoladoramente insípida a paisagem de [seu] processo decisório. ... Também a [torna] instável demais e não mantida pelo tempo necessário para que haja seleções de respostas. .., uma deficiência mais sutil do que básica na memória funcional [que altera] o resto do processo de raciocínio necessário para que surja uma decisão.[16]

Partindo dessa base, uma síndrome parabólica que ensina uma lição conceitual, Damasio desenvolve uma teoria articulada sobre a maneira como funciona a emoção em nossa vida mental — marcadores somáticos, percepções relembradas, estados de disposição corporal, individualidades neurais e assim por diante —, a qual não podemos nem precisamos acompanhar aqui (e que, de qualquer modo, é convenientemente provisória), a não ser, talvez, para assinalar que a doutrina lacônica de Francis Bacon, "o intelecto do homem não é uma luz insípida", recebe uma nova e poderosa corroboração empírica. "As emoções e os sentimentos não [são] intrusos no bastião da razão", diz Damasio, resumindo seus estudos e seu ponto de vista, mas "[estão] entremeados em suas redes, para o pior *e* para o melhor".[17] As paixões — o amor, a dor e toda essa droga — podem destroçar nossa vida. E o mesmo podem fazer, de maneira igualmente completa, sua perda ou sua ausência.

E é o quanto basta com respeito a meu caso em miniatura à guisa de ilustração: a emoção na cultura, na mente e no cérebro... no cérebro, na mente e na cultura. Fica ao menos vagamente patente, a partir desses relatos compactos e improvisados de abordagens diversamente imaginadas e diversamente seguidas do estudo dos sentimentos (embora eu também pudesse ter falado da aprendizagem ou da memória, ou, talvez, até da loucura), que um movimento irrequieto da atenção, pegando o que for possível, pelas matrizes disciplinares contrapostas, uma mudança oportuna de foco, saindo de um programa e uma comunidade rivais de pesquisa para outros, pode dar uma idéia da direção geral das coisas, no campo disperso e distribuído da investigação científica.[18] Os ataques frontais e os impulsos maciços para a união conceitual e a concordância metodológica têm lá o seu lugar — vez por outra, e quando a situação o permite. E o mesmo acontece com a especialização técnica cada vez mais profunda, com a construção isolada de fatos, purificada e patrulhada nas fronteiras, sem a qual nenhuma ciência, nem mesmo uma ciência social, consegue avançar. Mas, por si mesmos, eles não produzem nem produzirão a visão sinóptica daquilo de que estamos atrás de várias maneiras — do fim, como se costuma dizer, que temos em mente.

No caso atual, o que estamos procurando e a maneira como devemos procurá-lo (assim como o que podemos conseguir para nós e nossa vida ao procurá-lo) parecem-me estar expostos, com exatidão, ainda que sob a forma de tropo, no conciso poeminha de Richard Wilbur chamado... bem, chamado... *Mente*:

Mind in its purest play is like some bat
That beats about in caverns all alone.
Contriving by a kind of senseless wit
Not to conclude against a wall of stone.

It has no need to falter or explore;
Darkly it knows what obstacles are there,
And so may weave and flitter, dip and soar
In perfect courses through the blackest air.

And has this simile a like perfection?
The mind is like a bat. Precisely. Save
That in the very happiest intellection
A graceful error may correct the cave.[19]*

* [Tradução livre: "Em sua mais pura ação a mente é qual um morcego/ Que voluteia solitário pelas cavernas/ Conseguindo, por alguma perspicácia insciente,/ Não se acabar contra um muro de pedra./ Não precisa hesitar nem explorar,/ Sabe obscuramente quais são os obstáculos,/ E pode assim trançar e voejar, mergulhar e subir/ Em trajetórias perfeitas pelo mais negro ar./ E tem este símile perfeição que o iguale?/ A mente é qual morcego. Exatamente. Exceto/ Que na mais feliz das intelecções/ Um erro gracioso pode corrigir a caverna." (N.T.)

11 O mundo em pedaços: Cultura e política no fim do século

Em memória de Edward Shils
... com quem eu às vezes concordava.

O mundo em pedaços

A teoria política, que se apresenta como abordando questões universais e permanentes a respeito do poder, da obrigação, da justiça e do governo em termos gerais e incondicionais, a verdade sobre as coisas, tais como no fundo sempre são em toda parte, necessariamente, é, na verdade e de maneira inevitável, uma resposta específica a circunstâncias imediatas. Por mais cosmopolita que possa ter a intenção de ser, ela é, como a religião, a literatura, a historiografia ou o direito, movida e animada pelas exigências do momento: um guia para perplexidades particulares, prementes, locais e ao alcance da mão.

Isso fica bastante claro por sua história, especialmente agora que essa história enfim começa a ser escrita, por Quentin Skinner, John Pocock e outros, em termos realistas — como uma história dos engajamentos dos intelectuais nas situações políticas que os cercam, e não como uma procissão imaculada de doutrinas, impulsionadas pela lógica das idéias. A esta altura, é difícil deixar de reconhecer que o idealismo político de Platão ou o moralismo político de Aristóteles tiveram algo a ver com suas reações às vicissitudes das cidades-estados gregas, que o realismo de Maquiavel teve a ver com seu envolvimento nas manobras dos principados da Renascença, e que o absolutismo de Hobbes relacionou-se com seu horror às fúrias da desordem popular nos primórdios da Europa moderna. O mesmo com Rousseau e as paixões do Iluminismo, com Burke e as da reação a ele, com os *realpolitikers* do equilíbrio do poder e o nacionalismo e imperialismo do século XIX, com John Rawls, Ronald Dworkin e os teóricos dos direitos liberais e os Estados de bem-estar pós-1945, na América do Norte e na Europa Ocidental, e com Charles Taylor, Michael Sandel e os chamados comunitaristas, e a incapacidade de esses Estados produzirem a vida imaginada. A motivação da reflexão geral sobre a política em geral é radicalmente não geral. Provém de um desejo, até de uma aflição, de compreender o jogo de poder e aspiração que se encontra girando ao redor, num dado lugar perturbado, num dado momento desarticulado.

Hoje, passada uma década da queda do Muro de Berlim, está claro que estamos mais uma vez nesse lugar e nesse momento. O mundo em que vivíamos desde Teerã e Potsdam, ou, a rigor, desde Sedan e Port Arthur — um mundo de potências compactas e blocos antagônicos, de arranjos e rearranjos de macro-alianças — não existe mais. O mundo que existe, em vez disso, e a maneira como devemos refletir sobre ele, porém, são coisas nitidamente menos claras.

Um padrão muito mais pluralista de relações entre os povos do mundo parece estar emergindo, mas sua forma ainda é vaga e irregular, feita de retalhos, ameaçadoramente indeterminada. O colapso da União Soviética e as medidas atrapalhadas da Rússia que a sucedeu (e que não é nem espacialmente idêntica à que a precedeu) trouxeram em sua esteira uma onda de divisões obscuras e estranhas instabilidades. O mesmo fizeram o reavivamento das paixões nacionalistas na Europa Central e Oriental, as angústias hachuradas que a reunificação da Alemanha estimulou na Europa Ocidental, e o chamado Retraimento Americano: a capacidade decrescente (e a disposição decrescente) dos Estados Unidos de comprometerem seu poderio em regiões distantes do mundo — os Bálcãs ou o leste da África, o Magreb ou mar da China Meridional. As crescentes tensões internas de muitos países, surgidas de migrações culturalmente discordantes e em larga escala, o aparecimento de movimentos religioso-políticos, armados e apaixonados, em várias partes do mundo, e o despontar de novos centros de riqueza e poder no Oriente Médio, na América Latina e na margem asiática da costa do Pacífico só fizeram contribuir para o sentimento generalizado de inconstância e incerteza. Todos esses fenômenos, assim como outros induzidos por eles (as guerras civis étnicas, o separatismo lingüístico, a "multiculturalização" do capital internacional), não produziram a sensação de uma nova ordem mundial. Produziram um sentimento de dispersão, particularidade, complexidade e descentramento. As temidas simetrias da era do pós-guerra desarticularam-se, e nós, ao que parece, ficamos com os pedaços.

Todas as mudanças desse tipo, descontínuas e em grande escala, que os estudiosos e os estadistas gostam de chamar de "históricas mundiais", para se desculparem por não ter percebido a aproximação delas, produzem novas possibilidades e perigos inéditos, ganhos inesperados e perdas surpreendentes. O desaparecimento, pelo menos por enquanto, da ameaça da conflagração nuclear maciça, a libertação de vastas gamas de pessoas da dominação das grandes potências e o relaxamento da rigidez ideológica e das escolhas forçadas de um mundo bipolar são fenômenos positivos, do ponto de vista de praticamente qualquer pessoa. Os recentes avanços em direção à paz e à civilidade, por frágeis que sejam, na África do Sul, entre os israelenses e a OLP, ou, de maneira bem diferente, na Irlanda do Norte, provavelmente não poderiam ter ocorrido, e decerto não com tanta rapidez, se a distância entre as disputas locais e a confrontação global ainda fosse tão pequena quanto era antes de 1989. E, se ela fosse, os norte-americanos também não estariam pensando em negociar com os cubanos, os russos com os japoneses, Seul com Pyongyang, ou Barak com Arafat.

Por outro lado, as convulsões trazidas por inimizades nacionalistas, anteriormente contidas pelas autocracias poderosas, ainda que a um enorme custo humano, simplesmente já não têm como ser acolhidas como bênçãos da liberdade. Tampouco podem sê-lo as hesitações da integração européia, agora que o medo do comunismo diminuiu, a menor capacidade de as potências mundiais pressionarem os Estados-clientes a se comportarem, agora que as recompensas da dependência econômica e política foram reduzidas, ou a multiplicidade de candidatos à dominação regional, agora que a política internacional passou a ser menos cerceada pelas estratégias globais. Redução das armas das superpotências e proliferação nuclear, libertação política e aprofundamento do provincianismo, capitalismo sem fronteiras e pirataria econômica: é difícil fazer um balanço claro.

Mas a mudança mais fatídica talvez seja, mais uma vez, o esgarçamento generalizado do mundo com que de repente nos vemos confrontados. O esfacelamento de coesões maiores, ou que assim pareciam, em coesões menores, ligadas entre si de maneira incerta, tornou extremamente difícil relacionar as realidades locais com as globais, "o mundo das bandas de cá" (para adaptarmos a luminosa expressão de Hillary Putnam) com o mundo em geral. Para que o geral possa ser apreendido e para que se descubram novas unidades, parece necessário apreendê-lo não diretamente, de uma vez só, mas através de exemplos, diferenças, variações, particularidades — aos pouquinhos, caso a caso. Num mundo estilhaçado, devemos examinar os estilhaços.

E é aí que entra a teoria, se é que vai haver alguma. Em particular, onde é que esse despedaçamento — chamemo-lo de "desmontagem" — deixa os grandes conceitos integradores e totalizantes que por tanto tempo nos acostumamos a usar para organizar nossas idéias sobre a política mundial e, em especial, sobre a semelhança e a diferença entre povos, sociedades, Estados e culturas: conceitos como "tradição", "identidade", "religião", "ideologia", "valores", "nação" e, a rigor, até os próprios conceitos de "cultura", "sociedade", "Estado" ou "povo"? Será que ficamos reduzidos, agora que a oposição flagrante entre "Leste" e "Ocidente" foi denunciada como a fórmula etnocêntrica que sempre foi (o leste em Moscou, o ocidente em Washington, e todos os outros lugares — Havana, Tóquio, Belgrado, Paris, Cairo, Pequim, Joanesburgo —

derivativamente situados), a falar apenas de detalhes idiossincráticos e preocupações imediatas, aos retalhos de reflexão e às atenções dispersas do noticiário noturno? É preciso construir algumas idéias gerais, novas ou recondicionadas, se quisermos penetrar na luz ofuscante da nova heterogeneidade e dizer algo de útil sobre suas formas e seu futuro.

De fato, há agora um bom número de propostas sendo formuladas sobre a direção que deve tomar o pensamento no tocante à situação emergente: propostas sobre como entendê-la, como conviver com ela, como corrigi-la, ou — já que sempre existem aqueles que insistem resolutamente em que nada jamais se modifica de verdade nas questões humanas, porque nada jamais se modifica no coração humano (e eles existem especialmente na Europa, onde o pessimismo histórico é freqüentemente tomado por marca de boas maneiras e cultura) — como negar que ela esteja de fato emergindo.

A mais destacada dessas propostas, ou a mais celebrada, de qualquer modo, é, pelo menos num sentido desse termo fabricado e mutável, o "pós-modernismo". Segundo essa visão, a busca de padrões abrangentes deve ser simplesmente abandonada, como um resto da busca antiquada do eterno, do real, do essencial e do absoluto. Não existem, segundo se afirma, narrativas mestras sobre a "identidade", a "tradição", a "cultura" ou qualquer outra coisa. Há apenas acontecimentos, pessoas e fórmulas passageiras, e, mesmo assim, incoerentes. Devemos contentar-nos com histórias divergentes em idiomas irreconciliáveis, e não tentar abarcá-las em visões sinópticas. Tais visões (segundo essa visão) são impossíveis de obter. Tentar obtê-las leva apenas à ilusão — ao estereótipo, ao preconceito, ao ressentimento e ao conflito.

Em completa oposição a esse ceticismo neurastênico ante os esforços de juntar as coisas em relatos abrangentes, em *grands recits* providos de um enredo e uma moral, existem as tentativas de não descartar como vazios e enganosos os conceitos de larga escala, integradores e totalizantes, mas de substituí-los por outros de escala ainda maior, mais integradores e mais totalizantes — "civilizações", ou seja lá o que for. As tentativas de contar histórias ainda mais grandiosas e dramáticas começam a surgir, agora que as mais antigas estão se desgastando: histórias de choques de sociedades incomunicáveis, morais contraditórias e visões de mundo incomensuráveis. "As grandes divisões da humanidade e a fonte dominante de conflito [nos anos do futuro imediato]", proclamou recentemente o cientista político norte-americano Samuel Huntington, "serão culturais", não "primordialmente ideológicas nem primordialmente econômicas".[1] "O choque das civilizações", diz ele, "dominará a política global. As linhas de fissura entre as civilizações [cristã e islâmica, confuciana e hindu, norte-americana e japonesa, européia e africana] serão as linhas de combate do futuro." "A próxima guerra mundial, se vier", como ele parece julgar inteiramente provável, dadas essas agregações maciças de religião, raça, localização e linguagem, "será uma guerra entre civilizações."

Confrontados com essa escolha entre um ceticismo desiludido, que nos deixa pouca coisa a dizer, exceto que a diferença é a diferença e não há como contornar isso, e um retrato verbal operístico, que concebe choques de guerras entre mundos ainda mais espetaculares do que as que parecemos ter evitado por um triz até agora (assim como diante de várias outras sugestões implausíveis — as de que a história acabou, as afirmações de conhecimento não passam de tentativas mal disfarçadas de tomar o poder, ou tudo se reduz ao destino dos genes), aqueles dentre nós que temos o compromisso de fazer uma triagem de assuntos concretos, para desenvolver comparações pormenorizadas — investigações específicas de diferenças específicas —, talvez pareçamos ingênuos, quixotescos, dissimulados ou antiquados. Mas, se é que vamos encontrar normas de navegação num mundo estilhaçado e desmontado, elas terão que vir desse trabalho paciente, modesto e criterioso. Nem as cenas frias nem os enredos acalorados serão realmente de qualquer serventia. Precisamos descobrir com bastante exatidão qual é o panorama.

Mas também isso é muito mais difícil, agora que a maneira como nos acostumamos a dividir o mundo cultural — em pequenos blocos (Indonésia, digamos, no meu caso, ou Marrocos) agrupados em blocos maiores (Sudeste Asiático ou África meridional), e estes reunidos em blocos ainda maiores (Ásia, Oriente Médio, o Terceiro Mundo, ou seja lá o que for) — já não funciona muito bem em nenhum de seus níveis. Os estudos intensamente concentrados (sobre a música javanesa ou a poesia marroquina, o parentesco africano ou a burocracia chinesa, o direito alemão ou a estrutura de classes inglesa) já não são adequados ou sequer inteligíveis, como investigações fechadas e autônomas, não relacionadas entre si, nem com seu contexto e seus arredores, nem com os fenômenos gerais de que fazem parte. Ao mesmo tempo, entretanto, as linhas pelas quais seria possível traçar essas relações, descrever esses contextos e definir esses fenômenos são emaranhadas, sinuosas e difíceis de discernir. A mesma dissolução de grupos estáveis e divisões conhecidas que tornou tão insondável e cheio de arestas o mundo político fez com que a análise da cultura, de como as pessoas vêem as coisas, reagem a elas, imaginam-nas, julgam-nas e lidam com elas, se tornasse uma empreitada muito mais delicada do que era quando sabíamos, ou melhor, julgávamos saber o que combinava e o que não combinava com o quê.

Em termos culturais, assim como em termos políticos, a "Europa", digamos, ou a "Rússia" ou "Viena" não deve ser entendida como uma unidade de espírito e valor, contrastada com outras dessas supostas unidades — o Oriente Médio, a África, a Ásia, a América Latina, os Estados Unidos ou Londres —, mas como um conglomerado de diferenças profundas, radicais e resistentes aos resumos. E o mesmo se aplica às diversas subpartes que demarcamos, de um modo ou de outro, dentro desses conglomerados — protestantes e católicos, islamitas e ortodoxos; escandinavos, latinos, germânicos, eslavos; urbanos e rurais, continentais e insulares, nativos e migrantes. A desmontagem do mundo político não provocou essa heterogeneidade, é claro. Foi a história, instável e caprichosa, e dilacerada pela violência, que o fez. A desmontagem apenas tornou patente a heterogeneidade: flagrante, impossível de encobrir com idéias grandiosas, já agora impossível de não ver.

O que precisamos, ao que parece, não é de idéias grandiosas nem do abandono completo das idéias sintetizadoras. Precisamos é de modos de pensar que sejam receptivos às particularidades, às individualidades, às estranhezas, descontinuidades, contrastes e singularidades, receptivos ao que Charles Taylor chamou de "diversidade profunda", uma pluralidade de maneiras de fazer parte e de ser, e que possam extrair deles — dela — um sentimento de vinculação, de uma vinculação que não é abrangente nem uniforme, primordial nem imutável, mas que, apesar disso, é real.[2] A preocupação de Taylor, diante do separatismo ideologizado, da ameaça de separação entre Quebec e o Canadá, é com a desmontagem política, com o aspecto de pertencimento e cidadania da identidade num mundo estilhaçado: que é um país, se não é uma nação? Mas a pergunta é a mesma do lado do eu, do ser, que é sua face especular e invertida: que é uma cultura, se não é um consenso?

Boa parte do pensamento filosófico e das ciências sociais na Europa e nos Estados Unidos está atualmente às voltas, de maneira não muito eficaz, com essas duas perguntas, muitas vezes, aliás, de maneiras que confundem uma com a outra e com a noção — que está bem longe de ser idêntica e é, a meu ver, bem mais complicada, frouxa, supergeneralizada e decerto abusivamente usada — de "nacionalismo". A coexistência, na maioria das regiões do mundo, a rigor em praticamente todas, de grandes tradições culturais, ricas, distintas e historicamente profundas (civilizações no sentido próprio do termo, e não em seu sentido polêmico), com uma progressão interminável de diferenças dentro de diferenças, divisões dentro de divisões, misturas dentro de misturas, levanta uma pergunta que já não pode ser descartada como ociosa ou inconseqüente: como é, num mundo tão multifacetado, que surge a identidade política, social ou cultural? Se a identidade sem uníssono é de fato a norma — na Índia ou nos Estados Unidos, no Brasil ou na Nigéria, na Bélgica ou na Guiana, ou até no Japão, esse suposto modelo de afinidade mental imanente e singularidade essencializada —, em que é que ela repousa?

Também nesse caso, entretanto, a pergunta está *mal posée*, se interpretada como uma pergunta geral em busca de uma resposta invariável — o que, mais uma vez, constitui o problema de pelo menos grande parte dos textos sobre o "nacionalismo" (ou, a propósito, também sobre a "etnicidade") que se tornaram tão populares nos últimos anos. É que existem quase tantas maneiras de reunir essas identidades, fugazes ou duradouras, abrangentes ou íntimas, cosmopolitas ou fechadas, amistosas ou sanguinárias, quantos são os materiais com que uni-las e as razões para fazê-lo. Índio norte-americano, israelense, boliviano, muçulmano, basco, tâmil, europeu, negro, australiano, cigano, ulsteriano, árabe, quilombola, maronita, hispânico, flamengo, zulu, jordaniano, cipriota, bávaro e formosense — respostas que as pessoas às vezes dão à pergunta, feita por elas mesmas ou por terceiros, sobre quem (ou, talvez mais exatamente, o que) elas são — simplesmente não compõem uma estrutura ordeira.

Nem tampouco estável. À medida que o mundo se torna mais rigorosamente interligado, econômica e politicamente, que as pessoas se deslocam de maneiras imprevistas, apenas parcialmente controláveis e cada vez mais maciças, e que novas linhas são traçadas enquanto as antigas se apagam, o catálogo de identificações disponíveis se expande, contrai-se, muda de forma, ramifica-se, involui e se desenvolve. Meio século atrás, não havia *beurs** nem bengalis, mas havia peranakans e iugoslavos; a Itália não tinha um "problema marroquino" e Hong Kong não tinha um problema vietnamita. (Nem Vancouver tinha um problema vindo de Hong Kong.) Até as identidades que persistem, como os austríacos e norte-americanos têm boas razões para saber — assim como os poloneses, os xiitas, os malaios e os etíopes —, alteram-se em seus laços, seu conteúdo e seu sentido interno.

Os cientistas políticos tendem a funcionar em níveis bem acima desse matagal de caracterizações, distinções, particularidades e rotulações que compõem o mundo do "quem é o quê" das identidades coletivas; tendem a flutuar meditativamente sobre ele, como se estivessem num balão de Montgolfier — por medo de que descer venha a expô-los ao tipo de detalhes intermináveis e conflitantes que amiúde acabrunham os antropólogos; talvez porque o matagal lhes pareça meio repelente: emocional, estonteante, irracional, perigoso; ou talvez porque pareça irreal ou acidental, mero verniz, decoração e mistificação. Mas, se o que de fato nos confronta é um mundo de dessemelhanças compac-

---

* Designação francesa das pessoas de origem magrebina e nacionalidade francesa, em geral da segunda geração de imigrantes. (N.T.)

tadas de maneiras diversas, e não de Estados nacionais inteiriços, reunidos em blocos e superblocos (aquele tipo de coisa que se vê de um balão), não resta outra coisa senão tratarmos de examinar os casos, seja qual for o preço para a generalidade, a certeza ou o equilíbrio intelectual.

Mas, na verdade, talvez os custos não sejam tão altos quanto se teme e os benefícios estejam sendo subestimados: a abstração das especificidades não é a única forma assumida pela teoria. Nos anos do futuro imediato, enquanto a China entra com passo desajeitado e desigual na economia internacional, enquanto a Alemanha procura remendar meio século de divisão política, enquanto a Rússia tenta encontrar uma forma viável de existir, enquanto as sociedades africanas tentam conter ódios múltiplos e distinções intrincadas, enquanto o Japão, descobrindo ou redescobrindo sua diversidade, procura definir um lugar para si numa região que se move em meia dúzia de direções diferentes ao mesmo tempo, e enquanto os Estados Unidos, a França, o México ou a Argélia descobrem-se assentados sobre uma comunhão de mentalidades bem menor do que seus credos públicos proclamam existir por lá, é provável que as abordagens da análise política que se dedicam a esses assuntos na plenitude de sua particularidade sejam mais úteis à compreensão do que as que tentam desenvolver uma visão panóptica geral.

Em síntese, parece necessário que haja vários ajustes sérios no pensamento, para que nós, filósofos, antropólogos, historiadores ou quem quer que sejamos, tenhamos algo de útil a dizer sobre este mundo desmontado ou em processo de desmonte, cheio de identidades irrequietas e ligações incertas. Primeiro, a diferença tem que ser reconhecida, de maneira explícita e franca, e não obscurecida por um discurso improvisado sobre a Ética Confuciana ou a Tradição Ocidental, a Sensibilidade Latina ou a Mentalidade Muçulmana, nem por moralizações frágeis sobre os valores universais, ou tênues banalidades sobre a unicidade subjacente: Rosie O'Grady e a Senhora do Coronel. Segundo, e mais importante, a diferença deve ser vista *não* como a negação da semelhança, seu oposto, seu contrário e sua contradição. Deve ser vista como abarcando-a: situando-a, concretizando-a, dando-lhe forma. Já que se foram os blocos, e com eles suas hegemonias, estamos diante de uma era de emaranhados dispersos, cada qual singular. A unidade e a identidade existentes terão que ser negociadas, produzidas a partir da diferença.

Por maiores que sejam a originalidade e a singularidade das formas de vida malaias e chinesas no Sudeste Asiático, por exemplo, ou as formas inglesas, escocesas, galesas ou irlandesas na Grã-Bretanha, ou as índias e latinas na Nicarágua ou na Guatemala, as muçulmanas e cristãs na Nigéria, as muçulmanas e hindus na Índia, as cingalesas e tâmeis no Sri Lanka, ou as negras e brancas na África do Sul — e é claro que elas têm muito disso —, essa originalidade e singularidade brotam das maneiras como a variedade das práticas que as compõem se posiciona e se constitui. Não se trata, para adaptarmos a famosa imagem wittgensteiniana da corda, de um fio único que as perpasse inteiramente, definindo-as e transformando-as numa espécie de todo. O que há são superposições de fios diferentes, que se intersectam e emaranham, um retomando o curso onde o outro se rompeu, e todos posicionados em tensões efetivas entre si, formando um corpo composto, um corpo localmente díspar mas globalmente integral. Separar esses fios, localizar essas interseções, enredamentos, ligações e tensões, sondar o próprio caráter agregado do corpo compósito e sua profunda diversidade, é isso que exige a análise desses tipos de países e sociedades. Não há oposição entre o trabalho delicado, que revela a variedade, e a caracterização geral, que define afinidades. O importante é fazer com que eles iluminem um ao outro e com isso revelem o que é a identidade. E o que ela não é.

Fazer isso — ligar paisagens locais, cheias de detalhes e acidentes, com as topografias complexas em que elas se inserem — requer uma alteração não só da maneira como concebemos a identidade, mas da maneira como escrevemos sobre ela, do vocabulário que usamos para torná-la visível e medir sua força. A teoria política, que em nossa época tantas vezes consiste em meditações sinópticas sobre princípios transformados em essências e aprisionados numa luta de morte maniqueísta — coletivismo e individualismo, objetivismo e relativismo, direito e obrigação, liberdade e coação —, ou em compromissos ideológicos enfeitados de maneira a parecer deduções inelutáveis de premissas inescapáveis, precisa ter uma apreensão mais clara das particularidades do momento atual. Mas a linguagem em que ela é formulada, uma linguagem que é mais de resumos que de discriminações, inibe-a seriamente, quase por completo, de realizar essa tarefa. Os gêneros disponíveis de descrição e avaliação não se ajustam bem a um mundo múltiplo, misturado, irregular, cambiante e descontínuo.

O que parece necessário é algo intermediário, ou que talvez combine desta ou daquela maneira as reflexões filosóficas sobre o self, o agente, a vontade e a autenticidade (ou seu questionamento como constructos ideológicos ou ilusões metafísicas), os levantamentos históricos do surgimento de etnicidades, nações, Estados e grupos solidários (ou a imaginação deles nos rituais políticos e nas tecnologias culturais da vida moderna) e as representações etnográficas de mitologias, morais, tradições e visões de mundo (ou a denúncia delas como reduções exotistas, hegemonizadoras e neocolonialistas de um outro que é radicalmente vitimado). Mas não está muito claro o que seria isso. Quem procura, como faço aqui, enfrentar o quadro confuso e conflitante de um mundo que já não é satisfatoriamente descritível como uma distribuição de povos ou um sistema de Estados, um catálogo de culturas ou uma tipologia de regimes, não encontra muita coisa em que se apoiar nas concepções aceitas das ciências humanas.

Minha linha aqui, improvisadora, oportunista e informalmente redirecionada, à medida que eu for avançando, consistirá em enfocar alternadamente as duas perguntas que mencionei antes como sendo as que levam às questões interpretativas centrais levantadas pelo fracionamento, pela instabilidade e pelo caráter descentrado do mundo pós-Muro de Berlim: que é um país, se não é uma nação? Que é uma cultura, se não é um consenso? Poucos anos atrás, quando o mapa do mundo parecia razoavelmente consolidado e seus contornos eram mais ou menos nítidos, essas duas perguntas teriam parecido confusas ou absurdas, pois havia pouca coisa separando os termos contrastados, se é que existia. Os países *eram* nações — Hungria, França, Egito, Brasil. As culturas *eram* estilos de vida comuns — húngaro, francês, egípcio, brasileiro. Enfiar uma cunha entre os termos, e portanto, entre as próprias perguntas, para desvinculá-los uns do outros e examiná-los em separado, pareceria, no melhor dos casos, uma empreitada inútil, e no pior, uma proposta maldosa.

Talvez ela seja maldosa, ou, pelo menos, perturbadora, mas não é inútil. Já agora existem pouquíssimos países, e talvez nunca tenham existido, que coincidem sequer em caráter aproximado com entidades culturalmente solidárias: o Japão, a Noruega e, possivelmente, o Uruguai, se esquecermos os italianos, ou talvez a Nova Zelândia, se esquecermos os maoris. As formas do Estado — mexicano e alemão, nigeriano e indiano, cingapuriano e saudita — são tão imensamente diversas, que mal podem ser coligidas sob uma mesma denominação. As bases da legitimidade até mesmo de vizinhos contíguos, os tipos de histórias que eles contam a si mesmos para explicar sua existência e justificar a continuidade desta — Israel e Jordânia, Camboja e Vietnã, Grécia e Turquia, Sudão e Etiópia — são enunciados de maneira contrastante, mal podem ser traduzidos e nada têm de homólogos. A ilusão de um mundo coberto de ponta a ponta por unidades que se repetem, a qual é produzida pelas convenções pictóricas de nossos atlas políticos — recortes poligonais num quebra-cabeça bem encaixado —, é exatamente isso: uma ilusão.

Separar os aspectos políticos e culturais do mundo desmontado, antes de tornar a relacioná-los entre si, ao menos nos permite desvendar algo das manobras e ações cruzadas que estão envolvidas na formação e na interação das *personae* coletivas, e alguns dos enigmas que essas manobras e ações cruzadas criam para as ordenações sociais, as economias, as sociedades e as vidas cotidianas em que elas ocorrem. Ao menos sabemos alguma coisa — nem de longe o suficiente, mas alguma coisa — sobre como se compõem na sociedade as diferenças de poder, riqueza, status, sorte e habilidade, para o melhor ou para o pior, sobre como os interesses materiais se ajustam e conciliam, são contidos ou subjugados, e sobre como os conflitos ideológicos são resolvidos ou exacerbados, estabilizados ou disputados até a derrota de uma das partes, e como são administrados. Mas, diante de lutas sociais enunciadas em termos da individualidade, dos sentimentos arraigados e da lealdade primária, dos contrastes naturais e das sutilezas imanentes, continuamos muito inseguros. Elas parecem surgir como tempestades e se evaporar com a mera exaustão, ou com uma mudança inexplicável do tempo, ou então, com maior freqüência, persistir como irritantes crônicos, latentes, meio escondidos, com os quais meramente se vive (ou se morre), sem que eles sejam realmente compreendidos, realmente resolvidos.

Não é fácil melhorar essa situação de meramente testemunhar e deplorar. Mas, sem dúvida, o primeiro passo para melhorá-la é examinar mais de perto, no chão e *in loco*, o que vêm (ou não vêm) a ser exatamente os países como atores coletivos. E o segundo, com certeza, é examinar o que os faz (na medida em que os faz) serem assim.

Desde 1945, passamos de uma situação em que havia talvez uns cinqüenta países universalmente reconhecidos, distribuindo-se o restante do mundo em colônias, protetorados, possessões e coisas similares, para uma situação em que existem quase duzentos países, e é quase certo que surjam outros. A diferença, é claro, está na revolução descolonizadora que ocorreu na Ásia e na África e, até certo ponto, no Pacífico e no Caribe, durante os anos cinqüenta e sessenta, e que hoje é reforçada pela desarticulação do último dos impérios transculturais (a menos que se considere a China como um deles) — a União Soviética. Essa revolução foi geralmente entendida, tanto por seus líderes e teóricos quanto por aqueles contra quem eles se rebelaram, como uma libertação da dominação estrangeira, e, por conseguinte, foi assemelhada com muita rapidez e facilidade aos movimentos nacionalistas da Europa e da América Latina no século XIX — como a última onda de um impulso global para a autodeterminação, o governo do semelhante pelo semelhante, a modernização da gestão governamental, a unificação do Estado e da cultura, ou lá o que seja. Mas ela foi, como ficou cada vez mais claro com o passar do tempo e com o resfriamento dos ardores mais puramente ideológicos, algo bem mais profundo do que isso. Foi uma alteração, até uma transformação, de toda a nossa idéia das relações entre a história, o lugar e o pertencimento político.

O reconhecimento de que o aparecimento de uma multiplicidade de países novos na Ásia e na África, de porte grande, pequeno e médio, foi mais do que uma equiparação imitativa dos países do mundo "subdesenvolvido" ou "atrasado", ou do "Terceiro Mundo", com o chamado padrão do Estado nacional, construído na Europa entre os séculos XVII e XIX, e de que ele foi, sob muitos aspectos, mais um questionamento desse padrão do que seu reforço ou reencarnação, demorou muito a chegar. A idéia difusionista de que o mundo moderno foi feito na Europa setentrional e ocidental, e depois escoou, como um vazamento de óleo, até cobrir o resto do mundo, obscureceu o fato (que já deve estar evidente pelos acontecimentos nos Estados Unidos e na América Latina, sem falar na Libéria, no Haiti, na Tailândia ou no Japão) de que, em vez de convergirem para um único padrão, essas entidades chamadas países começaram a se ordenar de maneiras inéditas, maneiras que submeteram a uma pressão crescente as concepções européias, aliás já não muito seguras, do que é um país e de qual é sua base. Só agora as implicações verdadeiramente radicais do processo de descolonização estão sendo reconhecidas. Para o bem ou para o mal, a dinâmica da construção ocidental das nações não está sendo reproduzida. Há alguma outra coisa acontecendo.

Descobrir o que pode ser isso implica, por um lado, uma compreensão de termos como "nação", "Estado", "povo" e "sociedade", cunhagem desgastada da análise política, que não os reduza todos a um padrão comum, continuamente reproduzido; e, por outro, implica uma compreensão de termos como "identidade", "tradição", "afiliação" e "coerência", vocabulário não menos batido da descrição cultural, que não os reduza todos à uniformidade e à semelhança de orientação, a um molde de categorias. É nessa iniciativa que me empenharei, de maneira preliminar e exploratória, nas próximas duas partes deste capítulo, na esperança de esclarecer os desafios e os riscos, os terrores e as possibilidades do mundo despedaçado.

O que é um país, se não é uma nação?

As palavras que usamos hoje em dia para falar do que tomamos por alicerces elementares da ordem política global — "nação", "Estado", "país", "sociedade", "povo" — têm uma ambigüidade perturbadora, incorporada em seu alcance, seu propósito e sua definição. Por um lado, nós as usamos de maneira intercambiável, como se fossem sinônimas: "França" ou "Hungria", "China" ou "Camboja", "México" ou "Etiópia", "Irã" ou "Portugal" são todas essas coisas ao mesmo tempo — nações, Estados, países, sociedades e povos. Por outro lado, nós as percebemos como desviando-nos, em suas nuanças e conotações, suas ressonâncias e sentidos internos, para direções muito diferentes: para o sangue, a raça, a descendência e os mistérios e mistificações da semelhança biológica; para a lealdade política e civil e para as indivisibilidades da lei, da obediência, da força e do governo; para a agregação geográfica, a demarcação territorial e o sentimento de origem, pátria e hábitat; para a interação, o companheirismo e a associação prática, o encontro de pessoas e o jogo de interesses; e para a afinidade cultural, histórica, lingüística, religiosa ou psicológica — para a qüididade do espírito.

Essa ambigüidade, persistente, teimosa, talvez irremovível, perturbou a história da Europa e das Américas pelo menos desde o século XVII, e agora perturba, de modo pelo menos igualmente implacável, também a Ásia e a África. A concepção do biológico, do governamental, do territorial, do interacional e do cultural como expressões equivalentes e intercambiáveis de uma mesma realidade, como embutindo-se umas nas outras e convergindo para uma soma global, e o sentimento de que elas só se embutem e convergem assim de maneira parcial e incompleta, de que se referem a realidades diferentes, representam tipos de solidariedade e afiliação diferentes, nascem de imaginários diferentes, aspirações diferentes e temores diferentes, tornam incerto saber exatamente o que é mapeado no mapa político do mundo. Que dizemos ao dizer Mauritânia? Ou Eslováquia, Bolívia, ou Austrália?

Folheando os verbetes pertinentes no *Oxford English Dictionary*, vemos essa perplexidade e sua história, pelo menos no tocante à Europa e aos ingleses (mas eu diria que o mesmo resultado seria obtido se vagássemos similarmente pelas páginas do *Grand Robert* ou do *Deutsches Wörterbuch*). Em cada termo há uma espécie de penumbra básica de sentido que lhe é específica, cercando-o de um certo ar e tonalidade, e o que parece ser uma tentativa deliberada, ou, a rigor, desesperada, de suprimir isso e empurrar a palavra para uma coincidência semântica com as outras, para produzir, seja como país, povo, sociedade, Estado ou nação, uma unidade genérica da ação coletiva — delimitada, designável, única e coerentemente definida: um self histórico.

"*Country*" [país], por exemplo, que nos dizem provir da raiz latina da qual também recebemos "*contra*" e "*counter*" [contrário], desloca-se de um chamado sentido literal, "aquilo que está em frente ou diante da visão, a paisagem que se estende diante dos olhos", passa por uma série de definições, que vão da definição generalizada de "terreno ou pedaço de terra de extensão indefinida; região, distrito", e das definições bem mais específicas de "terreno ou distrito de limites mais ou menos definidos em relação à ocupação humana, p.ex., pertencente ao mesmo senhor ou proprietário, ou habitado por pessoas da mesma raça, dialeto, ocupação etc." e "terra de nascimento, cidadania, residência etc. de uma pessoa", até a definição inteiramente abrangente de "território ou área de uma nação; em geral, Estado independente ou região antes independente [isso é para lidar com a Escócia e a Irlanda], que se distingue ainda pela raça, língua, instituições ou lembranças históricas"; e, para culminar, vem a definição direta e simples de "povo de um distrito ou um Estado, nação" — como na

História da Inglaterra, de Macaulay: "O povo não tinha amor a seu país ou seu rei", o que não significa, imagino, que não gostasse da paisagem.[3]

A palavra "povo" segue uma trajetória semelhante, indo de uma definição generalizada e indistinta de "populacho", "multidão" ou "plebe", passando pelas caracterizações bem mais específicas de "pessoas em relação a um superior ou a alguém a quem pertencem" e "todo o corpo de ... cidadãos qualificados como uma fonte de poder", até chegar, mais uma vez, ao coletivo unitário, "corpo de pessoas que compõem uma comunidade, tribo, raça, [grupo étnico] ou nação".[4] O mesmo acontece com "Estado", que vem, é claro, das raízes de posição e situação, como em "*estate*" [propriedade, condição social] e "status", e se desloca semanticamente por "domínio" e "comunidade", até chegar à definição mais concentrada de "corpo de pessoas que ocupam um território definido e organizado sob um governo soberano ..., o território ocupado por esse corpo", e daí para a definição plenamente integral de "supremo poder civil e de governo de um país ou nação". "O Estado", escreveu Matthew Arnold em *Democracia*, "é, propriamente falando, ... a nação em sua qualidade coletiva e corporativa".[5]

O padrão se repete com "sociedade" ("associação com o semelhante"; "relação com pessoas"; "conjunto de pessoas que convivem [numa] comunidade ordeira"; "sistema ou modo de vida adotado por um corpo de indivíduos para fins de convivência harmoniosa"; "ligação ... união ... afinidade").[6] Mas é com o termo mais radicalmente consolidante da série, e o mais esquivo, "nação", que ele chega a sua expressão mais plena, com a palavra atraindo todas as outras para si como um estranho atrator semiótico.

"Nação", que provém do latim *nation-em*, "linhagem", "cepa", "raça", por sua vez derivados de *nasci*, "nascer", tem, ou teve no decorrer de sua evolução, diversas aplicações altamente particulares, como "família, parentela", "clã irlandês", "população nativa de uma aldeia ou cidade", "classe, espécie ou raça de pessoas", "domínio, reino", ou "a totalidade do povo de um país ... em contraste com algum corpo menor ou mais restrito dentro dele", a maioria das quais, a esta altura, resvalou para a vastidão magistral do que se tornou seu significado central: "Ampla aglomeração de pessoas, tão estreitamente associadas umas às outras pela ascendência, linguagem ou história comuns, que formam uma raça ou povo distinto, em geral organizado como um Estado político separado e ocupando um território definido." ("Nos exemplos iniciais", comenta o *Oxford English Dictionary*, talvez embaraçado, ele mesmo, com o imenso alcance e o caráter confuso que a concepção havia assumido em 1928, "a idéia racial costumava ser mais forte do que a política; no uso recente, a idéia de unidade política ... é mais proeminente"; e o dicionário fornece duas citações, bastante opostas justamente nessa tendência, para agravar ainda mais a dificuldade: a frase populista de Bright, no estilo "roçado e taberna" — "a nação de todo país mora no campo" —, e a frase hierática de Tennyson, no gênero "espada e cetro": "Sepultemos o grande duque [ou seja, Wellington] ao som do pranto enlutado de uma nação poderosa.")[7]

Menciono tudo isso não por achar que as palavras em si façam o mundo girar (embora, na verdade, elas tenham um bocado a ver com suas obras e seu funcionamento), nem por achar que é possível interpretar a história política a partir das definições dos dicionários (embora, na verdade, elas estejam entre os detectores mais sensíveis e menos usados de que dispomos para registrar seus tremores subterrâneos). Menciono tudo isso por acreditar que a tensão entre uma concepção convergente e uma concepção dispersiva da ação coletiva, entre a tentativa de tornar os termos dessa ação idênticos e intercambiáveis e a tentativa de manter suas diferenças e separações, reflete e, a rigor, impulsiona muito do que vem acontecendo no mundo ultimamente, bem como o que os filósofos, antropólogos, jornalistas e ideólogos têm a dizer sobre o que está ocorrendo.

De fato, na Europa entre Napoleão e Hitler (para dar um nome tendencioso a um período tendencioso), o movimento de subordinação das várias maneiras de pensar sobre a pergunta "que sou eu (ou você, ou nós, ou eles)?" à concepção de uma semelhança global de espécie, difícil de especificar, fácil de sentir e impossível de erradicar, foi uma dinâmica central da história política, tanto assim que foi freqüentemente identificada com o próprio processo de modernização.[8] Um processo relativamente curto, como sói acontecer, sumamente localizado em termos geográficos e bastante incompleto, de qualquer modo, foi tomado por paradigma geral do desenvolvimento político, em todas as épocas e por toda parte. Foi isso, que eu chamaria de preconceito, que foi questionado, primeiro, pelas revoluções anticolonialistas, desde a da Índia no fim dos anos quarenta até a de Angola no início da década de 1970, e agora, pela desmontagem do mundo bipolar (facetas, aliás, de uma única sublevação).

No que concerne à revolução anticolonialista (que, no espaço de quarenta anos, quadruplicou o número de entidades chamadas países, nações, Estados ou povos — sociedades distintas, com nome e endereço), como assinalei antes, ela foi simplesmente assemelhada, em sua totalidade, ao desenvolvimento europeu, ou ao que se supõe ter sido o desenvolvimento europeu. Especialmente em suas fases declamatórias iniciais — os dias de Bandung de homens como Nkrumah, Nehru, Ho e Sukarno (e como Mao e Tito) —, ela foi vista como "a última onda" de um movimento mundial rumo à "nacionalidade [como] praticamente inseparável da consciência política", para citar Benedict Anderson, o teórico da narrativa mestra disso tudo.[9] Mais recentemente, os fenômenos ocorridos dentro dessas entidades — a disjunção nigeriana, cingalesa e argelina, o terror cambojano, o genocídio sudanês, a guerra civil iemenita — e em suas relações umas com as outras complicaram bastante o panorama. E, no que concerne à desmontagem do mundo bipolar, a perda do sentimento de elementos análogos, encaixados numa estrutura bem definida do poder e da importância, tornou difícil de articular e difícil de defender a idéia de que o mundo se compõe de nacionalidades atômicas, poderosas e não poderosas, soberanas e subalternas. Resistir à coalescência das dimensões da comunidade política, manter separadas e visíveis as várias linhas de afinidade que transformam populações abstratas em atores públicos, de repente parece ter-se tornado, mais uma vez, conceitualmente útil, moralmente imperioso e politicamente realista.

Na busca desse objetivo, poderíamos, é claro, simplesmente percorrer, em série e rotineiramente, os diversos pares — povo e sociedade, sociedade e Estado, Estado e nação, e assim por diante — e expor alguns dos danos e concepções errôneas que resultam de não se manter entre eles uma distinção suficiente. Até certo ponto, isso já foi feito, aqui e ali, e de modo bastante assistemático, sobretudo com respeito a nação e Estado, à medida que o hífen da fórmula do Estado-nação passou finalmente a ser visto com um olhar mais crítico, e que o princípio da autodeterminação nacional (todo grupo que realmente queira um Estado deve tê-lo; qualquer grupo que tenha um Estado é *per se* uma nação) passou a ser visto como o fogo-fátuo ou a idealização que é — Tamil Nadu e Curdistão, Suriname e Zaire. Mas quero concentrar-me aqui apenas em um desses pares, país e nação, e sobretudo em libertar o primeiro dos tentáculos do segundo. A fusão ou confusão deles, que equivale à quase completa submersão da idéia de país, não apenas obscurece o que vem acontecendo neste ou naquele lugar. Ela nos impede de ver com muita clareza como de fato se monta nosso mundo atual.

A maneira mais fácil de fazer isso, claro, é simplesmente opor um termo ao outro. Podemos maldizer um deles como "nacionalismo", coisa que é "por natureza incivil, antidemocrática e separatista, uma vez que confere poder a um grupo étnico sobre os demais" (para citar as palavras do último embaixador norte-americano na Iugoslávia integrada, num relatório perspicaz, afora isso, sobre o que acontecia por lá), e podemos enaltecer o outro como "patriotismo", aquele amor decente e caloroso pelo país — verdes vales, cafés nas calçadas, o chamado do almuadem, o monte Fuji em meio às brumas, os campos e *piazzas*, o cheiro de cravo. Ou podemos objetificá-los como expressões classificatórias, tipos irreconciliáveis (um mau e um bom) de "nacionalismo", assim: "étnico" *vs.* "cívico", "oficial" *vs.* "popular", "desmembrador" *vs.* "unificador", "dos Habsburgo" (ou "oriental") *vs.* "liberal" (ou "ocidental"), ou seja lá o que for.[10] Em qualquer desses casos, fica-se com uma imagem maniqueísta, que opõe o provincianismo enciumado e a xenofobia sanguinária, de um lado, ao orgulho sincero e à serena autoconfiança, do outro.

Num nível muito geral, o daquela visão do balão pairando lá no alto, isso é bastante plausível: o tipo de nacionalismo associado a Hitler ou Karadzic realmente parece estar em rigoroso contraste com o tipo associado a Ghandi ou Lincoln. Mais uma vez, porém, quando descemos aos casos particulares, ao etnicismo (se é disso que se trata) de Israel ou Bangladesh, da Hungria ou de Cingapura, ou ao patriotismo (se é disso que se trata) de Castro ou Soljenitsin, Enoch Powell ou Jean-Marie Le Pen, as coisas começam a ficar bem menos óbvias. Se tomarmos, por exemplo, três países que neste momento vêm sendo afligidos, em graus ascendentes de severidade e perigo, por identidades coletivas enunciadas como nações e que resistem a ser abarcadas por estas — o Canadá, o Sri Lanka e a (ex-) Iugoslávia —, ficará claro que as relações entre "país" e "nação" são tão diferentes de um para o outro, que é impossível encerrá-las numa oposição dicotômica, do mesmo modo como estão encerradas numa fusão promíscua. E, se prosseguirmos então para o Burundi ou a Nigéria, o Afeganistão ou a Indonésia, a Bélgica ou os Estados Unidos (deixo de lado a Suíça e o Líbano, como casos quase acessíveis demais), as coisas ficarão ainda mais diversificadas. Mais uma vez, não há nada senão uma espécie de etnografia política ou político-econômica que possa identificar as relações entre países específicos e as afinidades e dissonâncias em que eles estão envolvidos por quase toda parte — não, não por quase toda parte: em toda parte.

Isso porque, na medida em que há uma distinção a ser feita entre "país" e "nação", ela não está na civilidade e não agressividade de um e na paixão e vociferação da outra, o que, de qualquer maneira, nem sempre acontece (vide a China, a França, o Marrocos, a Argentina). Está, no primeiro, como uma arena política, e na segunda, como uma força política: entre um espaço demarcado por fronteiras e até certo ponto arbitrário, em cujo interior são contidos, regulados e postos nos eixos os tipos mais imediatos de luta pública, aqueles que irrefletidamente chamamos de internos (a ordenação dos encontros sociais, a distribuição das possibilidades de vida, a utilização dos recursos produtivos), e, em contraste, uma das energias centrais que impulsionam essas lutas: o sentimento de quem são aqueles de quem se descende, quem são aqueles com quem se é parecido no pensar, na aparência, na maneira de falar, de comer, de rezar, ou nos gestos, e a quem, por conseguinte, sente-se que se está empaticamente ligado, haja o que houver.

Se tomarmos brevemente os três países que acabo de citar como estando passando por graus variáveis de tensão, enunciada em termos de nação — o Canadá, o Sri Lanka e essa sombra persistente, nem desaparecida nem presente, que é a Iugoslávia —, e se o fizermos sem nenhuma tentativa séria de desvendar sua história, avaliar suas perspectivas ou julgar os erros e acertos das coisas (tarefa para a qual, com toda a franqueza, não estou preparado), essa interação entre o campo da política e sua compleição ficará bastante evidente. O arranjo e o desarranjo das cisões e uniões geradas pela língua, pela ascendência, pela raça, pela religião etc., bem como os espaços e limites em que essas cisões e uniões se arranjam e se desarranjam, não apenas diferem largamente de um caso para outro, como também as particularidades dessa diferença afetam profundamente o que, como costumamos dizer, talvez com mais razão do que nos damos conta, acontece "no terreno". Um país enorme e de ocupação muito desigual, um pequeno país insular densamente povoado, ao largo de um continente, e um recorte irregular de vales entre montanhas, planícies fechadas, rios sinuosos e litorais estreitados, cercado de perto por vizinhos ciumentos, proporcionam quadros ideativos específicos e distintos para o choque de identidades — lugares historicizados, que moldam com certa força a estrutura do choque.

O Canadá, descrito pelo sarcástico papa do jornalismo de Toronto, Conrad Black, como sendo, "historicamente, ... uma coleção de pessoas que não eram americanas: franco-canadenses abandonados pela França em 1763, depois da vitória militar britânica; os leais ao Império Britânico que fugiram da Revolução Americana; imigrantes e fugitivos da Europa e, mais recentemente, de outros lugares, inclusive dos Estados Unidos; e nativos de Terra Nova, região que mal conseguiu eleger-se para se tornar uma província canadense em 1949, depois de ir à falência como domínio autônomo"; somados (embora ele se esqueça de mencioná-los, talvez caracteristicamente) a um número considerável de grupos ameríndios significativamente diferentes, decerto é um país em que é impossível perder de vista a diferença entre o espaço ideativo em que a política é moldada e pelo qual se espalha (dez milhões de quilômetros quadrados entre Detroit e o Círculo Ártico) e as identidades coletivas que colorem essa política.[11] A luta que ocorre lá, muitas vezes vista (pelo menos pelas pessoas de fora) como uma questão pura e simples de orgulho francês e sanguinolência inglesa, é, na verdade, um encontro multifacetado de "diversidades profundas", que se desenrola num território imenso, insuficientemente conhecido, imperfeitamente concebido, não uniformemente ocupado e desigualmente dotado de recursos. Quando 90% da população, talvez, concentram-se numa faixa de trezentos quilômetros ao norte da fronteira norte-americana; quando metade da população vive apenas no corredor entre Toronto e Montreal e 1/4 dela vive em Quebec, que tem mais de 80% de falantes de francês; e quando os outros

9/10 do país (o norte mais ou menos congelado, onde se situa a maior proporção de seus recursos naturais) são tão escassamente povoados que têm uma maioria ameríndia em quase todos os lugares — apenas para arranhar a superfície da complexidade (há um tipo diferente de minoria francesa em New Brunswick; há esquimós inuit nos territórios do noroeste; há ucranianos e asiáticos, grupo em rápida expansão, e mais outros índios no oeste; há *métis*, mestiços de franceses e índios que falam crioulo francês e indígena, na região central coberta de florestas; e ingleses de fora a fora na Terra Nova) —, é óbvio que se tem uma situação em que há uma boa margem de manobra entre as partes e os todos, como quer que sejam definidos.

E a história política recente do país (embora não só a recente) tem consistido em toda uma série dessas manobras, a maioria delas abortiva ou, até o presente, incompleta, indefinida e de futuro incerto. Houve tentativas de rever as disposições constitucionais, já entre as mais modificadas do mundo (só a Bélgica esvaziada ou o Líbano debilitado parecem ter ido mais longe), de inventar novas subunidades de vários tipos (o Conselho de Yukon, o Nunavut, a Associação dos Métis), de ajustar as fronteiras internas, de redistribuir recursos entre regiões e subgrupos e, mais especialmente, de antecipar ou, na falha também disso, de fazer preparativos para a secessão quase continuamente ameaçada do Quebec. E tudo isso enquanto se procura, num país essencialmente definido por uma única fronteira, manter sua integridade e autogestão perante aquilo a que seus líderes costumam referir-se cuidadosamente como "nosso grande vizinho do sul".

O resultado é, a um tempo, fluido e curiosamente persistente — um debate crônico sobre "Para onde vai o Canadá?", no qual a língua, a religião, a etnicidade e o regionalismo parecem estar continuamente à beira de alterar a própria forma do país, retraçando seus contornos e transformando por completo a topografia do cenário político, mas, pelo menos até agora, sem realmente conseguir fazê-lo. Como se desenrolará tudo isso, é claro, ainda está por se descobrir. Será que o Quebec finalmente se desligará, ou se desligará parcialmente ("um Estado soberano dentro de um Estado soberano"), ou continuará apenas a ameaçar incessantemente desligar-se? O que quer que ele faça, quais serão suas relações com o resto do Canadá, inclusive, o que não é sem importância, com as tribos indígenas que se encontram dentro de suas fronteiras (entre algonquinos e inuks, elas compõem a maioria da população em cerca de metade do território reclamado pelo Quebec), e com as quais ele já está enredado numa briga pelo controle dos recursos naturais das terras indígenas? ("É possível que os mansos herdem a terra", como teria dito J. Paul Getty, "mas eles podem esquecer os direitos aos recursos minerais.") Irão os ressentimentos das províncias ocidentais contra Ontário, que hoje assegura metade do PIB (e que, num Canadá sem o Quebec, responderia por uma parcela esmagadora), ou os ressentimentos dos falantes de inglês remanescentes em Montreal contra a maioria francesa do lugar sofrer uma escalada em direção a novas rupturas? Como se organizará finalmente o imenso e aberto norte, sobretudo quando canadenses europeus começarem a se mudar para lá? E por aí vai.

E o mesmo se aplica ao relacionamento do país com seu vizinho desconcertante. Black, ele mesmo um anglófono nascido em Quebec, que, como muitos de seus conterrâneos (cem mil, desde que começou o separatismo, em 1976), mudou-se para um meio mais congenérico, chegou a projetar uma situação (chamada, creio que ironicamente, de "Uma União Mais Perfeita") em que, se o Estado bicultural se desfizesse, o Canadá inglês formaria uma federação com os Estados Unidos, estabilizando a "complicada demografia" deste último ("Em termos geopolíticos, a América quase renasceria"), embora não esteja claro que ele próprio consiga acreditar nessa história.[12] O que está claro é que o Canadá, como país, é mais um campo de "'linhagens', 'espécies' ou 'cepas' de pessoas" (culturalmente supostas) do que uma linhagem em si mesma — coisa, é claro, que é ainda mais pertinente quanto aos Estados Unidos, "*voll von so viel kleinen Nationen*",* como disse Herder algum tempo atrás.

Considerando sua aparência, o Sri Lanka, nascido Ceilão, dificilmente lembraria o Canadá. Ilhota apertada, e não uma vasta extensão continental, tem cerca de 1/150 do tamanho daquele. É cem vezes mais densamente povoado, com os habitantes razoavelmente bem distribuídos por toda a sua área, e não apinhados em concentrações distintas, que se destacam de enormes vazios. É o precipitado de cento e cinqüenta anos de dominação colonial direta e mais de um milênio de história, e não uma coleção de pessoas reunidas por acaso e em data muito recente. E é tropical, asiático e pouco industrializado. O fato de haver, sob certos aspectos, uma curiosa semelhança entre as tensões internas que ameaçam desmantelá-lo — ainda que, pelo menos até agora, elas sejam muito mais severas, muito mais carregadas de ódio e muito mais marcadas pela violência — e as que ameaçam desmantelar o Canadá dá o que pensar.[13] Também nesse caso, o país em si é menos uma suposta "linhagem" ou "espécie" do que um terreno historicizado — um meio e um lugar no qual essas linhagens ou espécies se acotovelam, construindo-se mutuamente e construindo o caráter e os interesses coletivos umas das outras.

Pelo menos para um observador de fora, o que parece mais marcante no Sri Lanka, em termos das tensões entre identidades grupais que o vêm destro-

---

*"Repleto de inúmeras pequenas nações". (N.T.)

çando nas últimas quatro décadas, mais ou menos, não é o fato de elas serem mais nitidamente bipolares do que costuma ser a norma nesses casos, hoje em dia (só Ruanda ou o Burundi, ou talvez a Irlanda do Norte, parecem aproximar-se dele nesse aspecto; a Nigéria, a Iugoslávia, a Índia, o Canadá e os Estados Unidos, multifacetados e com situações intrincadas, são bem mais próximos da norma), nem tampouco é o fato de elas serem tão severas, tão crônicas e tão resistentes à divisão das diferenças. O que mais impressiona é envolverem um choque entre dois grupos que, de algum modo, sentem-se ambos como minorias; é terem surgido muito recentemente, como resultado quase direto dos aspectos intrigantes do "auto" de "autogestão"; e terem ocorrido num país que, sob outros aspectos, tem sido bastante estável, progressista e pelo menos moderadamente bem sucedido — crescimento populacional reduzido, inflação contida, melhorias na educação, uma taxa de crescimento decente, uma taxa de mortalidade infantil que se aproxima das do Chile ou da Coréia do Sul, e uma expectativa de vida equiparável às da Hungria ou da Argentina.[14]

A situação de duas minorias resulta do fato de que os cerca de doze milhões de cingaleses, a maioria dos quais é budista e fala uma língua indo-européia, são a totalidade dos que existem no mundo, enquanto os cerca de três milhões de tâmeis, a maioria dos quais é hindu e fala uma língua dravídica, contam com mais trinta ou quarenta milhões (caracteristicamente, o número é discutido) do outro lado do estreito de Park, na Índia meridional. Assim, é fácil ambos se considerarem tragados um pelo outro: os cingaleses pelo expansionismo tâmil, que se inflama periodicamente sob a bandeira de um Tamil Nadu livre e unificado, e os tâmeis pela dominação exclusivamente cingalesa do Sri Lanka propriamente dito, o que é um tema central do alvoroço político trazido pela independência, ela mesma um processo tranqüilo e sem dramaticidade, quase *huis clos* — nada de guerra nem revolução, nem sequer uma grande agitação.

A criação de um país, ou, mais exatamente, suponho, a oficialização de um país onde antes existia uma colônia, foi o que disparou os problemas étnicos do Sri Lanka — e não queixas antigas ou temores alimentados desde longa data. Antes de 1948 e por alguns anos desde então, uma elite bicultural anglicizada, entrincheirada em Colombo, manteve as coisas funcionando de maneira mais ou menos ordeira; as tensões grupais existentes eram difusas e localizadas, controladas por diferenciações múltiplas, acordos estabelecidos, lealdades cruzadas e complexidades práticas do cotidiano. Mas, de meados dos anos cinqüenta em diante, essa civilidade delicada e meio artificial entrou em colapso, substituída por uma divisão radical da população em supercategorias de "cingaleses" e "tâmeis" (ou "budistas" e "hindus", ou "arianos" e "dravidianos") e por uma curva ascendente de desconfiança, ciúme, ódio e violência, que ainda não chegou ao fim, a despeito de uma série de propostas constitucionais no estilo canadense, de uma troca contínua de governos e do auxílio relutantemente solicitado, e agora encerrado, do exército indiano.

Podemos deixar de lado aqui o que, no espaço de poucos anos, acarretou tudo isso — a ascensão de demagogos cingaleses ao poder e a rejeição da elite de língua inglesa, tanto pelas massas falantes de cingalês quanto pelas de língua tâmil; a batalha apaixonada da língua, ainda não resolvida, que decorreu disso; a transformação do budismo, antes uma religião quietista, num credo militante, sob a liderança de monges empenhados na revivescência religiosa e de médicos yajurvédicos; o crescimento de separatismo tâmil, da atração pelo sul da Índia e das travessias de um lado para outro do estreito; a onda de migração interna, segregação religiosa, agregação étnica e terrorismo recíproco; e o recrudescimento de uma mitologia clássica de guerras religiosas, raciais e comunitárias, conquistas tâmeis e expulsões cingalesas. Os detalhes, de qualquer modo, são obscuros, e mais obscuro ainda é o seu peso. O importante é que, mais uma vez, os limites de um país, celebrados e questionados, historicamente montados e historicamente desmontáveis, fornecem o arcabouço em que se cristalizam os conflitos de identidade: o palco — no caso, compacto e superpovoado — em que eles são forçosamente elaborados, ou não o são, é claro. Faz diferença onde as coisas acontecem.

Por certo faz diferença nos Bálcãs. Voltarmo-nos brevemente para a Iugoslávia (ou, como agora devemos dizer, com entonação descendente, "a antiga Iugoslávia") não tem a intenção de deslindar o que praticamente todas as outras pessoas que o tentaram, inclusive os hábeis e desesperados senhores Vance e Owen, com sua reestruturação da Bósnia-Herzegovina em dez etapas, basicamente não conseguiram deslindar. Tampouco posso abordar as terríveis questões de moral e política que ela lançou num mundo despreparado para enfrentá-las. Quero apenas concluir minha série curta, ilustrativa e muito arbitrária de casos instrutivos (eu também poderia ter considerado a Bélgica, a Nigéria e o Afeganistão, ou o Brasil, Ruanda e a Tchecoslováquia): casos em que discriminar entre um país como lugar historicizado — uma localidade, um nome e um passado que pode ser lembrado — e as solidariedades afins do "quem somos nós?", que o respaldam ou o problematizam, é mais útil para a reflexão sobre um mundo estilhaçado do que a fusão dessas duas coisas num "nacionalismo" demonizado, de tamanho único. A Iugoslávia (doravante vou suprimir o "antiga", a bem do estilo: a expressão deve ser tida como lida, em sua mais plena ironia) constitui um exemplo em que os tipos de tensões que até agora têm sido contidas no Canadá e pelo menos suportadas no Sri Lanka (embora o mundo não pareça ter muita certeza disso, dados os níveis de violência envolvidos) esmagaram o país: literalmente o destroçaram, deixaram-no em pedaços.[15]

A "virtude" (palavra usada, é claro, entre as mais pesadas aspas do horror) do caso iugoslavo é que o país se desmembrou — isto é, foi desmembrado —, se não precisamente em câmera lenta, pelo menos com uma certa deliberação implacável, do gênero "quem diz 'A' tem que dizer 'B'", na qual os estágios da desintegração foram distintos, nítidos, dramáticos e visíveis. Houve o discurso de Milosevic em Pristina, capital do Kosovo, no aniversário de seiscentos anos da famosa batalha perdida para os turcos, que finalmente demonstrou, até para o mais iugoslavo dos iugoslavos (ainda restavam muitos naquela ocasião, e eles estavam longe de ser impotentes), que a Questão Sérvia tinha voltado para ficar. Houve a saída quase furtiva da Eslovênia da Federação, em junho de 1991, através da confusa e hesitante guerra dos dez dias, a declaração coincidente da independência da Croácia, o reconhecimento desses dois acontecimentos pela Alemanha em processo de reunificação, retornando à política européia como um ator desimpedido, e a eclosão da guerra na Croácia, que se seguiu imediatamente, quando Belgrado resolveu apoiar seus enclaves sérvios. Houve o deslocamento da guerra para a Bósnia-Herzegovina, após sua declaração de independência em meados de 1992, e o malfadado projeto Vance-Owen de divisão em cantões, em 1993 — o desmembramento da Bósnia para salvá-la; o frágil e poroso cessar-fogo de Sarajevo; outro plano de divisão em cantões; a assustadora perspectiva dos assassinatos intermináveis, em 1994; e a trêmula paz dos Acordos de Dayton. Cada um desses acontecimentos, além de uma porção de outros — o bombardeio de Dubrovnik, o arrasamento de Vukovar, o cerco de Sarajevo, a redução de Mostar —, foi uma fase de um único processo: o apagamento de um país e a tentativa de redelinear o que restou. (Os acontecimentos mais recentes em Kosovo são apenas mais um capítulo de uma história inacabada — que vai acontecer com Montenegro? — e talvez interminável.)

O país nunca tivera, é claro, raízes muito firmes; sua história era curta, vertiginosa, entrecortada e violenta. Reunido pelas Grandes Potências, depois da Grande Guerra, a partir de alguns dos enclaves lingüísticos, religiosos e tribais que tinham sido sacudidos pelas Guerras Balcânicas e deixados para trás pelo Império Austríaco, ele foi atormentado desde o nascimento por questionamentos de sua integridade, vindos de dentro e de fora — o separatismo croata e macedônio, os irredentismos húngaro e búlgaro —, e passou da monarquia para o parlamentarismo, a ocupação nazista, a ditadura comunista, e de novo para o parlamentarismo, no espaço de aproximadamente oitenta anos.

É quase um prodígio que tenha conseguido manter-se unido. Mas, pelo menos em retrospectiva, ele parece tê-lo feito com uma força considerável, especialmente nas metrópoles e cidades, e não está claro que seu impulso mental, a idéia que ele projetou de um país do norte dos Bálcãs com uma população multicultural, já se tenha dissipado por completo, seja qual for a finalidade prática de seu desaparecimento. A guerra que o destruiu passou de iugoslava para servo-croata e para bósnia — uma sucessão de tentativas, com uma brutalidade e loucura crescentes, de substituir o que fora quase acidentalmente perdido: não um Estado nem um povo, não uma sociedade nem uma nação, nenhum dos quais ele chegou a ser mais do que em caráter incipiente, mas um país. A Iugoslávia, ou, pela última vez, "a antiga Iugoslávia", parece ser um exemplo quase puro da não coincidência, no sentido e de fato, dessas realidades tão freqüentemente identificadas e fundidas entre si, e, de modo negativo, um exemplo do peso, do poder e da importância do país.

"Zdravko Grebo [escreveu Misha Glenny sobre um amigo seu, um professor de direito da Universidade de Sarajevo e ex-político] é um bósnio que transpira humor e cultura. Seus pais eram muçulmanos de Mostar, mas ele foi criado em Belgrado e continuou a se chamar de iugoslavo, mesmo depois de admitir abertamente que a Iugoslávia já não existia. 'De que mais posso chamar-me?', ponderava. 'É difícil eu começar a me chamar de muçulmano ou sérvio depois de todos esses anos.' A Bósnia (e especialmente Sarajevo) tinha a maior percentagem de pessoas que se designavam como iugoslavas no recenseamento nacional. Quando a Iugoslávia soçobrou no sangue de seu próprio povo, esses iugoslavos e a identidade a que ainda se apegavam foram arrastados por um rio de história envenenada."[16]

O rio da história não precisa estar tão envenenado, é claro. Afora o Líbano, talvez a Libéria e talvez o Sudão, ele não o esteve, pelo menos não tanto em muitos países (a esmagadora maioria, falando meramente em termos numéricos) internamente atormentados por linhas de fratura culturais — a Indonésia, os Estados Unidos, a Índia, o Egito, o Quênia, a Guatemala, a Malásia ou a Bélgica. O Canadá ainda se mantém unido, e se vier a ser incapaz de continuar como tal (o que não parece provável no momento), deverá conseguir realizar o tipo de divórcio amistoso que fizeram a Tchecoslováquia e, antes dela, Cingapura e a Malásia. O Sri Lanka talvez ainda consiga conter suas tensões num tipo de estrutura constitucional flexível e tratável, como vem pelo menos começando a fazer a África do Sul, país que, poucos anos atrás, era sem dúvida o que se julgava menos propenso a ter sucesso num esforço dessa natureza, e o mais tendente a mergulhar num caos multilateral. Até a Iugoslávia poderia ter evitado o pior, se, como sugeriu Glenny, "a Comunidade Européia e os Estados Unidos [houvessem guiado] os líderes inexperientes ou oportunistas para um desmembramento consensual do país"; e, para que o horror não se espalhe pelo sul dos Bálcãs, ainda terão que fazê-lo.[17] Muito depende de como essas situações serão administradas.

Parecemos necessitar de uma nova forma de política, uma política que não encare a afirmação étnica, religiosa, racial, lingüística ou regional como uma irracionalidade arcaica e ingênita, a ser suprimida ou ultrapassada, como uma loucura censurada ou uma escuridão desconhecida, mas que a veja, como a qualquer outro problema social — a desigualdade, digamos, ou o abuso de poder —, como uma realidade a ser enfrentada e modulada, com a qual de algum modo é preciso lidar e chegar a um acordo.

O desenvolvimento dessa política, que deverá variar de um lugar para outro conforme as situações que tiver de enfrentar, depende de diversas coisas. Depende de se descobrirem as origens da diferenciação e da discórdia baseadas na identidade nesse ou naquele caso. Depende de se desenvolver uma atitude menos simplistamente demonizante e esterilmente negativa para com a diferenciação, como se ela fosse uma relíquia de selvageria ou algum estágio anterior da existência humana. Depende de adaptarmos os princípios do liberalismo e da democracia social, que ainda são nossos melhores guias do direito, do governo e da conduta pública, a questões com respeito às quais eles têm sido, com demasiada freqüência, desconsiderados, reativos ou incompreensivos — filosoficamente cegos. Mas, o que talvez seja mais importante, depende de construirmos uma concepção mais clara, mais detalhada, menos mecânica, estereotipada e carregada de clichês daquilo em que consiste a política, do que ela *é*. Ou seja, depende de obtermos uma compreensão melhor do que vem a ser a cultura — as estruturas de sentido em que as pessoas vivem e formam suas convicções, suas individualidades e seus estilos de solidariedade — como força ordenadora das questões humanas.

E isso, mais uma vez, significa uma crítica das concepções que reduzem as questões à uniformidade, à homogeneidade, à igualdade de orientação — ao consenso. O vocabulário da descrição e da análise culturais também precisa abrir-se para a divergência e a multiplicidade, para a não coincidência de espécies e categorias. Assim como os países, as identidades que os colorem, muçulmana ou budista, francesa ou persa, latina ou sínica... negra ou branca, não podem ser apreendidas como unidades inteiriças, como totalidades ininterruptas.

O que é a cultura, se não é um consenso?

Há um paradoxo, ocasionalmente notado mas não muito profundamente meditado, acerca do estado atual daquilo a que nos referimos, com muita displicência, como "o panorama mundial": ele está ficando mais global e mais dividido, mais completamente interligado e mais intrincadamente compartimentalizado, ao mesmo tempo. O cosmopolitismo e o provincianismo já não se opõem; ligam-se e se reforçam. À medida que aumenta um, aumenta o outro.

O desenvolvimento da tecnologia, muito especialmente da tecnologia das comunicações, teceu o mundo numa só rede de informações e causalidade, de tal sorte que, como a famosa borboleta que bate as asas no Pacífico e provoca uma tempestade na Península Ibérica, uma mudança de situação num lugar qualquer pode induzir a distúrbios em qualquer outro lugar. Todos estamos à mercê dos investidores norte-americanos que especulam com títulos mexicanos, ou dos banqueiros britânicos de Cingapura que jogam nos derivativos de Tóquio. Os terremotos de Kobe ou as inundações holandesas, os escândalos italianos ou as metas de produção sauditas, as vendas chinesas de armamentos ou o tráfico de drogas colombiano, todos têm um impacto quase instantâneo, disseminado e ampliado, longe de suas origens. A CNN introduz nas salas de estar do mundo a matança bósnia, a fome na Somália ou os campos de refugiados de Ruanda. Lugares normalmente muito obscuros, provincianos e absortos em suas próprias questões — Groznyi, Dili, Ayodhya ou Cristóbal de Las Casas; Quigali, Belfast, Monróvia, Tbilissi, Phnom Penh ou Porto Príncipe — desafiam momentaneamente as grandes metrópoles do mundo, em busca da atenção mundial. O capital é móvel e, como praticamente não existe nenhum povo que não tenha uma diáspora, nem mesmo os samoanos, também o trabalho é móvel. Existem companhias japonesas nos Estados Unidos, alemãs na Indonésia, norte-americanas na Rússia, paquistanesas na Grã-Bretanha e formosenses nas Filipinas. Turcos e curdos mandam dinheiro para casa de Berlim, magrebinos e vietnamitas, de Paris, zairenses e tâmeis, de Bruxelas, palestinos e filipinos, da cidade de Kuwait, somalis, de Roma, marroquinos, da Espanha, japoneses, do Brasil, mexicanos, de Los Angeles, alguns croatas, da Suécia, e praticamente todo o mundo, de Nova York. Toda essa vasta conexão e essa complexa interdependência são às vezes designadas, com base nos criadores de slogans dos estudos culturais, de "aldeia global", ou, com base nos criadores de slogans do Banco Mundial, de "capitalismo sem fronteiras". Mas, visto que ela não tem unidade nem tradição, bordas nem foco, e que lhe falta qualquer inteireza, trata-se de uma aldeia precária. E, uma vez que é menos acompanhada pelo afrouxamento e redução das demarcações culturais do que por sua reelaboração e multiplicação, e muitas vezes, como assinalei acima, por sua intensificação, dificilmente se poderia dizer que ela é sem fronteiras.

Mapear essas demarcações, localizando-as e caracterizando as populações que elas isolam, ou que pelo menos põem em destaque, é, quando muito, uma tarefa arbitrária e realizada com imprecisão. Discernir rupturas culturais e continuidades culturais, traçar linhas em torno de conjuntos de indivíduos que seguem uma forma de vida mais ou menos identificável, em contraste com outros conjuntos de indivíduos que seguem formas de vida mais ou menos diferentes — outras vozes noutras salas — é bem mais fácil na teoria do que na prática.

A antropologia, que tem como uma de suas vocações, pelo menos, localizar essas demarcações, discernir essas rupturas e descrever essas continuidades, tem manuseado desajeitadamente essa questão desde o começo e continua a se atrapalhar com ela. Mas não se deve fugir dela com banalidades obtusas sobre a humanidade da espécie humana ou os fatores subjacentes de semelhança e traços comuns, nem que seja porque, "na natureza", como gostavam de dizer os positivistas, as próprias pessoas estabelecem esses contrastes e traçam essas linhas: consideram-se, em determinados momentos e para determinados fins, francesas e não inglesas, indianas e não budistas, Hutu e não Tutsi, latinas e não índias, xiitas e não sunitas, Hopi e não Navajo, negras e não brancas, laranjas e não verdes. Não importa o que desejemos ou encaremos como esclarecimento, a diversidade das culturas persiste e prolifera, mesmo em meio e até em resposta às poderosas forças de vinculação da indústria, das finanças, das viagens e do comércio modernos. Quanto mais as coisas se juntam, mais ficam separadas: o mundo uniforme não está muito mais próximo do que a sociedade sem classes.

A atrapalhação da antropologia para lidar com tudo isso, com a organização cultural do mundo moderno, que por direito deveria ser seu assunto apropriado, resulta, em grande parte, das dificuldades por que ela passou, ao longo de sua história errante e introspectiva, para descobrir para si a melhor maneira de pensar sobre a cultura, antes de mais nada. No século XIX e durante boa parte deste século, a cultura, acima de qualquer outra coisa, era tida como uma propriedade universal da vida social humana, as técnicas, costumes, tradições e tecnologias — a religião e o parentesco, o fogo e a linguagem — que a distinguiram da vida animal. A palavra que se opunha a ela era natureza, e, quando se pretendia dividi-la em tipos e espécies, isso era feito em termos da distância a que tal ou qual de suas partes — o monoteísmo ou o individualismo, a monogamia ou a proteção da propriedade privada — supostamente se afastara da natureza, em termos de seu progresso para a luz. Depois da I Guerra Mundial, com o crescimento do trabalho de campo participativo e de longo prazo com determinados grupos — boa parte dele feito em ilhas e em reservas indígenas, onde as rupturas e limites eram mais fáceis de discernir e a idéia de que tudo se encaixava era mais fácil de alimentar —, a concepção genérica começou a ser posta de lado, por ser considerada difusa, de difícil manejo e interesseira, em favor de uma concepção configurativista. Em vez de apenas a cultura como tal, passamos a ter culturas — delimitadas, coerentes, coesas e autônomas: organismos sociais, cristais semióticos, micromundos. A cultura era o que os povos tinham e mantinham em comum, fossem eles gregos ou Navajo, Maori ou porto-riquenhos, cada qual com a sua.[18]

Entretanto, depois da II Guerra Mundial, quando até os supostos isolamentos sociais — os povos da selva, os povos do deserto, os povos ilhéus, os povos do Ártico, os povos encapsulados — tornaram-se menos numerosos, e quando os antropólogos voltaram sua atenção para objetos iridescentes mais vastos e mais misturados, como a Índia, o Japão, a França, o Brasil, a Nigéria, a União Soviética ou os Estados Unidos, a visão configurativista, por sua vez, tornou-se forçada, imprecisa, difícil de manejar e pouco digna de crédito. Era plausível encarar os Nuer ou os Amhara como unidades integrais, pelo menos desde que se bloqueassem as variabilidades internas e os envolvimentos externos, além de qualquer coisa que se assemelhasse à história mais ampla, mas era difícil fazer isso com o Sudão ou a Etiópia; com a África, era impossível, embora alguns tenham tentado. Uma minoria indonésia, como os chineses, ou marroquina, como os judeus, ou ugandense, como os indianos, ou norte-americana, como os negros, podia exibir um certo caráter especial, mas era difícil entendê-las separadamente dos Estados e sociedades em que estavam inseridas. Tudo era variegado, poroso, entrelaçado, disperso; a busca da totalidade era um guia incerto, e o sentimento de uma compreensão definitiva era inatingível.

A imagem do mundo como pontilhado de culturas distintas, blocos descontínuos de pensamento e emoção — uma espécie de visão pontilhista de sua composição espiritual —, é tão enganosa quanto a de um mundo taqueado com Estados nacionais repetitivos e reiterados, e pela mesma razão: os elementos em pauta, os pontos ou os tacos, não são compactos nem homogêneos, simples nem uniformes. Quando examinados, sua solidez se desfaz e o que nos resta não é um catálogo de entidades bem definidas a serem dispostas e classificadas, uma tabela mendeliana de espécies naturais, mas um emaranhado de diferenças e semelhanças apenas parcialmente discernidas. O que faz os sérvios serem sérvios, os cingaleses serem cingaleses, os franco-canadenses serem franco-canadenses, ou qualquer pessoa ser qualquer pessoa, é que eles e o resto do mundo, num dado momento e até certo ponto, para certos fins e em certos contextos, passaram a se ver e serem vistos como contrastantes com o que os cerca.

A compacidade territorial e o tradicionalismo localizado que eram fornecidos por ilhas, reservas indígenas, selvas, vales de regiões montanhosas, oásis e coisas similares (ou, pelo menos, que eram supostamente fornecidos, pois até isso era meio mítico), assim como a idéia de identidade cultural integral, configurativista, do tipo "tudo se encaixa" — Os Argonautas do Pacífico Ocidental, O Estilo Cheyenne, O Povo da Floresta, O Povo Montanhês, O Povo do Deserto —, que essa compacidade e essa localização estimulavam, parecem cada vez mais irrelevantes, à medida que nos voltamos para os fragmentos e fragmentações do mundo contemporâneo. A visão da cultura, de *uma* cultura, desta cultura, como um consenso em torno de elementos fundamentais — concepções comuns, sentimentos comuns, valores comuns — parece muito pouco viável, diante de tamanha dispersão e desarticulação; são as falhas e fissuras que parecem demarcar a paisagem da identidade coletiva. Seja o que for que define a identidade no capitalismo sem fronteiras e na aldeia global, não se trata de acordos profundos sobre questões profundas, porém de algo mais parecido com a recorrência de divisões conhecidas, argumentos persistentes ou ameaças permanentes, e com a idéia de que, haja o que mais houver, de algum modo é preciso manter a ordem da diferença.

Não sabemos realmente como lidar com isso, como lidar com um mundo que não se divide em seus pontos de junção em partes integrantes nem é uma unidade transcendental — digamos, econômica ou psicológica — obscurecida por contrastes superficiais tênues e fabricados, no máximo postos de lado como distrações não essenciais. Um amontoado de diferenças num campo de ligações apresenta-nos uma situação em que as estruturas do orgulho e as do ódio, as feiras culturais e a limpeza étnica, a *survivance* e os campos de extermínio postam-se lado a lado, e passam com assustadora facilidade de um para o outro. As teorias políticas que admitem essa situação e se dispõem a enfrentá-la, a expor e interrogar a ordem da diferença, em vez de aperfeiçoar visões acadêmicas da guerra hobbesiana ou da concórdia kantiana, mal chegam a existir. Muito depende de seu crescimento e desenvolvimento: não se pode guiar aquilo que não se compreende.

Seja como for, se o elementarismo da antropologia, seu foco no consensual, no típico e no comum — o que se tem chamado de conceito pré-moldado de cultura — é de serventia duvidosa para promover esse crescimento e esse refinamento, talvez seu cosmopolitismo, sua determinação de olhar além do conhecido, do aceito e do imediatamente à mão, seja mais valioso. Minar resolutamente toda sorte de excepcionalismos, o norte-americano, o ocidental, o europeu ou o cristão, e toda sorte de exotismos, o primitivo, o idólatra, o antipódico ou o inusitado, obriga à comparação através dos domínios aceitos da pertinência e da adequação — à consideração conjunta daquilo que normalmente não se considera conjuntamente considerável. No contexto dos acontecimentos do último meio século, especialmente dos últimos doze anos, que são nosso objeto de exame aqui, essa comparação não-gramatical permite evitar a mais difundida descrição equivocada desses acontecimentos: sua divisão em variedades ocidentais e não ocidentais, vendo-se a variedade não ocidental como essencialmente recapituladora, uma reedição da história que o Ocidente atravessou e mais ou menos venceu, e não, como é realmente o caso, como o limiar da nova variedade, premonitória e emblemática, da história que está por vir.

Isso fica particularmente claro quando nos voltamos para as alterações do panorama político da Ásia, da África, do Pacífico, do Caribe e de algumas partes da América Latina depois de 1945. A dissolução dos grandes impérios ultramarinos — britânico, holandês, belga, francês, português e, de modo um tanto diferente, norte-americano, alemão, italiano e japonês (até a Austrália, afinal, teve um protetorado, mesmo tendo tido que herdá-lo dos alemães numa fase meio tardia do jogo) — deixou perfeitamente claro que, apesar das apaixonadas comunhões de características da revolta colonial, as identidades coletivas que impulsionaram essa revolta e se disseminaram pela vida dos países que ela criou são inerradicavelmente plurais, compósitas, inconstantes e contestadas. A contribuição da sublevação do Terceiro Mundo para a compreensão que o século XX tem de si mesmo reside menos em suas imitações do nacionalismo europeu (que, de qualquer modo, foram bem menos intensas, digamos, no Marrocos, em Uganda, na Jordânia ou na Malásia do que, por exemplo, na Argélia, no Zaire, na Índia ou na Indonésia) do que no fato de ela haver obrigado a se perceber o caráter compósito da cultura que é negado por esse nacionalismo. Com o tempo, talvez venhamos a considerar que a reconstrução política da Ásia e da África contribuiu mais para transformar a visão de identidade social da Europa e da América do que o inverso.

A razão disso não está em a natureza dos países formados a partir do colapso do império colonial ser radicalmente diferente, em sua espécie e construção, da dos países que surgiram antes no Ocidente, depois de colapsos semelhantes de impérios políticos ou político-culturais igualmente agigantados. É que a natureza deles é mais acessível à visão, está menos velada pela história já sepulta; como as lingüiças de Bismarck, nós os vimos em processo de produção. Sendo mais recentes, além de fundados com mais rapidez e deliberação — países premeditados —, eles nasceram em plena luz da história, ainda estando claros e visíveis os acidentes e as ocorrências fortuitas de sua formação. As contingências que os produziram, e que continuam a mantê-los em praticamente toda parte, não são apenas evidentes, mas também, sob certos aspectos, o que há neles de mais marcante. A França, pelo menos a esta altura, talvez já pareça ser um dado natural. É possível que até a Itália ou a Dinamarca sejam vistas dessa maneira. Mas é difícil pensar a mesma coisa de Angola ou Bangladesh.

A composição cultural dos países que emergiram do naufrágio do que veio a ser chamado "o projeto colonial", como se fosse uma espécie de experimento do Iluminismo, realizado para edificação dos cientistas políticos, é, sem dúvida, extremamente heterogênea em quase toda parte; é uma coletânea de povos, quase fortuita em muitos casos — as fronteiras estão onde foram colocadas pelas entradas e saídas da política européia. (Por que são marfinenses as pessoas que vivem em Abidjã, ou ganenses as que vivem em Acra, a uns duzentos quilômetros de distância, seguindo o mesmo litoral? Por que metade da Nova Guiné fica na Indonésia e metade, em Papua-Nova Guiné? Por que a Birmânia é um país separado, e Bengala, não? Por que alguns Iorubá são nigerianos e outros, beninenses? Por que alguns tailandeses são laosianos, e alguns afeganes, paquistaneses?) A língua, a religião, a raça e os costumes encontram-se em toda sorte de ângulos, toda sorte de escalas, toda sorte de níveis, impossíveis de racionalizar, obscurecer ou explicar, até mesmo por parte dos nacionalistas mais apaixonados, como predestinados e inevitáveis.

Contudo, o que se revela muito instrutivo não é a simples realidade da heterogeneidade cultural em si e de sua grande visibilidade, mas a imensa variedade de níveis em que essa heterogeneidade existe e surte efeitos; tantos, na verdade, que é difícil saber organizar um quadro geral, saber onde traçar as linhas de separação e colocar os focos. Tão logo examinamos os pormenores da questão, em qualquer caso particular, as demarcações mais óbvias, aquelas sobre as quais lemos nos jornais (tâmeis e cingaleses, xiitas e sunitas, Hutu e Tutsi, malaios e chineses, indianos orientais e fijianos), são quase encobertas por outras demarcações, tanto de um tipo mais apurado, que estabelece distinções mais estreitas e exatas, quanto de um tipo mais grosseiro, que estabelece distinções mais amplas e gerais. É difícil encontrar um compartilhamento de visões, formas de vida, estilos comportamentais, expressões materiais ou seja lá o que for que, por sua vez, não torne a se dividir em outros menores, embutidos nele como caixas dentro de caixas, ou incluídos por inteiro em outros maiores, incorporadores, como prateleiras empilhadas sobre outras prateleiras. Pelo menos na maioria dos casos, e desconfio que em todos, não há nenhum ponto em que se possa dizer que é ali que o consenso termina ou começa. Tudo depende do quadro de comparação, do pano de fundo com que se coteja a identidade, e do jogo de interesses que a envolve e a anima.

A Indonésia, país que eu mesmo estudei de perto e durante um longo período (ainda que sua maior parte continue fora do meu alcance, como povos encapsulados e lugares remotos, dos quais mais ouvimos falar do que temos conhecimento), demonstra essa difícil intrincação com especial veemência.[19] O país, é claro, é um dos mais complicados do mundo em termos culturais, produto de um fluxo incrível de mentalidades conflitantes — portugueses, espanhóis, holandeses, indianos, chineses; hindus, budistas, confucianos, muçulmanos, cristãos; capitalistas, comunistas, adeptos da administração imperial —, levadas, por meio desses grandes agentes da história mundial que são o comércio de mercadorias a longa distância, o trabalho missionário religioso e a exploração colonial, a um vasto arquipélago composto de milhares de ilhas, ocupado sobretudo (mas não exclusivamente) por malaio-polinésios falando centenas de línguas, adeptos de centenas de cultos, e dotado de centenas de códigos morais, leis, costumes e artes, e de centenas de sentidos, sutil ou grosseiramente diferentes, razoavelmente concordantes ou profundamente opostos, de como deve ser a vida. Articular sua anatomia espiritual, determinar como ele é montado em termos de identidade e como se mantém unido, pelo menos até agora — aliás, mantém-se surpreendentemente bem, se considerarmos o que tem de enfrentar —, é uma tarefa praticamente impossível. Mas é uma tarefa que qualquer um que se interesse seriamente pelo lugar, seja de dentro ou de fora, é inevitavelmente obrigado a tentar empreender, de um modo ou de outro.

A maneira como isso costuma ser feito, também de dentro ou de fora, é através do que se poderia chamar (e aliás, em minha disciplina ainda bastante classificatória, do estilo *âge classique*, é chamado) de discurso dos "povos e culturas". Os diversos grupos "étnicos" ou quase étnicos — os javaneses, os Batak, os Bugi, os atseheses, os balineses e assim por diante, chegando até os exemplos menores e mais periféricos, como os Biman, os Dayak, os ambonenses ou seja lá quem for — são designados e caracterizados por tal ou qual configuração de qualidades; suas subdivisões são delineadas, suas relações mútuas são definidas e sua posição no todo é avaliada. Isso gera uma outra visão pontilhista, ou talvez, melhor dizendo, dado o caráter indexador dessa ordenação, uma visão de fichas de arquivo sobre o caráter culturalmente compósito do país. Ele é visto como um conjunto de "povos" de importância, tamanho e caráter variáveis, reunidos num arcabouço político e econômico comum por uma história global, de cunho histórico, ideológico, religioso ou o que seja, que fornece a lógica dessa junção que os encerra a todos num só país. Todos os níveis e dimensões da diferença e da integração, com exceção de dois — o grupo consensual mínimo, chamado de "cultura" ou "grupo étnico", e o grupo consensual máximo, chamado de "nação" ou "Estado" —, são ocluídos e descartados. Infelizmente, os assuntos que, no decorrer da vida coletiva, de fato funcionam no sentido de alinhar os indivíduos em iniciativas conjuntas, ou de separá-los uns dos outros em empreitadas conflitantes, assim como as práticas, as instituições e as ocorrências sociais em que a diferença é encontrada e em que de algum modo se lida com ela, são também ocluídos e jogados fora. As fichas de arquivo são reunidas e fazem-se as anotações apropriadas. Mas não se levantam suas remissões cruzadas.

A verdade, porém, é que é justamente nessa indexação cruzada que as várias identidades isoladas pelas fichas são formadas e interagem umas com as outras. Essas "culturas", ou "povos", ou "grupos étnicos" separados, não são um punhado de agregados de semelhanças, distinguidos pelos limites do consenso: são vários modos de implicação numa vida coletiva que ocorre numa dezena de níveis diferentes, numa dezena de escalas diferentes e numa dezena de âmbitos diferentes ao mesmo tempo. O arranjo e a dissolução dos casamentos nas aldeias e a codificação governamental do direito de família, as formas particulares de culto e o papel oficializado da religião no Estado, os padrões locais de sociabilidade e as abordagens gerais do governo, tudo isso, além de um imenso número de interseções semelhantes das visões, estilos ou inclinações, constitui as bases em que a complexidade cultural se ordena em pelo menos uma espécie de todo irregular, frouxo e indefinido.

Não é possível entrar nos detalhes aqui — mal é possível falar das generalidades —, mas a diversidade cultural da Indonésia (que, pelo que posso ver, é vasta como sempre foi, apesar dos efeitos supostamente homogeneizadores da televisão, do *rock* e do intenso capitalismo tardio) encontra expressão sob a forma de lutas a respeito da natureza desse todo. A maneira e o grau em que os aspectos contrastantes do conglomerado global devem ser representados na formulação da identidade indonésia são o cerne da questão. O que está em pauta é menos o consenso do que uma maneira viável de prescindir dele.

No que concerne à Indonésia, isso foi conseguido, na medida muito parcial, desigual e incompleta em que foi conseguido, através do desenvolvimento de uma forma de política cultural em que concepções claramente díspares do tipo de país que o país deve ser podem ser representadas e neutralizadas, celebradas e contidas, reconhecidas e encobertas, tudo ao mesmo tempo, no que foi apropriadamente chamado de um mal-entendido funcional. Que nem sempre funcionou, é claro. Os massacres de 1965 em Java, Bali e partes da Sumatra, com milhares, ou talvez centenas de milhares de mortos, foram, no fundo, um deslocamento dessa luta multilateral pela alma do país para o plano da violência. Houve revoltas étnicas e religiosas, sublevações no interior e tumultos urbanos, bem como, no Timor Leste ou na Nova Guiné Ocidental, a utilização bruta do poder estatal — o consenso produzido a bala. Até aqui, no entanto, o país vai-se arrastando, como a Índia ou a Nigéria, como um feixe de provincianismos que se agregam de algum modo.

Deixando de lado as imponentes particularidades do caso indonésio, que admitimos aproximarem-se um pouco dos extremos, essa imagem geral da identidade cultural como um campo de diferenças que se confrontam em todos os níveis, desde a família, a aldeia, o bairro ou a região até a zona rural e além dela — não há união senão a que se sustenta contra as divisões internas enciumadas, não há divisão senão a que se sustenta contra as uniões incorporadoras vorazes —, é muito próxima, a meu ver, da imagem geral do mundo moderno; não há nela nada de "subdesenvolvido", "terceiro-mundista" ou "tradicional" (eufemismo que passamos a usar, para evitar dizer "atrasado"). Aplica-se com igual perfeição à França, atormentada por tensões entre o *civisme laïque* e a invasão de imigrantes do Magreb que querem cozinhar com cominho e usar turbantes na escola, à Alemanha, que luta para se haver com a presença de turcos numa *Heimatland* definida pela ascendência, à Itália, regionalizada em localismos rivais, que só fazem ser reforçados pela modernidade e pelo desenvolvimento desigual, ou aos Estados Unidos, que tentam reencontrar-se num redemoinho multiétnico, multirracial, multi-religioso, multilingüístico e multicultural, assim como a lugares muito mais brutalmente dilacerados, como a Libéria, o Líbano, Mianmar, a Colômbia ou a África do Sul. O excepcionalismo europeu (e norte-americano), que, pelo menos para os europeus (e norte-americanos), parecia muito plausível antes de 1989 — nós temos o Estado-nação, e eles, não —, tornou-se cada vez mais implausível desde essa época. A Iugoslávia, a citada "ex", foi e é tanto o lugar em que essa idéia parece ter morrido quanto seu último reduto — "o quintal da Europa está em chamas".

Por direito, a teoria política deveria ser o que penso que Aristóteles queria que fosse — uma escola de julgamento, não uma substituição dele; não uma questão de expor a lei a ser seguida pelos menos reflexivos (os juízes de Ronald Dworkin, os formuladores políticos de John Rawls, os utilitaristas de Robert Nozick), porém um modo de ver os horrores e confusões em meio aos quais todos estamos vivendo, um modo que possa dar-nos alguma ajuda para sobreviver e para abrandá-los ou, quem sabe, ocasionalmente, até preveni-los. Se é assim, se essa é mesmo sua vocação, ela precisa dedicar muito mais atenção às particularidades das coisas, ao que está acontecendo, à maneira como as coisas funcionam. Precisa fazê-lo não para se transformar num comentário permanente sobre como tudo é terrivelmente complicado, e como é intratável pela ordenação lógica. Isso pode ficar a cargo da história e da antropologia, essas terríveis complicadoras das ciências humanas. Ela precisa fazê-lo para participar da construção do que é mais necessário, agora que o mundo está se redistribuindo em estruturas de diferença cada vez mais variadas: uma política prática de conciliação cultural.

Como qualquer outra, essa política terá que ter um propósito definido, ser talhada conforme as circunstâncias, as épocas, os lugares e as personalidades. Mas, como qualquer outra política, mesmo assim ela deverá desenvolver certos traços comuns de diagnóstico, estratégia e direção e uma certa unidade de propósitos. O que ela buscar em Diyabakar ou Srinagar, deverá buscar também em Trois Rivières ou na região sul de Los Angeles. A *Kulturkampf* argelina deverá ser justaposta à irlandesa; o divórcio amistoso entre tchecos e eslovacos deverá justapor-se ao da Malásia e Cingapura, ocorrido alguns anos antes, mas que o lembra curiosamente; a dupla influência exercida sobre a Bélgica, germano-latina, deve justapor-se à greco-turca exercida sobre Chipre; a marginalização dos índios da América, à dos aborígenes australianos; o não assimilacionismo do Brasil, ao dos Estados Unidos. Há de fato um objeto de estudo definível aqui. O xis da questão é defini-lo e, uma vez feito isso, colocá-lo em alguma espécie de ordem.

A dinâmica central do objeto desse estudo, como eu já disse, talvez de maneira demasiadamente repetitiva, parece consistir em duas tendências continuamente opostas. Por um lado, existe a tendência a criar ou tentar criar gotículas de *pur sang* da cultura e da política: a visão pontilhista que a limpeza étnica e a concepção convergente de ação coletiva — o "nacionismo" — almejam produzir. Por outro, existe o impulso de criar ou tentar criar uma estrutura intrincada e multiplamente ordenada da diferença, na qual as tensões culturais que não se dispõem a desaparecer, ou sequer a se moderar, possam ser situadas e negociadas — contidas dentro de um país. Essas próprias estruturas deverão ser diferentes de cada um desses países para outro, e a possibilidade de construí-las, diversamente real. Situar os muçulmanos na França, os brancos na África do Sul, os árabes em Israel ou os coreanos no Japão não é exatamente a mesma coisa. Mas, para que a teoria política tenha alguma pertinência no mundo estilhaçado, ela terá que ter algo convincente a dizer sobre como, frente ao impulso para uma integridade destrutiva, tais estruturas podem ser criadas e mantidas, e sobre como é possível fazê-las funcionar.

Isso me traz à última questão que quero abordar aqui, de maneira sumamente superficial. Trata-se da capacidade muito discutida, mas não muito decidida, de o liberalismo (ou, mais exatamente, para que eu seja colocado ao lado de Isaiah Berlin e Michael Walzer, e não de Friedrich von Hayek e Robert Nozick, de o liberalismo social-democrata) colocar-se à altura desse desafio, de sua capacidade de se envolver na política rancorosa, explosiva e não raro homicida da diferença cultural, e, a rigor, de sobreviver na presença dela. O compromisso do liberalismo com a neutralidade do Estado em matéria de crenças pessoais, seu individualismo resoluto, sua ênfase na liberdade, na lei e na universalidade dos direitos humanos, e, pelo menos na versão de que sou adepto, sua preocupação com a distribuição eqüitativa das oportunidades de vida, são tidos como impedindo-o de reconhecer a força e a durabilidade dos laços da religião, da língua, dos costumes, do lugar, da raça e da ascendência nos assuntos humanos, ou de encarar a entrada dessas considerações na vida civil como algo diferente do patológico — do primitivo, atrasado, retrógrado e irracional. Não creio que isso seja verdade. O desenvolvimento de um liberalismo com a coragem e a capacidade de se comprometer com um mundo diferenciado, um mundo no qual seus princípios não são bem compreendidos nem sustentados por todos, e no qual, na verdade, na maioria dos lugares, ele é um credo minoritário, estranho e suspeito, não apenas é possível, como é também necessário.

Nos últimos anos — os anos em que o liberalismo, tanto do tipo econômico, da utopia do mercado, quanto do tipo político, da sociedade civil, deixou de ser uma fortaleza ideológica para metade do mundo e se tornou uma proposta moral para todo ele —, o grau em que o próprio liberalismo é um fenômeno culturalmente específico, nascido e aperfeiçoado no Ocidente, tornou-se, paradoxalmente, muito mais evidente. O próprio universalismo com que ele se compromete e que promove, sua intenção cosmopolita, colocou-o francamente em conflito com outros universalismos de intenção semelhante, muito particularmente com o proposto por um islamismo ressurgido, e com um grande número de visões alternativas do bom, do certo e do indubitável — a japonesa, a indiana, a africana ou a de Cingapura —, para as quais ele parece ser apenas mais uma tentativa de impor os valores ocidentais ao resto do mundo: a continuação do colonialismo por outros meios.

Esse fato, o de que os princípios que movem o liberalismo não são tão claros para os outros, inclusive os outros sérios e ponderados, quanto são para os liberais, evidencia-se hoje para onde quer que voltemos os olhos. Na resistência a um código universal de direitos humanos, visto como inaplicável aos países pobres que estão empenhados em se desenvolver, e até como um recurso maldosamente concebido pelos já ricos para impedir esse desenvolvimento; no moralismo "papai sabe tudo" de Lee Kuan Yew, que baixa a lenha em vagabundos, jornalistas e empresários arrogantes por não serem suficientemente confucianos, ou no de Suharto, que se opõe às uniões de livre comércio, à liberdade de imprensa e às eleições livres como sendo contrárias ao espírito do comunalismo asiático; e numa ampla gama de discursos que enaltecem o ritual, a hierarquia, a inteireza e o saber tribal, fica claro que Locke, Montesquieu, Jefferson e Mill são vozes particulares de uma história particular, que não são igualmente persuasivas para todos os que as ouvem ou para seus defensores atuais.

Assim, os que pretendem promover a causa representada por esses nomes e por outros mais contemporâneos — Dewey, Camus, Berlin, Kuron, Taylor —, de suas diversas maneiras (porque também o "liberalismo" não é compacto nem homogêneo, e certamente está inacabado), precisam reconhecer suas origens culturalmente específicas e seu caráter culturalmente específico. Eles precisam... ou melhor, nós precisamos, mais especialmente, reconhecer que, na tentativa de promovê-lo de maneira mais ampla no mundo, ver-nos-emos confrontados não só com a cegueira e a irracionalidade, com as paixões da ignorância (aquelas que conhecemos bem nos Estados Unidos), mas também com concepções rivais de como as coisas devem ser dispostas e as pessoas devem relacionar-se, de como os atos devem ser julgados e a sociedade deve ser governada, que têm um peso, um impacto e uma lógica próprios, o que é algo a ser dito em seu favor. A questão não é de "relativismo", como muitas vezes dizem os que desejam isolar suas crenças da força da diferença. Trata-se de compreender que falar com os outros implica escutá-los, e que, ao escutá-los, é muito improvável que o que se tem a dizer permaneça inabalado, não no final deste século nem no começo do próximo.

A tese que enunciei no início deste capítulo — a de que a teoria política não é, ou, pelo menos, não deve ser uma reflexão intensamente generalizada sobre assuntos intensamente generalizados, uma imaginação de arquiteturas em que ninguém poderia viver, mas deve, antes, ser um compromisso intelectual, móvel, preciso e realista, com problemas presentes que são presentemente clamorosos — aplica-se com força especial ao liberalismo, uma vez que, em alguns momentos, ele tem sido aplicado com certa indiferença à realidade das coisas, fazendo uma certa confusão entre desejo e realização. Ele precisa ser reconcebido, ou seja, seus partidários precisam reconcebê-lo como uma visão que não provém do nada, mas vem de um lugar especial (de um certo tipo) da experiência política ocidental, como uma afirmação (ou, mais uma vez, já que ele não é mais unificado do que foi a experiência, um conjunto de afirmações razoavelmente coerentes) sobre aquilo que nós, que somos os herdeiros dessa experiência, julgamos haver aprendido sobre como as pessoas com diferenças podem conviver entre si com certo grau de civilidade. Confrontados com outros herdeiros de outras experiências, que extraíram outras lições para outros fins, é difícil deixarmos de insistir nas nossas com a confiança que ainda sentimos nelas, e de submetê-las aos riscos de se chocarem com essas outras e saírem pelo menos um pouco (ou, talvez, bem mais do que um pouco) machucadas e precisando de reparos.

A perspectiva de uma nova síntese — não que tenha realmente existido uma antiga — parece-me bastante remota. As discordâncias e disjunções permanecerão, ainda que não continuem a ser as mesmas discordâncias e disjunções. Tampouco se afigura uma grande possibilidade a vitória simples daquilo que E.M. Forster, homem rigorosamente inglês, inteiramente desiludido e intransigentemente liberal, que também não contava com ela, chamou de amor e de amada república. Parecemos estar condenados, ao menos no futuro imediato, e talvez por um bom tempo depois dele, a viver, se tanto, no que alguém chamou, talvez pensando nas tréguas iugoslavas, nas decisões de cessar fogo irlandesas, nas operações de resgate africanas e nas negociações do Oriente Médio, de "paz de baixa intensidade" — o que não é o tipo de ambiente em que normalmente floresce o liberalismo. Mas esse é o tipo de ambiente em que ele terá que funcionar, se quiser persistir e surtir efeito, e se quiser manter o que me parece ser seu compromisso mais profundo e mais central: a obrigação moral de ter esperança.

Notas

Capítulo 3. Anti anti-relativismo

1. J. Ladd, "The poverty of absolutism", in *Edward Westermarck: Essays on His Life and Works*, Acta Philosophica Fennica, Helsinki, 34, 1982, p.158-80.

2. I. Scheffler, *Science and Subjectivity*, Indianapolis, Bobbs-Merrill, 1967; W. Booh, "A new strategy for establishing a truly democratic criticism", *Daedalus* 112, 1983, p.193-214.

3. Ladd, "The poverty of absolutism", p.158.

4. P. Rabinow, "Humanism as nihilism: the bracketing of truth and seriousness in American cultural anthropology", in N. Haan et al. (orgs.), *Social Science as Moral Inquiry*, Nova York, Columbia University Press, 1983, p.70.

5. M. de Montaigne, *Les Essais de Michel de Montaigne*, P. Villery (org.), Paris, Presses Universitaires de France, 1978, p.205. Ver T. Todorov, "Montaigne. Essays in reading", in G. Defaux (org.), *Yale French Studies*, vol.64, New Haven, Yale University Press, 1983, p.113-4, para uma discussão geral do relativismo de Montaigne semelhante à minha.

6. W. Gass, "Culture, self, and style", *Syracuse Scholar*, 2, 1981, p.54-68.

7. I. Jarvie, "Rationalism and relativism", *British Journal of Sociology*, 34, 1983, p.45, 46.

8. P. Johnson, *Modern Times*, Nova York, Harper & Row, 1983; para a resenha de Thomas, "The Inferno of relativism", *Times Literary Supplement*, 8 de julho, p.178.

9. Johnson, *Modern Times*, p.48.

10. G. Stocking, "Afterword: A view from the center", *Ethnos*, 47, 1982, p.176.

11. L. Tiger e J. Sepher, *Women in the Kibbutz*, Nova York, Harcourt Brace-Jovanovich, 1975, p. 16.

12. Citado, com propósitos opostos, em C. Kluckhohn, "Education, Values and Anthropological Relativity", in C. Kluckhohn (org.), *Culture and Behavior*, Nova York, Free Press, 1962.

13. Sobre materialismo, ver M. Harris, *The Rise of Anthropological Theory*, Nova York, Crowell, 1968; sobre "ciência" e "O Grande Fosso", E. Gellner, *Spectacles and Predicaments*, Cambridge University Press, 1979; sobre a "competição interteórica", R. Horton, "Tradition and modernity revisited", in M. Hollis e S. Lukes (orgs.), *Rationality and Relativism*, Cambridge, MIT Press, 1982, p.201-60; sobre "a Concepção Cartesiana de Conhecimento", S. Lukes, "Relativism in its place", in Hollis e Lukes (orgs.), ibid., p.261-305, cf. B. Williams, *Descartes: The Project of Pure Inquiry*, Harmondsworth, Penguin, 1978; sobre Popper, de quem provêm todas essas bênçãos, ver K. Popper, *Conjectures and Refutations: The Growth of Scientific Knowledge*, Londres, Routledge and Kegan

Paul, 1963, e K. Popper, *Objective Knowledge: An Evolutionary Approach*, Oxford, Clarendon Press, 1972.

14. Sobre programas de pesquisa "progressivos" e "degenerativos", ver I. Lakatos, *The Methodology of Scientific Research*, Cambridge University Press, 1976.

15. M. Midgeley, *Beast and Man: The Roots of Human Nature*, Ithaca, Cornell University Press, 1978, p.xiv-xv; grifo do original.

16. Ibid., p.79-80; grifo do original. O exemplo da "monotonia" aparece em nota de pé de página ("A monotonia é, por si mesma, um extremo anormal").

17. S. Salkever, "Beyond interpretation: human agency and the slovenly wilderness", in Haan et al. (orgs.), *Social Science*, p.210.

18. M. Spiro, "Culture and human nature", in G. Spindler (org.), *The Making of Psychological Anthropology*, Berkeley, University of California Press, 1978, p.330-60.

19. H. Baggish, "Confessions of a former cultural relativisg", in E. Angeloni (org.), *Anthropology 83/84*, Guilford, Connecticut, Dushkin Publishing, 1983. Para outro discurso complicado sobre "o problema do relativismo" vindo dessa parte do mundo ("Busco estabelecer o que penso ser um ponto de vista razoável para preencher o vazio parcial deixado pelo relativismo ético, que, na década de 1980, não raro parece mais repudiado do que sustentado"), ver E. Hatch, *Culture and Morality: The Relativity of Values in Anthropology*, Nova York, Columbia University Press, 1983, citação na p.12.

20. Spiro, "Culture and human nature", p.349-50.

21. Ibid., p.336.

22. R. Edgerton, "The study of deviance, marginal man or everyman?", in Spindler (org.), *The Making of Psychological Anthropology*, p.444-71.

23. Ibid., p.470.

24. R. Rorty, "Method and morality", em Haan et al. (orgs.), *Social Science*, p.155-76; cf. R. Rorty, *Philosophy and the Mirror of Nature*, Princeton, Princeton University Press, 1979.

25. Há também alguns trabalhos mais moderados e conciliadores, de Ian Hacking, Charles Taylor e Lukes, mas só o primeiro parece autenticamente livre de alarmes falsos.

26. As citações parentéticas são da capa do livro, que, fugindo à regra, reflete o conteúdo.

27. Hollis and Lukes (orgs.), *Rationality and Relativism*, p.1.

28. E. Gellner, in ibid.

29. R. Horton, in ibid.

30. D. Sperber, "Apparenly irrational beliefs", in ibid., p.149-80.

31. Ibid., p.180.

Capítulo 4. ***Os usos da diversidade***

1. C. Lévi-Strauss, *The View from Afar*, trad. de J. Neugroschel e P. Hoss, Nova York, Basic Books, 1985.

2. Ibid., p.xi.

3. Idem.

4. Ibid., p.xii.

5. Idem.

6. Ibid., p.xiii.

7. Idem.

8. Ibid., p.7.

9. Ibid., p.23.

10. Richard Rorty, "Postmodernist bourgeois liberalism", *Journal of Philosophy*, 80, 1983, p.583-9, ver p.585.

11. Lévi-Strauss, *The View from Afar*, p.35.
12. Rorty, "Postmodernist bourgeois liberalism", p.586.
13. Ibid., p.586-7.
14. Arthur Danto, "Mind as feeling; Form as presence; Langer as philosopher", *Journal of Philosophy*, 81, 1984, p.641-7.
15. Lévi-Strauss, *The View from Afar*, p.10.
16. Rorty, "Postmodernist bourgeois liberalism", p.588.
17. Danto, "Mind as feeling", p.647.

Capítulo 5. A situação atual

1. Gananath Obeyesekere, *The Apotheosis of Captain Cook: European Mythmaking*, Princeton, Princeton University Press, 1992; Marshall Sahlins, *How "Natives" Think, About Captain Cook, for Example*, Chicago, University of Chicago Press, 1995.
2. A mais simples e mais acessível das muitas formulações de Sahlins sobre suas idéias é, provavelmente, *Historical Metaphors and Mythical Realities: Structure in the Early History of the Sandwich Islands Kingdom*, Ann Arbor, University of Michigan Press, 1981, posteriormente ampliada num capítulo de seu livro *Islands of History*, Chicago, University of Chicago Press, 1985. Quanto às concepções mais gerais de Obeyesekere, ver, de sua autoria, *The Work of Culture: Symbolic Transformation in Psychoanalysis and Anthropology*, Chicago, University of Chicago Press, 1990.
3. "Goodbye to *Tristes Tropes*: ethnography in the context of modern world history", *The Journal of Modern History*, 65, 1993, p.1-25.
4. Nenhum dos dois autores tem muito a dizer sobre isso, embora Obeyesekere nos prometa uma biografia psicanalítica de Cook — relacionando a concepção que este tem de si mesmo como um Próspero "que domestica uma terra selvagem", quando é, na verdade, um Kurt que "se transforma no próprio selvagem a quem despreza", com sua "sexualidade complexa" —, biografia esta na qual talvez nos seja oferecido algo mais. Para um extenso exame do meio cultural (a Cambridge de Wordsworth) de que emergiu um explorador-descobridor, um jovem astrônomo que teve morte bem semelhante à de Cook, porém em Oahu e treze anos depois, ver Greg Dening, *The Death of William Gooch: A History's Anthropology*, Honolulu, University of Hawaii Press, 1995.
5. P. Clastres, *Chronicle of the Guayaki Indians*, trad. Paul Auster, Nova York, Zone Books, 1998. (Originalmente publicado como *Chroniques des indiens Guayaki*, Paris, Plon, 1972.)
6. J. Clifford, *Routes: Travel and Translation in the Late Twentieth Century*, Cambridge, Mass., Harvard University Press, 1997.
7. Ibid., p.21, 5, 2, 17.
8. Ibid., p.10, 12.
9. Ibid., p.18, 12.
10. Clastres, *Chronicle*, op. cit., p.91-2.
11. Clifford, *Routes*, op. cit., p.241.
12. Ibid., p.56 e nota 2; Clastres, *Chronicle*, op. cit., p.315.
13. Clastres, *Chronicle*, op. cit., p.276.
14. Ibid., p.345.
15. Ibid., p.345-6.
16. Ibid., p.15, grifo no original.
17. Ibid., p.141-2.
18. Ibid., p.348.
19. Ibid., p.346.
20. Clifford, *Routes*, op. cit., p.91.
21. M.L. Pratt, *Imperial Eyes: Travel Writing and Transculturation*, Londres, Routledge, 1992.

22. Ibid., p.6-7.

23. Clifford, *Routes*, op. cit., p.302, 304, 303.

24. Ibid., p.343-4.

25. Para uma visão geral dessa escola de pensamento, ver Clifford e Marcus (orgs.), *Writing Culture: The Poetics and Politics of Ethnography*, Berkeley, University of California Press, 1986. O campo emergente dos "estudos culturais", com o qual Clifford tem-se envolvido cada vez mais, fornece exemplos ainda mais claros dessa espécie de etnografia não imersiva, do tipo ataque e retirada rápidos.

26. Clastres, *Society Against the State: The Leader as Servant and the Human Uses of Power among the Indians of the Americas*, Nova York, Urizen Books, 1977.

27. J. Clifford, *The Predicament of Culture*, Cambridge, Harvard University Press, 1988.

28. P. Burke, *The Historical Anthropology of Early Modern Italy*, Cambridge, Cambridge University Press, 1987; E.R. Wolf, *Europe and the People without History*, Berkeley, University of California Press; E.J. Hobsbawm, *Primitive Rebels: Studies in Archaic Forms of Social Movement in the Nineteenth and Twentieth Centuries*, Nova York, Praeger, 1963; Y. Elkana, *Anthropologie der Erkenntnis*, Frankfurt, Shrkamp, 1988.

29. E.H. Kantorowicz, *The King's Two Bodies*, Princeton, Princeton University Press, 1957; E.P. Thompson, *The Making of the English Working Class*, Nova York, Vintage, 1963; T.S. Kuhn, *The Structure of Scientific Revolutions*, Chicago, University of Chicago Press, 1962; F. Eggan, *The Social Organization of the Western Pueblos*, Chicago, University of Chicago Press, 1962; K. Polanyi et al. (orgs.), *Trade and Markets in the Early Empires*, Glencoe, Ill., Free Press; V. Turner, *The Forest of Symbols*, Ithaca, NY, Cornell University Press, 1967.

30. R. Isaac, *The Transformation of Virginia, 1740-1790*, Chapel Hill, University of North Carolina Press, 1982; I. Clendinnen, *Ambivalent Conquests: Maya and Spaniard in Yucatan, 1517-1570*, Cambridge, Cambridge University Press, 1987; G. Dening, *Islands and Beaches, Discourses on a Silent Land: Marquesas 1774-1880*, Melbourne, Melbourne University Press, 1980.

31. Isaac, *The Transformation of Virginia*, op. cit., p.ix.

32. Clendinnen, *Ambivalent Conquests*, op. cit., p.xi, 128, 188.

33. Dening, *Islands and Beaches*, op. cit., p.287.

34. Ibid., p.273.

35. Ver E.S.C. Handy, *The Native Culture in the Marquesas*, Honolulu, University of Hawaii Press, 1923. A citação foi extraída de Dening, *Islands and Beaches*, p.279.

36. Dening, *Islands and Beaches*, op. cit., p.329.

37. M. Axton, *The Queen's Two Bodies: Drama and the Elizabethan Succession*, Londres, Royal Historical Society, 1977.

38. L. de Heusch, *The Drunken King, or, The Origins of the State*, Bloomington, Indiana University Press, 1988.

39. S. Wilentz (org.), *Rites of Power: Symbols, Ritual and Politics since the Middle Ages*, Filadélfia, University of Pennsylvania Press, 1985; Cannadine e S. Price (orgs.), *Rituals of Royalty, Power and Ceremonial in Traditional Societies*, Cambridge, Cambridge University Press, 1987.

40. S. Wilentz, "Introduction", in Wilentz (org.), *Rites of Power*, op. cit., p.7-8.

41. C. Geertz, "Centers, kings, and charisma: reflections on the symbolics of power", in idem, p.30.

42. J.H. Elliott, "Power and propaganda in the Spain of Philip IV", in ibid., p.147.

43. D. Cannadine, "Introduction", in Cannadine e Price (orgs.), *Rituals of Royalty*, op. cit., p.15.

44. D.I. Kertzer, *Rituals, Politics, and Power*, New Haven, Yale University Press, 1988.

Capítulo 6. O estranho estranhamento: Charles Taylor e as ciências naturais

1. A "Introdução" é repetida, com uma paginação ligeiramente diferente, no volume 2. Os temas do trabalho de Taylor que aqui examino perpassam toda a sua obra, desde *Explanation of Behavior*, Londres, Routledge & Kegan Paul, 1964, até *Sources of the Self*, Cambridge, Harvard University Press, 1989; a bem da simplicidade, porém, limitarei as citações diretas aos *Philosophical Papers*, Cambridge, Cambridge University Press, 1985, 2 vols.

2. Taylor, *Philosophical Papers*, op. cit., vol.I, p.1; vol.II, p.21; vol.I, p.187; vol.I, p.247; e vol.II, p.92.

3. Ibid., vol.II, p.15.

4. Ibid., vol.II, p.17.

5. Ibid., vol.II, p.117.

6. Ibid., vol.I, p.11.

7. Ibid., vol.I, p.45, vol.II, p.15. Como Taylor reconhece, a genealogia dessa idéia é profunda e vasta no pensamento ocidental, e, em sua versão moderna, talvez seja datada com igual freqüência desde Vico e de Dilthey, e seu modelo definidor tanto é visto como Weber quanto como Gadamer. Para um levantamento sutil e detalhado do contraste, tal como se desenrolou desde o mundo antigo, ora como diferença, ora como dicotomia, ora como mera falta de clareza, sob a égide da distinção grega original (eles também parecem ter inventado *isso*) do *nomos* e da *physis*, ver o importante estudo de Donald Kelley, *The Human Measure, Social Thought in the Western Legal Tradition*, Cambridge, Harvard University Press, 1990.

8. Richard Rorty, "Is natural science a natural kind?", em seus *Philosophical Papers*, Cambridge, Cambridge University Press, 1991, vol.I, p.46. É claro que Rorty, assim como eu, questiona essa visão.

9. Taylor, *Philosophical Papers*, op. cit., vol.I, p.5.

10. Thomas Kuhn, *The Structure of Scientific Revolutions*, 2a. ed., Chicago, University of Chicago Press, 1977. Para uma discussão acessível da "esquisitice quântica", ver Heinz Pagels, *The Cosmic Code: Quantum Physics as the Language of Nature*, Nova York, Bantam, 1983. No magistral estudo de Taylor sobre "a formação da identidade moderna", *Sources of the Self*, a ausência de qualquer discussão significativa dos avanços da teoria física como tal é no mínimo curiosa, dada a atribuição da origem dessa "consciência moderna" à visão de mundo mecanicista. Como o deus dos deístas, a "Ciência" — Descartes e Bacon, Newton e Boyle — pôs a empresa para funcionar, mas não parece haver participado muito dela desde então.

11. Gyorgy Markus, "Why is there no hermeneutics of natural sciences? Some preliminary theses", *Sciences in Context*, I, 1987, p.5-51; citações das p.42 e 43 (grifo no original).

12. A citação do "não perguntem" foi atribuída a Richard Feynman, mas não tenho nenhuma referência dela. Para discussões de alguns dos assuntos mencionados, ver novamente, de Heinz Pagels, *The Cosmic Code*, op. cit., e também *The Dreams of Reason: The Computer and the Rise of the Sciences of Complexity*, Nova York, Simon and Schuster, 1988, e *Perfect Symmetry: The Search for the Beginning of Time*, Nova York, Bantam, 1986.

13. Markus, "Why is there no hermeneutics of natural sciences?", op. cit., p.26, 27, 28, 29; referências omitidas, reordenadas nos parágrafos, grifos no original.

14. Rorty, "Is natural science a natural kind?", op. cit., p.47.

15. Gerald M. Edelman, *Bright Air, Brilliant Fire: On the Matter of the Mind*, Nova York, Basic Books, 1992, p.11.

16. Ibid., p.230, 231, 232; grifo no original. Para as críticas muito semelhantes de Taylor às "explicações do desempenho humano pautadas em máquinas", ver seu ensaio "Cognitive psychology", *Philosophical Papers*, vol.I, p.187-212; sobre o "objetivismo", ver "Theories of meaning", vol.I, p.248-92. Para um ataque correlato ao "objetivismo" na neurologia, nela chamado "criação de

diagramas", ver Israel Rosenfeld, *The Strange, Familiar and Forgotten: An Anatomy of Consciousness*, Nova York, Knopf, 1992.

17. David Ruelle, *Chance and Chaos*, Princeton, Princeton University Press, 1991, p.122. A idéia da "formação apropriada" necessária para apreciarmos as diferenças que Ruelle deseja que apreciemos — num livro, afinal, destinado a um público que não a tem — mais faz levantar a questão, de um modo que protege a guilda, do que respondê-la. A tradução existe e o comentário também (sendo o de Ruelle um belo exemplo): Não conheço o russo e, portanto, perco muita coisa, mas Dostoiévski não me parece igual a Tolstói.

18. Citado em Edelman, *Bright Air, Brilliant Fire*, op. cit., p.vii. A última linha sugere que a "hierarquia" talvez não seja tampouco o melhor recurso para decifrarmos essa rede de ligações.

19. Para uma breve resenha geral, ver Steve Woolgar, *Science, the Very Idea*, Chichester, Ellis Horwood, 1988; para uma coletânea atual de debates e posturas nesse campo criativamente desorganizado e proveitosamente combativo, ver Andrew Pickering (org.), *Science as Practice and Culture*, Chicago, University of Chicago Press, 1992; para um estudo de peso, que atravessa a divisão entre ciências humanas e ciências naturais com uma espécie de fúria, ver Steven Shapin e Simon Schaffer, *Leviathan and the Air Pump: Hobbes, Boyle, and the Experimental Life*, Princeton, Princeton University Press, 1985.

20. Bruno Latour, *Nous n'avons jamais été modernes: Essai d'anthropologie symétrique*, Paris, La Découverte, 1991, p.186. Essa é a declaração de posição mais geral e mais provocadora de Latour; para uma discussão mais detalhada, ver, também de sua autoria, *Science in Action: How to Follow Scientists and Engineers through Society*, Cambridge, Harvard University Press, 1987; e, para uma aplicação específica, *The Pasteurization of France*, Cambridge, Harvard University Press, 1988.

21. A citação provém de H.M. Collins e Steven Yearley, "Journey into space", uma polêmica contra Latour *in* Pickering (org.), *Science as Practice and Culture*, op. cit., p.384. Quanto à abordagem de Merton, ver seu livro *The Sociology of Science: Theoretical and Empirical Investigations*, Chicago, University of Chicago Press, 1973. Quanto à abordagem da sociologia do conhecimento (científico) (SSK [*sociology of (scientific) knowledge*]), às vezes designada como "o projeto forte", ver Barry Barnes, *Interests and the Growth of Knowledge*, Londres, Routledge & Kegan Paul, 1977. Tomei emprestado o antigo mas límpido termo "concertado" (que me parece um aprimoramento ou, pelo menos, um suplemento útil ao "coerente" estético, tal como aplicado aos textos, ao "consistente" formalista, tal como aplicado às crenças, ao "integrado" funcionalista, tal como aplicado às instituições, ou ao "sintonizado" psicologista, tal como aplicado às pessoas) de Ian Hacking, "The self-vindication of the laboratory sciences", in Pickering (org.), *Science as Practice and Culture*, op. cit., p.29-64, que é um exame minucioso do caminho que celebra. Para uma discussão extensa, cf., de sua autoria, *Representing and Intervening*, Cambridge, Cambridge University Press, 1985. (Depois que esta nota foi escrita, o sociobiólogo E.O. Wilson introduziu a palavra num sentido muito diferente, totalmente oposto ao meu. Ver E.O. Wilson, *Consilience: the Unity of Knowledge*, Nova York, Alfred Knopf, 1998. O termo se deve, originalmente, a William Whewell, que o utiliza em consonância com meu sentido e com o de Hacking, e não com o de Wilson.)

22. Michel Callon e Bruno Latour, in Pickering (org.), *Science as Practice and Culture*, op. cit., p. 348. Eles prosseguem: "Nosso princípio ... geral não é ... alternar entre o realismo natural e o realismo social, mas chegar à natureza e à sociedade como resultados gêmeos de uma outra atividade, que nos é mais interessante. Nós lhe damos o nome de construção de redes, ou coisas coletivas, ou quase objetos, ou provas de força; e outros a chamam de habilidade, formas de vida, prática material." (referências eliminadas)

23. Woolgar, *Science*, op. cit. Cf. Donald Davidson, "On the very idea of a conceptual scheme", *Proceedings and Addresses of the American Philosophical Association*, 47, 1973-74, p.5-20.

24. Taylor, *Philosophical Papers*, op. cit., vol.I, p.197.

25. Para alguns comentários interessantes sobre este último aspecto, ver Jeremy Bernstein, *Quantum Profiles*, Princeton, Princeton University Press, 1991, esp. p.vii-viii, p.77-84.

Capítulo 7. O legado de Thomas Kuhn: O texto certo na hora certa

1. T.S. Kuhn, *The Structure of Scientific Revolutions*, Chicago, University of Chicago Press, 1962.

2. T.S. Kuhn, *The Essential Tension*, Chicago, University of Chicago Press, 1977; Kuhn, *Black-body Theory and the Quantum Discontinuity, 1894-1912*, Chicago, University of Chicago Press, 1978.

3. *The Structure of Scientific Revolutions*, p.179-80.

Capítulo 8. O beliscão do destino: A religião como experiência, sentido, identidade e poder

1. William James, *The Varieties of Religious Experience, A Study in Human Nature*, Nova York, Modern Library, 1929 (originalmente, 1902), p.476.

2. Ibid., p.119; grifo no original.

3. Ibid., p.171.

4. Ibid., p.250.

5. Ibid., p.492.

6. Ibid., p.477.

7. Ibid., p.476.

8. Ibid., p.418.

9. Ibid., p.31, grifo no original.

10. S. Brenner, "Reconstructing self and society: Javanese Muslim women and 'The Veil'", *American Ethnologist*, 1996, p.673-97. Como sugerem as aspas ao redor de "o véu", o que está em questão não é o conhecido véu (*hijab*) do Oriente Médio, mas a echarpe e o manto comprido (*jilbab*, "roupa", "vestido de mulher") — fato que Brenner deixa claro em sua nota de rodapé inicial. Como, por razões que não preciso explicitar aqui, essa é uma questão que creio ter certo peso, substituirei silenciosamente o termo "véu" por *jilbab* ao fazer citações de Brenner. Como eu mesmo desenvolvi trabalhos, do início da década de 1950 até o final da década de 1980, sobre Java e, mais especialmente, sobre as práticas, concepções e sentimentos religiosos javaneses, o trabalho de Brenner parece-me, a um tempo, ser uma continuação do meu e um avanço substancial em relação a ele. Ver, *inter alia*, Geertz, *The Religion of Java*, Glencoe, Ill., The Free Press, 1960, e Geertz, *Islam Observed: Religious Development in Morocco and Indonesia*, New Haven, Yale University Press, 1968. Para observações mais recentes, ver Geertz, *After the Fact: Two Countries, Four Decades, One Anthropologist*, Cambridge, Mass., Harvard University Press, 1995. Cf. S. Brenner, *The Domestication of Desire: Women, Wealth, and Modernity in Java*, Princeton, Princeton University Press, 1998.

11. Brenner, "Reconstructing self and society".

12. Ibid.

13. Ibid.

14. Ibid.

15. Para uma discussão e crítica extensas da idéia da "experiência" como fundamento "irredutível" do sentido e da identidade, "[fonte] fidedigna de conhecimento que provém do acesso ao real" na análise histórica ("A experiência ... não é a origem de nossa explicação, mas aquilo que queremos explicar"), ver J. Scott, "The evidence of experience", in J. Chandler et al., *Questions of Evidence: Proof, Practice, and Persuasion across the Disciplines*, Chicago, University of Chicago Press, 1991, p.363-87.

16. Brenner, "Reconstructing self and society".
17. Citado em ibid.

Capítulo 9. Um ato desequilibrador: A psicologia cultural de Jerome Bruner

1. J. Bruner, *In Search of Mind, Essays in Autobiography*, Nova York, Harper and Row, 1983, p.126.
2. J. Bruner, *Acts of Meaning*, Cambridge, Mass., Harvard University Press, 1990, p.1.
3. J. Bruner, *The Culture of Education*, Cambridge, Mass., Harvard University Press, 1996, p.43.
4. Ibid., p.9.
5. Ibid., p.71-2.
6. Ibid., p.87.
7. Ibid., p.57, 49.
8. Ibid., p.121.
9. Ibid., p.40.
10. Ibid., p.147.
11. Ibid., p.130.
12. Ibid., p.41.
13. Ibid., p.xiv.
14. Surgiram agora dois desses trabalhos: M. Cole, *Cultural Psychology, A Once and Future Discipline*, Cambridge, Mass., Harvard University Press, 1996, e B. Shore, *Culture in Mind, Cognition, Culture, and the Problem of Meaning*, Oxford, Oxford University Press, 1996. Cole, um psicólogo do desenvolvimento que caminha em direção à antropologia social, levantou a história da pesquisa comparativa entre culturas na psicologia, na qual ele mesmo desempenhou um papel importante, e desenvolveu um arcabouço conceitual para a integração da investigação antropológica e psicológica baseada na "ciência romântica" ("o sonho da combinação de um romancista com um cientista") dos psicólogos russos Alexei Leontiev, Alexander Luria e Lev Vygotsky. Shore, um antropólogo social que caminha em direção à psicologia cognitiva, reexaminou alguns estudos etnográficos clássicos, inclusive o seu próprio sobre Samoa, além de várias formas culturais contemporâneas — o beisebol, a decoração de interiores, as viagens aéreas —, no esforço de relacionar entre si o que chama de modelos mentais "pessoais" (isto é, "cognitivos") e "convencionais" (isto é, "culturais"), com isso rompendo a longa e lamentável separação entre a antropologia e a psicologia.

Ambos os livros vão com sede demais ao pote e acabam não se saindo muito bem, mas oferecem descrições preciosas da situação atual. Para outros desses trabalhos de revisão, igualmente úteis para nos dar uma idéia direta desse campo e suas perspectivas, ver R.A. Shweder, *Thinking through Cultures, Expeditions in Cultural Psychology*, Cambridge, Mass., Harvard University Press, 1991; J. Stigler, R.A. Shweder e G. Herdt (orgs.), *Cultural Psychology: The Chicago Symposia on Culture and Development*, Cambridge, Cambridge University Press, 1989; e R.A. Shweder e R.A Levine (orgs.), *Culture Theory: Essays on Mind, Self and Emotion*, Cambridge, Cambridge University Press, 1984.

15. Bruner, *The Culture of Education*, p.160.
16. Ibid., p.171.
17. Bruner, *Acts of Meaning*, p.95.
18. A. Clark, *Being There: Putting Brain, Body, and World Together Again*, Cambridge, Mass., MIT Press, 1997; W. Frawley, *Vygotsky and Cognitive Science: Language and the Unification of the Social and Computational Mind*, Cambridge, Mass., Harvard University Press, 1997. Para um reconhecimento do estímulo trazido pelo trabalho de Bruner, ver, por exemplo, Clark, p.25, Frawley, p.223.

19. Bruner, *Acts of Meaning*, p.11; Clark, *Being There*, p.xvii; Frawley, *Vygotsky and Cognitive Science*, p.295. Para uma visão do papel da cultura como constitutiva, e não como um acréscimo na evolução humana, ver Clifford Geertz, "The impact of the concept of culture on the concept of man" e "The growth of culture and the evolution of mind", em *The Interpretation of Cultures*, Nova York, Basic Books, 1973, p.33-54, 55-83.

*Capítulo 10. **Cultura, mente, cérebro/Cérebro, mente, cultura***

1. Clark, A., *Being There: Putting Brain, Body, and World Together Again*, Cambridge, Mass., MIT Press, 1997, p.213.

2. B. Shore, *Culture in Mind, Cognition and the Problem of Meaning*, Nova York, Oxford University Press, 1996; J. Bruner, *Actual Minds, Possible Worlds*, Cambridge, Mass., Harvard University Press, 1986; R. A. Shweder, *Thinking through Cultures: Expeditions in Cultural Psychology*, Cambridge, Mass., Harvard University Press, 1991; R. Harré, *The Discursive Mind*, Thousand Oaks, Calif., Sage Publications, 1994; S. Toulmin, *The Inner Life: The Outer Mind*, Worcester, Mass., Clark University Press, 1985; M. Douglas, *How Institutions Think*, Syracuse, Syracuse University Press, 1986; G. Bateson, *Steps toward an Ecology of Mind*, Novato, Calif., Chandler, 1972; e N. Goodman, *Ways of Worldmaking*, Nova York, Hackett, 1978.

3. M. Cole, *Cultural Psychology: The Once and Future Science*, Cambridge, Mass., Harvard University Press, 1996.

4. N.J. Chodorow, *The Power of Feelings, Personal Meaning in Psychoanalysis, Gender, and Culture*, New Haven, Yale University Press, 1999, p.144.

5. M. Rosaldo, *Knowledge and Passion*, Cambridge, Cambridge University Press, 1980; C. Lutz, *Unnatural Emotions: Everyday Sentiments on a Micronesian Atoll and Their Challenge to Western Theory*, Chicago, University of Chicago Press, 1988; J.L. Briggs, *Never in Anger*, Cambridge, Mass., Harvard University Press, 1970; Shweder, *Thinking through Cultures*; R.I. Levy, *Tahitians: Mind and Experience in the Society Islands*, Chicago, University of Chicago Press, 1973; A. Wierzbicka, *Understanding Cultures through Their Keywords*, Oxford, Oxford University Press, 1997.

6. Rosaldo, *Knowledge and Passion*, p. 222.

7. Wierzbicka, *Understanding Cultures*, p.16-7, 157, 218; Shore, *Culture in Mind*, p.301-2; L. Rosen, *Bargaining for Reality: The Construction of Social Relations in a Muslim Community*, Chicago, University of Chicago Press, 1984, p.48; C. Geertz, *The Religion of Java*, Glencoe, Ill., The Free Press, 1960, p.238-41. Para uma exposição sucinta dessa abordagem geral, ver H. Geertz, "The vocabulary of emotion", *Psychiatry*, 22, 1959, p.225-37.

8. Chodorow, *The Power of Feelings*, p.161.

9. Ibid, p.164, 166, 218.

10. J. Bruner, *Acts of Meaning*, Cambridge, Mass., Harvard University Press, 1990; J.W. Astington, *The Child's Discovery of the Mind*, Cambridge, Mass., Harvard University Press, 1993; D. Premack e G. Woodruff, "Does the chimpanzee have a theory of mind?", *Behavioral and Brain Sciences*, 1, 1978, p.515-526; G. Lakoff, *Women, Fire, and Dangerous Things*, Chicago, University of Chicago Press, 1987; C.F. Feldman, *The Development of Adaptive Intelligence*, San Francisco, Jossey-Bass, 1974; W. Frawley, *Vygotsky and Cognitive Science, Language and the Unification of the Social and Computational Mind*, Cambridge, Mass., Harvard University Press, 1997; R. D'Andrade, "Cultural cognition", in M.I. Posner (org.), *Foundations of Cognitive Sciences*, Cambridge, Mass., MIT Press, p.745-830.

11. Goodman, *Ways of Worldmaking*; cf. J. Bruner, *The Culture of Education*, Cambridge, Mass., Harvard University Press, 1996.

12. Citado em Frawley, *Vygotsky*, p.143.

13. Shweder, *Thinking through Cultures*, p.324.

14. A.R. Damasio, *Descartes's Error: Emotion, Reason, and the Human Brain*, Nova York, Putnam, 1994.

15. Ibid., p.xv.

16. Ibid., p.51.

17. Ibid., p.xxi.

18. Para uma discussão instigante da esquizofrenia em termos das formas culturais de sensibilidade, ver L.A. Sass, *Madness and Modernism: Insanity in the Light of Modern Art, Literature, and Thought*, Nova York, Basic Books, 1992.

19. R. Wilbur, *New and Collected Poems*, Nova York, Harcourt Brace-Jovanovich, 1988, p.240.

Capítulo 11. ***O mundo em pedaços: Cultura e política no fim do século***

1. S. Huntington, "The clash of civilizations", *Foreign Affairs*, verão de 1993, p.22-49; cf. S. Huntington, *The Clash of Civilizations and the Remaking of World Order*, Nova York, Simon and Schuster, 1996.

2. C. Taylor, "Shared and divergent values", in C. Taylor, *Reconciling the Solitudes: Essays on Canadian Federalism and Nationalism*, Montreal e Kingston, McGill-Queen's University Press, 1993, p.155-86.

3. *The Compact Edition of the Oxford English Dictionary*, Oxford, Oxford University Press, 1971 [1928], 1, p.1078. Para uma discussão mais longa e pormenorizada da mudança de vocabulário no caso inglês, ver p.1500-650; ver L. Greenfield, *Nationalism. Five Roads to Modernity*, Cambridge, Mass., Harvard University Press, 1992, p.31-44.

4. *The Compact Edition of the Oxford English Dictionary*, 2, p.661-2.

5. Ibid., p.849-53.

6. Ibid., p.359-60. Todos os termos aqui examinados têm, é claro, significados aliados que não estão diretamente envolvidos no campo semântico que estou descrevendo: "povo" denota seres humanos em oposição aos animais, "*country*" [país, interior] denota "rural" ("*the countryside*" [o interior, a zona rural]), em oposição a "urbano", "sociedade" denota "elegante", como em "alta sociedade" etc. — o que precisaria ser levado em conta numa análise completa.

7. Ibid., p.30-1. As definições fornecidas em *The American Heritage Dictionary of the English Language*, 3ª ed., Boston, Houghton-Mifflin, 1992, p.1203, apresentam a consolidação moderna, cristalizada e totalmente multifacetada: "1. Grupo relativamente grande de pessoas organizadas sob um governo único, geralmente independente; país. 2. O governo de um Estado soberano. 3. Povo que tem costumes, origens, história e, freqüentemente, língua comuns; nacionalidade. 4. Federação ou tribo ... 5. Território ocupado por essa federação ou tribo."

8. Ver, por exemplo, E. Gellner, *Nations and Nationalism*, Oxford, Oxford University Press, 1983; mas essa visão é muito difundida.

9. B. Anderson, *Imagined Communities. Reflections on the Origin and Spread of Nationalism*, Londres, Verso, 1983, p.123. O livro de Anderson talvez seja a afirmação mais vigorosa da visão difusionista e histórico-mundial "pela qual a nação foi imaginada e, uma vez imaginada, moldada, adaptada e transformada" (p.129); e o foi, poderíamos acrescentar, em sua visão purificada, nos movimentos de independência das décadas de 1950 e 1960.

10. W. Zimmerman, "Origins of a catastrophe: memoirs of the last american ambassador to Yugoslavia", *Foreign Affairs*, março/abril de 1995, p.7. Quanto à oposição entre "étnico" e "cívico", ver M. Ignatief, *Blood and Belonging: Journeys into the New Nationalism*, Nova York, Farrar, Straus and Giroux, 1993; entre "oficial" e "popular", B. Anderson, *Imagined Communities*; entre "desmembrador" e "unificador", "dos Habsburgo" e "liberal", e "oriental" e "ocidental", E. Gellner, *Nations and Nationalism*. (A tentativa de traçar a linha divisória entre mau nacionalismo e bom nacionalismo

que separa o "atavismo" balcânico da "maturidade" da Europa Ocidental, agora muito reforçada pela tragédia iugoslava e pelos fracassos da União Européia diante dela, faz parte da visão das coisas pautada no excepcionalismo europeu, que discutirei mais adiante.)

11. C. Black, "Canada's continuing identity crisis", *Foreign Affairs*, março/abril de 1995, p.99-115, citação na p.101. No trecho que se segue, sou especialmente grato a um artigo não publicado (de 1995) de Russel Barsh, professor adjunto de Estudos dos Nativos Americanos da Universidade de Lethbridge, em Alberta, intitulado "Re-imagining Canada: aboriginal peoples and Quebec competing for legitimacy as emergent nations", e, *inter alia*, C. Taylor, *Reconciling the Solitudes*; M. Ignatief, *Blood and Belonging*, p.143-77; R. Handler, *Nationalism and the Politics of Culture in Quebec*, Madison, University of Wisconsin Press, 1988. Para uma resenha dos esforços constitucionais de pôr o Canadá em ordem, ver J. Tully, *Strange Multiplicity: Constitutionalism in an Age of Diversity*, Cambridge, Cambridge University Press, 1995. Para uma tentativa de compreender essa multiplicidade em termos de um contraste entre "civilização" e "cultura", ver D. Verney, *Three Civilizations, Two Cultures, One State: Canada's Political Traditions*, Durham, Duke University Press, 1981. Quanto às visões franco-canadenses, ver J. Letourneau, *La Question identitaire au Canada francophone*, Quebec, Presses Universitaires Laval, 1997.

12. C. Black, "Canada's continuing identity crisis", p.112-4; a cifra da migração dos anglófonos para fora de Quebec veio de M. Ignatief, *Blood and Belonging*, p.171. Quanto ao Quebec, aos índios (Cree) e ao desenvolvimento dos recursos naturais, ibid., p.163-7, e Barash, "Re-imagining Canada".

13. Baseio-me aqui, principalmente, em dois livros de S.J. Tambiah, *Sri Lanka, Ethnic Fratricide and the Dismantling of Democracy*, Chicago, 1986, e *Buddhism Betrayed? Religion, Politics, and Violence in Sri Lanka*, Chicago, University of Chicago Press, 1992, bem como em W.H. Wriggins, *Ceylon: Dilemmas of a New Nation*, Princeton, Princeton University Press, 1960. Fiz uma resenha sucinta do que eram, na época, as fases iniciais do conflito étnico do Ceilão em C. Geertz, "The integrative revolution, primordial sentiments and civil politics in the new states", in C. Geertz (org.), *Old Societies and New States*, Nova York, Free Press, 1963, p.105-57, esp. p.121-3. Minha estatística veio dos trabalhos citados, do *World Development Report, 1992*, The International Bank for Reconstruction and Development, Oxford, 1992, e de E.V. Daniel, *Charred Lullabies: Chapters in an Autobiography of Violence*, Princeton, Princeton University Press, 1996.

14. *World Development Report, 1992*, 1992, op. cit., tabelas 1, 26 e 28. Em relação a alguns de seus vizinhos, o avanço do Sri Lanka nos últimos anos foi um pouco menos impressionante, como resultado, em parte, de seus problemas comunitários, que levaram a uma diáspora significativa na Europa, no golfo Pérsico e nos Estados Unidos, mas ele ainda continua razoavelmente eficiente.

15. Houve tantas informações na imprensa mundial nos últimos anos, além de numerosos livros, artigos e comentários, para não falar da cobertura da televisão, que não preciso citar as fontes do que são, de qualquer modo, observações gerais e não abalizadas. Pautei-me maciçamente no livro minucioso e perspicaz de Misha Glenny, *The Fall of Yugoslavia: The Third Balkan War*, 2ª ed., Nova York, Penguin, 1994, para manter a correção factual e cronológica. Zimmerman, "Origins of a catastrophe", também foi útil nesse aspecto. Ignatief, *Blood and Belonging*, p.19-56, embora verse apenas sobre a Croácia e a Sérvia, evoca com grande vigor a devastação, como faz, no tocante à Bósnia-Herzegovina, D. Rieff, *Slaughterhouse: Bosnia and the Failure of the West*, Nova York, Simon and Schuster, 1995, que também aborda as questões políticas de um ponto de vista fortemente intervencionista.

16. Glenny, *The Fall of Yugoslavia*, p.161.

17. Ibid., p.236.

18. Existe, é claro, uma história do configurativismo cultural que é independente e anterior à prática etnográfica, desde Malinowski ou seja lá quem for, muito especialmente a que se liga a Her-

der, aos Humboldt e aos neo-kantianos, história essa que, na verdade, teve um impacto moldador na antropologia; para uma boa resenha recente, ver S. Fleischacker, *The Ethics of Culture*, Ithaca, NY, Cornell University Press, 1994, esp. cap. 5.

19. Para uma discussão da composição étnica e religiosa da Indonésia, bem como da maneira como ela vem sendo abordada, ver meu livro *After the Fact: Two Countries, Four Decades, One Anthropologist*, Cambridge, Mass., Harvard University Press, 1995, esp. caps.1-3. Não tentei incluir aqui os acontecimentos, a maioria dos quais reforça minha argumentação, que se seguiram ao colapso da rupia, à renúncia de Suharto, à Separação do Timor Leste e ao movimento hesitante e confuso de retorno ao governo popular. Ver também meu artigo "'Ethnic conflict': three alternative terms", *Common Knowledge*, 2, 3, 1992, p.55-65.

Índice remissivo

Este livro foi composto por Textos & Formas, em Agaramond, e impresso por Cromosete Gráfica e Editora em fevereiro de 2001.